# GuiaFácil para entender

# A Bíblia

# GuiaFácil para entender

# A Bíblia


**Larry Richards**

Traduzido por

**Valéria Lamin Delgado**

Thomas Nelson Brasil®

Rio de Janeiro, 2024

Título original: *The Bible* – The Smart Guide to the Bible™ series



| | |
|---|---|
| Publisher | *Omar de Souza* |
| Editor | *Samuel Coto* |
| Produção | *Adriana Torres* |
| | *Thalita Aragão Ramalho* |
| Produção Editorial | *Daniel Borges* |
| | *Luana Luz* |
| Tradução | *Valéria Lamim Delgado Fernandes* |
| Revisão de tradução | *Silvia Rebello* |
| Revisão | *Luiz Antonio Maia* |
| | *Maria Fernanda Barreto* |
| Capa | *Douglas Lucas* |
| Projeto gráfico | *Trio Estúdio* |
| Diagramação | *Leandro Collares (Selênia Serviços)* |

Todas as citações bíblicas foram extraídas da NVI – Nova Versão Internacional.

CIP-BRASIL. CATALOGAÇÃO NA FONTE
SINDICATO NACIONAL DOS EDITORES DE LIVROS, RJ

---

R516g Richards, Larry.
Guia fácil para entender a Bíblia / Larry Richards; [tradução de] Valéria Lamin Delgado. – Rio de Janeiro: Thomas Nelson Brasil, 2013.
(Guia fácil para entender)

Tradução de: The Bible
ISBN: 978-85-7860-347-2

1. Cristianismo – Estudo. 2. Bíblia – Crítica, interpretação. I. Delgado, Valéria Lamin. II. Título. III. Série.

CDD 220
CDU 23-27

---

Thomas Nelson é uma marca licenciada à Vida Melhor Editora LTDA.
Todos os direitos reservados à Vida Melhor Editora LTDA.
Rua da Quitanda, 86, sala 601A – Centro – 20091-005
Rio de Janeiro – RJ
Tel.: (21) 3175-1030
www.thomasnelson.com.br

# Sumário

INTRODUÇÃO ........ 11

1ª PARTE: O Antigo Testamento ........ 17

CAPÍTULO 1: PRINCÍPIOS: GÊNESIS 1-11 ........ 21
A Criação
A criação do homem e da mulher
Satanás e a Queda
O Dilúvio

CAPÍTULO 2: DEFININDO O CAMINHO: GÊNESIS 12-50 ........ 33
Abraão
A promessa de Deus
Os descendentes de Abraão

CAPÍTULO 3: SAÍDA PARA A LIBERDADE: ÊXODO ........ 43
Moisés
As dez pragas
Os Dez Mandamentos
O tabernáculo

CAPÍTULO 4: A AVENTURA CONTINUA: LEVÍTICO, NÚMEROS, DEUTERONÔMIO ........ 55
As leis para uma vida santa
A longa jornada
A Lei é revista

Capítulo 5: Conquista e queda: Josué, Juízes, Rute .......... 69
A conquista de Canaã
Quando os juízes governavam
Fé simples

Capítulo 6: Um novo começo: Primeiro e Segundo Livro de Samuel, Primeiro Livro de Crônicas .......... 81
Samuel
Saul
Saul e Davi
Davi

Capítulo 7: A era de ouro de Israel: Primeiro Livro de Reis 1-11, Segundo Livro de Crônicas 1-9, Jó, Salmos, Provérbios, Eclesiastes, Cântico dos Cânticos .......... 95
Salomão
A poesia hebraica
Jó
Salmos
Provérbios
Eclesiastes
Cântico dos Cânticos

Capítulo 8: O reino do norte: Primeiro Livro de Reis 12-22, Segundo Livro de Reis, Jonas, Amós, Oseias .......... 109
Um reino dividido
Elias e Eliseu
Jonas
Amós
Oseias

Capítulo 9: O reino do sul: Primeiro e Segundo Livro de Reis, Segundo Livro de Crônicas, Obadias, Joel, Miqueias, Isaías .......... 123
Liderança moral
Vozes proféticas
Obadias
Joel
Miqueias
Isaías

Capítulo 10: O reino que subsiste: Segundo Livro de Reis 15-25, Segundo Livro de Crônicas 29-36, Naum, Sofonias, Habacuque, Jeremias, Ezequiel .......... 137
Judá sobrevive
Naum
Sofonias
Habacuque
Jeremias
Ezequiel

Capítulo 11: Exílio e retorno: Lamentações, Daniel, Ester, Esdras, Neemias, Ageu, Zacarias, Malaquias .......... 155
Lamentações
Daniel
Ester
Esdras
Neemias
Ageu
Zacarias
Malaquias

**2ª PARTE: O Novo Testamento** .......... 173

Capítulo 12: Jesus, o Salvador prometido .......... 177
Quem é Jesus?
Jesus no Antigo Testamento
As próprias declarações de Jesus
Jesus no Novo Testamento
Por que Jesus veio

Capítulo 13: O nascimento e a preparação de Jesus: Mateus, Marcos, Lucas, João ... 189
Os quatro Evangelhos
O nascimento milagroso de Jesus
João Batista
O batismo de Jesus
A tentação de Jesus

Capítulo 14: O início do ministério de Jesus: Mateus, Marcos, Lucas, João .............. 203
A autoridade de Jesus
Os ensinos de Jesus
Controvérsia

Capítulo 15: Jesus diante da oposição: Mateus, Marcos, Lucas, João ......................... 217
Jesus diante da oposição
As parábolas de Jesus
Jesus instrui seus discípulos

Capítulo 16: A morte e a ressurreição de Jesus: Mateus, Marcos, Lucas, João ......... 229
A última semana de Jesus
O último dia de Jesus
A crucificação de Jesus
A ressurreição de Jesus

Capítulo 17: A chama se espalha: Atos dos Apóstolos ................................................ 243
A ascensão de Jesus
A igreja de Jerusalém
A expansão inicial da Igreja
Viagens missionárias
Paulo é julgado

Capítulo 18: Explicando o evangelho: Carta aos Romanos, Carta aos Gálatas ...... 257
Entendendo as cartas
Romanos
Gálatas

Capítulo 19: As cartas que solucionam problemas: Primeira e Segunda Carta aos Coríntios, Primeira e Segunda Carta aos Tessalonicenses ................................ 273
1Coríntios
2Coríntios
1Tessalonicenses
2Tessalonicenses

Capítulo 20: As cartas da Prisão: Carta aos Efésios, Carta aos Filipenses, Carta aos Colossenses .................................................................................................... 289
Efésios
Filipenses
Colossenses

Capítulo 21: As cartas pessoais: Primeira e Segunda Carta a Timóteo, Carta a Tito, Carta a Filemom ........ 303
1Timóteo
2Timóteo
Tito
Filemom

Capítulo 22: A superioridade de Cristo: Carta aos Hebreus ........ 317
Jesus, a Palavra viva
Jesus, nosso Sumo Sacerdote
Jesus, o sacrifício perfeito

Capítulo 23: As cartas gerais: Carta de Tiago, Primeira e Segunda Carta de Pedro, Primeira, Segunda e Terceira Carta de João, Carta de Judas ........ 329
Tiago
1Pedro
2Pedro
1, 2 e 3João
Judas

Capítulo 24: Apocalipse ........ 345
Cristo e as igrejas
Do Arrebatamento à Segunda Vinda
O Milênio e depois dele

APÊNDICE A: As viagens missionárias de Paulo ........ 354

APÊNDICE B: As respostas ........ 356

NOTAS ........ 364

# Introdução

## O que é extraordinário sobre a Bíblia?

A Bíblia é uma coletânea de 66 livros individuais escritos por muitas pessoas diferentes ao longo de um período de quase 1.500 anos. No entanto, trata-se de um livro que compartilha uma mensagem capaz de transformar a vida de uma pessoa. A Bíblia afirma que sua mensagem vem do próprio Deus. Mais de 2.600 vezes os escritores da Bíblia alegam falar ou escrever as palavras de Deus — não as suas.

## Como chegamos à Bíblia?

Os livros da Bíblia foram escritos por pessoas diferentes e refletem o estilo e as circunstâncias de cada uma delas. No entanto, as palavras que elas escreveram expressam precisamente a mensagem que Deus intentou comunicar.

Os primeiros 39 livros da Bíblia são chamados de Antigo Testamento. Foram quase totalmente escritos em hebraico — partes de Daniel e de Esdras foram escritas em aramaico, uma língua próxima. Considerando esses livros sagrados, os judeus, meticulosamente, copiaram-nos palavra por palavra, com todo o cuidado para evitar erros de transcrição. Cerca de cem anos antes de Cristo, o Antigo Testamento foi traduzido para o grego.

Os 27 livros do Novo Testamento foram escritos em grego entre 40 d.C. e 95 d.C., e rapidamente foram reconhecidos pelos cristãos como sagrados. Esses livros foram escritos por várias pessoas. As divisões em capítulos e versículos foram adicionadas muito mais tarde para facilitar a localização e a lembrança de ensinos específicos. As traduções mais modernas da Bíblia tomam muito cuidado para expressar com precisão, na língua vernácula, o significado do hebraico e do grego, para que também possamos entender a mensagem de Deus.

## Mas podemos realmente confiar na Bíblia?

A resposta a esta pergunta é sim. Nenhuma outra fonte que alega oferecer conhecimento sobre Deus foi escrita por tantos autores diferentes ao longo de tantos séculos, expressando, ainda assim, uma mensagem totalmente consistente. Nenhuma outra fonte religiosa ou secular contém centenas de prenúncios sobre o futuro como os que a Bíblia apresenta. E, em nenhuma outra fonte, prenúncio após prenúncio se cumpriu à risca, muitas vezes centenas de anos depois de terem sido feitos. E isso só é possível porque Deus, o único que pode declarar o fim "desde o início" (ver Isaías 46:10), revelou o futuro.

No entanto, talvez a razão mais convincente para confiarmos na Bíblia é que, por meio deste livro ímpar, milhões têm criado um relacionamento pessoal com Deus e encontram nele força, alegria e paz. Enquanto criamos e vivemos em um relacionamento de confiança com o Deus da Bíblia, podemos aprender por experiência própria que é possível confiar neste livro, que é, de fato, a Palavra de Deus.

## Algumas considerações sobre as datas

Os especialistas divergem sobre as datas na Bíblia. Mas os arqueólogos continuam a fazer novas descobertas, de modo que muitas datas podem ser determinadas com precisão atualmente. Nos pontos em que há divergências relevantes, costuma-se apresentar a data mais recorrentemente atribuída ao fato. No entanto, observe que nas linhas do tempo mostradas ao longo dos capítulos a letra "c" indica *cerca*, ou seja, "aproximadamente nesta data".

## Por que escrever este livro sobre a Bíblia?

A leitura da Bíblia pode mudar sua vida. Isso é algo que nenhum livro sobre a Bíblia pode prometer. Contudo, simplesmente abrir a Bíblia e começar a lê-la pode ser confuso para você. Embora a Bíblia conte uma história única, trata-se de uma história que tem muitas partes. Para compreender a natureza e a contribuição de cada parte, precisamos saber como essa parte se encaixa na visão geral. Este livro irá ajudá-lo a ter essa visão geral, de modo que a Bíblia faça sentido para você sempre e onde quer que você a abra.

## Sobre o autor

Dr. Larry Richards é natural de Michigan e agora vive em Raleigh, na Carolina do Norte. Converteu-se enquanto estava na Marinha, na década de 1950. Larry lecionou e elaborou currículos de escola bíblica dominical para grupos de todas as idades. Publicou mais de duzentos livros que foram traduzidos para 26 línguas. Sue, sua esposa, também é escritora. Ambos gostam de ministrar estudos bíblicos, bem como de pescar e jogar golfe.

## Uma última dica

Deus, que nos deu a Bíblia, está presente sempre que a lemos. Por isso, é útil lê-la em oração. As pessoas que abrem o coração para Deus e pedem que ele fale com elas dizem que ele realmente fala. Então, abra seu coração e peça a Deus para falar com você durante a leitura da Bíblia, e você se surpreenderá ao notar o quanto a Bíblia enriquecerá sua vida!

## É fácil entender a Bíblia com estas ferramentas

Para entender a Palavra de Deus, é preciso ter à mão — na ponta dos dedos — ferramentas de estudo de fácil uso. A série *Guia fácil para entender* coloca recursos valiosos ao lado do texto para ajudá-lo a economizar tempo e esforço.

Todas as páginas apresentam colunas laterais práticas e repletas de ícones e informações úteis: referências cruzadas para novas informações, definições de palavras e conceitos importantes, breves comentários de especialistas sobre o tópico, questões para reflexão, evidências de Deus em ação, visão geral de como as passagens se encaixam no contexto de toda a Bíblia, sugestões práticas para o leitor aplicar as verdades bíblicas em todas as áreas da vida e muitos mapas, tabelas e ilustrações. Um resumo de cada passagem, combinado com questões de estudo, encerra cada capítulo.

Essas ferramentas úteis mostram o que se deve observar. Examine-as para se familiarizar com elas e, em seguida, comece o capítulo 1 com confiança absoluta: você está prestes a expandir seu conhecimento da Palavra de Deus!

### Recursos úteis para o estudo

O ícone Balão chama a sua atenção para comentários que podem particularmente levar à reflexão, ser desafiadores ou encorajar. Você vai querer reservar alguns minutos para refletir sobre ele e considerar as implicações para a sua vida.

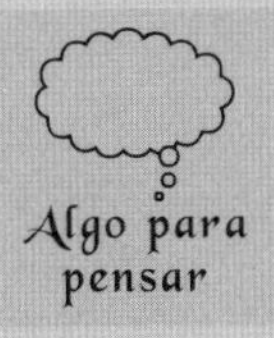


Não o perca de vista! O ícone Ponto de exclamação chama a sua atenção para um ponto fundamental no texto e enfatiza verdades e fatos bíblicos importantes.

**morte na cruz**
Colossenses 1:21-22

Muitos veem Boaz como um modelo de Jesus Cristo. Para reconquistar o que nós, seres humanos, perdemos por causa do pecado e da morte espiritual, Jesus teve de se tornar humano (ou seja, ele teve de se tornar um de nós) e de se dispor a pagar o preço por nossos pecados. Com a sua morte na cruz, Jesus pagou o preço e conquistou a liberdade e a vida eterna para nós.

Os versículos bíblicos adicionais dão respaldo bíblico para a passagem que você acabou de ler e o ajudam a entender mais claramente o texto sublinhado. (Pense nisso como um recurso imediato de referência!)

Aplique

Como o que você acabou de ler se aplica à sua vida? O ícone Coração indica que você está prestes a descobrir! Essas sugestões práticas falam à sua mente, ao seu coração, ao seu corpo e à sua alma, e oferecem diretrizes claras para você viver uma vida íntegra e cheia de alegria, definindo prioridades, mantendo relacionamentos saudáveis, perseverando em meio aos desafios e muito mais.

Este ícone revela como Deus é verdadeiramente Onisciente e Todo-Poderoso. O ícone Ampulheta mostra um exemplo específico do prenúncio de um evento ou do cumprimento de uma profecia. Observe como parte do que Deus disse já se cumpriu!

Quais são algumas das coisas maravilhosas que Deus fez? O ícone Placa mostra como Deus usou milagres, ações especiais, promessas e alianças ao longo da história para atrair pessoas a ele.

A história ou o evento que você acabou de ler aparece em outra passagem dos Evangelhos? O ícone Cruz mostra-lhe aqueles exemplos nos quais a mesma história aparece em outras passagens do evangelho — outra prova da precisão e da verdade da vida, da morte e da ressurreição de Jesus.

Uma vez que Deus criou o casamento, não há pessoa melhor a quem recorrer em busca de conselho. O ícone Par de alianças chama a sua atenção para informações e sugestões para você fortalecer seu casamento.

Para o seu casamento

A Bíblia está repleta de sabedoria para você formar uma família santa e desfrutar de sua família espiritual em Cristo. O ícone Casal com bebê lhe dá ideias para edificar sua casa e ajudar sua família a ser unida e forte.

Fortaleça a sua família

tendo ocorrido algo importante, ele escreveu a essência do que viu. Esta é a prática que João seguiu quando registrou Apocalipse na **ilha de Patmos**.

**Ilha de Patmos**
Uma pequena ilha no mar Mediterrâneo

Qual é o verdadeiro significado desta palavra, especialmente quando está relacionada a esta passagem? Palavras importantes, malcompreendidas ou usadas com pouca frequência aparecem em negrito em seu texto para que você possa imediatamente dar uma olhada na margem para encontrar definições. Esse recurso valioso permite que você entenda mais claramente o significado de toda a passagem sem precisar parar para checar outras referências.

## Visão geral

### Josué

Liderados por Josué, os israelitas atravessaram o rio Jordão e invadiram Canaã (veja Ilustração nº 8). Em uma série de campanhas militares, os israelitas venceram vários exércitos de coalizão formados pelos habitantes de Canaã. Com a queda da resistência organizada, Josué dividiu a terra entre as doze tribos israelitas.

Como o que você lê se encaixa na história bíblica maior? A visão geral em destaque resume a passagem que está sendo discutida.

**O que outros dizem**

*David Breese*

Nada é mais claro na Palavra de Deus do que o fato de que Deus quer que o compreendamos e também entendamos o seu modo de agir na vida do homem.

Talvez seja útil saber o que outros estudiosos dizem sobre o assunto, e a citação em destaque introduz outra voz na discussão. Esse recurso permite que você leia outras opiniões e perspectivas.

Mapas, tabelas e ilustrações representam visualmente artefatos antigos e mostram onde e como histórias e eventos ocorreram. Eles permitem que você entenda melhor o surgimento de impérios importantes, passeie por vilas e templos, veja onde aconteceram grandes batalhas e acompanhe as jornadas do povo de Deus. Você verá que esses gráficos lhe permitem ir além do estudo da Palavra de Deus — eles permitem que você a *conheça*.

# 1ª parte

# O Antigo Testamento

# O Antigo Testamento

## O que é o Antigo Testamento?

O Antigo **Testamento** é uma coletânea de 39 livros que foram escritos entre 1450 **a.C.** e 400 a.C. Eles contam a história do relacionamento especial de Deus com uma família humana, a família de Abraão, Isaque e Jacó, a qual se tornou o povo judeu. Por meio desse povo, Deus se revelou a toda humanidade. E, por meio desse povo, Deus pôs em ação um plano para salvar das terríveis consequências do **pecado** todos os que nele cressem.

**testamento**
aliança

**a.C.**
antes de Cristo, em oposição a d.C. (ou AD, *Anno Domini*, que significa "no ano de nosso Senhor")

**pecado**
qualquer violação da vontade de Deus

## Por que se chama "Antigo Testamento"?

Esta coletânea de 39 livros chama-se Antigo Testamento, em contraste com o Novo Testamento, que é uma coletânea de 27 livros, todos escritos no século I. O Novo Testamento continua e completa a história iniciada no Antigo Testamento.

## Saiba mais a respeito de Deus ao ler o Antigo Testamento!

As pessoas têm ideias diferentes sobre como é Deus. Quem quiser descobrir pode começar pela leitura do Antigo Testamento. O que está nele?

Os livros do Antigo Testamento são divididos em cinco diferentes tipos de escritos. Questões fascinantes são levantadas e respondidas por eles.

## Perguntas levantadas e respondidas pela Bíblia

**Pentateuco**
os cinco primeiros livros do Antigo Testamento; um livro com cinco pergaminhos

### Pentateuco

GÊNESIS, ÊXODO, LEVÍTICO, NÚMEROS, DEUTERONÔMIO

- ✦ De onde veio o universo?
- ✦ O que torna os seres humanos especiais?
- ✦ Por que as pessoas fazem coisas erradas e praticam o mal?
- ✦ Deus se importa com o que acontece conosco?
- ✦ Como saber o que Deus espera de nós?

### Livros históricos

JOSUÉ, JUÍZES, RUTE, 1 E 2SAMUEL, 1 E 2REIS, 1 E 2CRÔNICAS, ESDRAS, NEEMIAS, ESTER

- ✦ Qual é o plano de Deus para o mundo?
- ✦ Deus controla o que acontece na história?
- ✦ Vale a pena uma nação honrar a Deus?

### Livros poéticos

JÓ, SALMOS, PROVÉRBIOS, ECLESIASTES, CÂNTICO DOS CÂNTICOS

- ✦ Posso encontrar sentido na vida sem Deus?
- ✦ Como posso me comunicar com Deus?
- ✦ Como podemos sobreviver ao sofrimento?
- ✦ Que diretrizes me ajudam a fazer escolhas sábias?

### Profetas maiores

ISAÍAS, JEREMIAS, LAMENTAÇÕES, EZEQUIEL, DANIEL

- ✦ Deus nunca revela o futuro?
- ✦ Quais profecias já se cumpriram?
- ✦ Quais pecados Deus não deixa de julgar?
- ✦ Como será o fim do mundo?

### Profetas menores

OSEIAS, JOEL, AMÓS, OBADIAS, JONAS, MIQUEIAS, NAUM, HABACUQUE, SOFONIAS, AGEU, ZACARIAS, MALAQUIAS

- ✦ Até que ponto Deus nos ama?
- ✦ As pessoas realmente "escapam" sendo más?
- ✦ Que tipo de sociedade Deus abençoará?
- ✦ Que tipo de sociedade ele não deixará de punir?
- ✦ Nosso país está em perigo hoje?

# Capítulo 1

**Em destaque no capítulo:**

- A Criação
- A criação do homem e da mulher
- Satanás e a Queda
- O Dilúvio

# Princípios Gênesis 1-11

## Vamos começar

*Gênesis 1*

Ninguém estava presente na criação do **universo**, então, de onde Moisés, que escreveu os cinco primeiros livros do Antigo Testamento, obteve suas informações? Da única pessoa que estava presente no início do mundo: Deus. A Bíblia é um livro da verdade revelada, ou da **revelação**. Estes primeiros capítulos de **Gênesis** não discutem a existência de Deus. Eles partem do princípio de que Deus existe e descrevem um início sobre o qual somente Deus poderia saber.

**universo**
estrelas, espaço e tudo o que existe

**revelação**
o que Deus nos comunicou

**Gênesis**
o nome significa "começo"

### GÊNESIS

#### ...O LIVRO DOS PRINCÍPIOS

| | |
|---|---|
| **Quem?** | Moisés |
| **O quê?** | escreveu Gênesis |
| **Onde?** | viajando no deserto |
| **Quando?** | cerca de 1400 a.C. |
| **Por quê?** | para revelar a verdade sobre Deus e seu relacionamento com os seres humanos |

## O que há de especial em Gênesis 1?

### Visão geral

Gênesis 1:1-2:3

A Bíblia começa: "No princípio **Deus criou** os céus e a terra" (Gênesis 1:1). O restante da passagem diz que Deus formou nosso universo, dando atenção especial à definição da Terra como uma casa para a humanidade.

*Vá para*

**criou**
Isaías 40:18-31; Gênesis 1:1-2:3

**Deus criou**
Deus fez o universo a partir do nada

**imagem e semelhança**
assim como Deus, as pessoas têm intelecto, emoções, vontade etc.

**domínio**
a responsabilidade de cuidar de

1. **A história da Criação em Gênesis era um relato das origens realmente novo e diferente.** Moisés não obteve suas ideias acerca da Criação com os povos antigos. Elas lhe foram reveladas por Deus.
2. **Deus é o foco de Gênesis 1.** ("Deus" aparece 32 vezes.) Deus idealiza e cria um universo estável e confiável que, segundo ele, é "bom", e ele claramente se preocupa com o que criou.
3. **Os seres humanos são especiais, uma vez que somente eles foram criados à *imagem e semelhança* de Deus.** Deus deu aos seres humanos **domínio** sobre sua criação e, desde o início, as criaturas foram especiais para ele.

**NOÇÕES ANTIGAS SOBRE AS ORIGENS**

| | MESOPOTÂMIOS | EGÍPCIOS | GREGOS | GÊNESIS |
|---|---|---|---|---|
| Visão dos deuses | Muitos deuses/ deusas que competem entre si | Muitos deuses/ deusas próximos | Muitos deuses/ deusas rivais | Um Deus |
| Natureza dos deuses | Bons e maus, mesquinhos, rivais | Divindades da natureza, manipuladores | Adúlteros, mesquinhos, limitados | Bom, Todo-poderoso |
| Relação com o homem | A humanidade nasceu do sangue da **divindade** morta | Não há relacionamento moral ou pessoal | Sujeitos ao destino; sem interesse real pela humanidade | Os seres humanos criados à imagem de Deus; amados por Deus |
| Universo material | Corpo da deusa Tiamat | Cinco mitos dão cinco explicações | O universo existia antes dos deuses | Um Deus é o Criador e designer de tudo |

## Que diferença faz?

**divindade**
deus ou deusa

Alguns acreditam que o universo é impessoal e "simplesmente surgiu por acaso". Se isso for verdade, um dia, nosso Sol queimará e a Terra se tornará um pontinho morto e frio girando pelo espaço infinito. Mas e se nosso universo for pessoal, criado por um Deus que se preocupa com os seres humanos? Então, temos esperança. Deus pode ter um plano para nosso universo, e a morte talvez não seja o fim para aqueles a quem ele ama! Se Deus o criou ou não faz toda a diferença do mundo!

## Então ele fez o homem e a mulher

### Visão geral

Gênesis 2:4-25

Este capítulo oferece detalhes sobre a criação dos seres humanos. Deus criou Adão e o colocou em um belo jardim, o jardim do Éden (veja Ilustração nº 1, na página 25). Adão explorou o jardim e deu nome aos animais. Quando Adão percebeu que estava faltando algo, Deus formou Eva da costela do homem. Adão percebeu que Eva era uma pessoa como ele, uma parceira a quem ele poderia amar.

Adão/Eva
Gênesis 2:8-23

Satanás
Isaías 14:12-14; Apocalipse 12:9

inferno
Mateus 25:41

## O que há de especial em Gênesis 2?

1. **Gênesis 1 nos diz como aconteceu a Criação.** Deus disse... e assim foi (Gênesis 1:3,6,9,14,24). Já o capítulo 2 diz: "Deus formou o homem do pó da terra e soprou em suas narinas o fôlego de vida" (Gênesis 2:7). A atenção cuidadosa e incomum que Deus deu à formação do homem nos faz lembrar de que nós somos especiais, diferentes dos animais.

### O que outros dizem

Ronald F. Youngblood

"Criar" é um verbo especial no Antigo Testamento. Sempre tem Deus como seu sujeito; nunca é usado em referência à atividade humana. Você e eu podemos fazer, formar ou moldar, mas somente Deus cria.[1]

2. **O fôlego de vida.** A vida que Deus soprou em Adão era diferente da vida dada aos animais. O animal deixa de existir quando morre. Quando morremos, nosso corpo retorna ao pó, mas continuamos a existir, conscientes e cientes de nós mesmos para sempre.
3. **A mulher criada.** A mulher foi criada como uma auxiliadora idônea para Adão. A expressão hebraica significa uma "companheira comparável" — uma pessoa que era igual a Adão, não sua serva. Deus queria que homem e mulher fossem parceiros na vida na Terra.

## Foi Satanás que me fez fazer isso

### Visão geral

Gênesis 3

Satanás, na forma de uma serpente, enganou Eva, levando-a a desobedecer a Deus. Então Adão também desobedeceu a Deus. Esse pecado teve consequências terríveis para toda a raça humana.

**inferno**
um lugar de fogo e castigo eterno para Satanás e seus seguidores

SATANÁS: Também chamado de maligno, diabo e a grande serpente. Satanás antes era um anjo chamado Lúcifer e liderou outros anjos em uma rebelião contra Deus. Satanás e seus anjos odeiam Deus e têm a intenção de frustrar os planos por ele elaborados. Por fim, Deus triunfará e enviará Satanás e seus seguidores para o que chamamos de **inferno**.

A Queda é a desobediência de Adão e Eva, e explica como duas pessoas criadas por um Deus bom puderam gerar uma raça marcada pelo pecado, pela injustiça, pelo ódio e pela guerra. Quando Adão e Eva pecaram, a natureza deles foi deturpada e distorcida. Eles passaram essa natureza distorcida a todos os seus descendentes.

Vá para

**Tigre e Eufrates**
Gênesis 2:14

**árvore do conhecimento do bem e do mal** significa a capacidade de conhecer o bem e o mal por meio da experiência pessoal

**moral** fazer (assim como saber) o que é certo

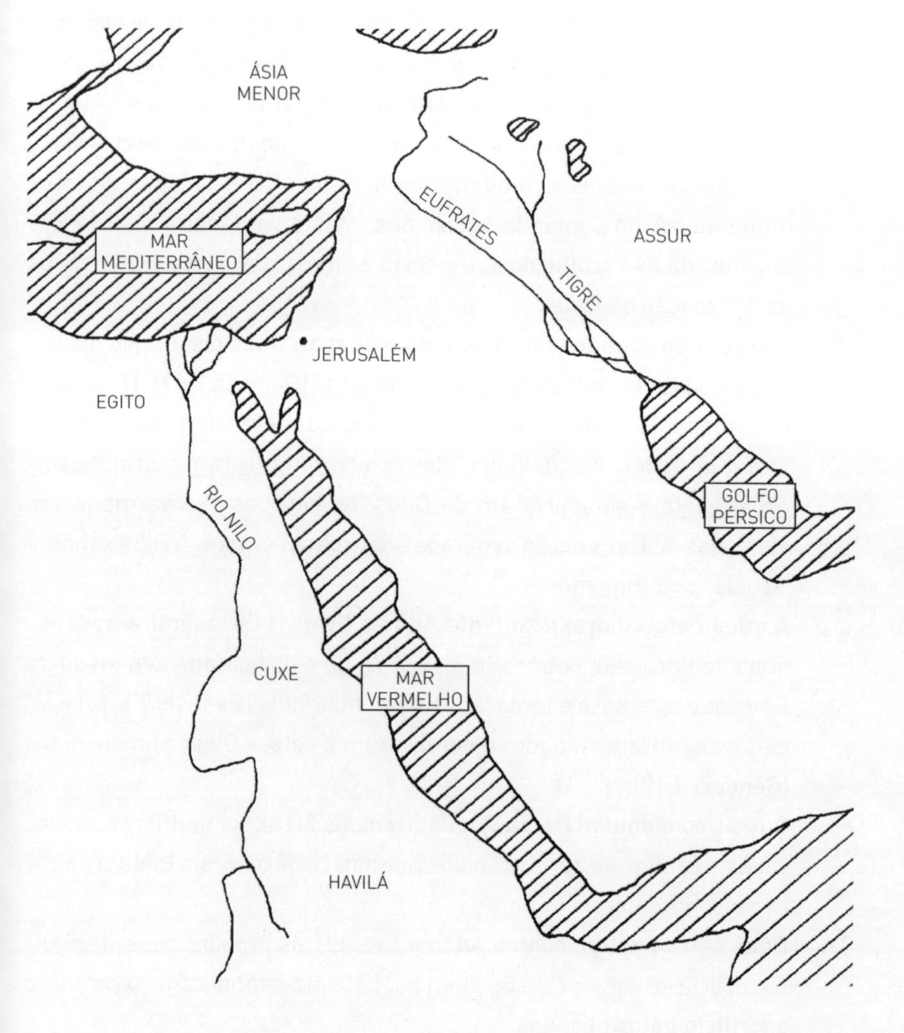


**Ilustração nº 1**
Mapa do Éden: As primeiras civilizações humanas desenvolveram-se no vale da Mesopotâmia (atuais Iraque e Irã). Gênesis coloca o Éden nesta área, listando quatro rios que o delimitavam. Os únicos conhecidos hoje são o Tigre e o Eufrates.

## Por que Deus deixou isso acontecer?

Por que colocar a **árvore do conhecimento do bem e do mal** no Éden? Deus criou os seres humanos à sua imagem. Uma vez que Deus faz distinção entre o certo e o errado e faz escolhas morais, Adão e Eva também tiveram a oportunidade de fazer uma escolha **moral** verdadeira.

## O que há de especial em Gênesis 3?

**morreram espiritualmente**
Efésios 2:1-3

**segunda morte**
Apocalipse 20:12-14

**sacrifício**
Levítico 17:11

**pecados**
Efésios 2:1-4

1. **Eva foi vulnerável à *tentação*.** Porque (1) ela não sabia o que Deus havia dito (compare Gênesis 3:4 com Gênesis 2:16-17), (2) ela começou a duvidar dos motivos de Deus (Gênesis 3:4-5) e (3) ela confiou em seus próprios sentidos e em seu próprio julgamento, em vez de confiar na palavra de Deus para determinar o que era verdadeiramente "bom" para ela (Gênesis 3:6). O resultado foi um desastre! Alguns argumentam que a decisão de Adão e de Eva de desobedecer a Deus foi libertadora. Eles acreditam que ser "livre" é ser capaz de fazer o que quisermos, quando quisermos. Mas a verdadeira liberdade é encontrada na escolha do que é certo e bom, e, para isso, precisamos da orientação de Deus.
2. **A árvore do conhecimento do bem e do mal.** Deus disse: "No dia em que dela comer, certamente você morrerá" (Gênesis 2:17). No dia em que Adão e Eva comeram, os processos que levavam à **morte física** foram iniciados. Naquele dia, eles também morreram moral e espiritualmente e se apartaram de Deus. As pessoas que permanecem afastadas de Deus serão separadas dele para sempre. A Bíblia chama isso de "**segunda morte**".
3. **A queda afetou drasticamente Adão e Eva:** (1) Eles sentiram vergonha e tentaram se cobrir (Gênesis 3:7), (2) eles ficaram com medo do Deus que os amava e tentaram se esconder dele (Gênesis 3:8,10) e (3) eles se sentiram culpados e começaram a culpar Deus e um ao outro (Gênesis 3:12).
4. **Outras consequências da Queda (Gênesis 3:16).** As mulheres são levadas a confiar na aprovação dos homens, e os homens tentam dominar e subordinar as mulheres.
5. **Deus não se voltou contra Adão e Eva.** Ele os procurou e, em seguida, cobriu-os com peles de animais. Este ato simbólico foi o primeiro **sacrifício pelos pecados**.

**tentação**
uma atração interior para fazer o mal

**morte física**
o corpo morre; a morte espiritual é a perda do relacionamento com Deus

**segunda morte**
a separação de Deus para sempre

**sacrifício pelos pecados**
a morte de um substituto para remissão dos pecados

## O que há de especial em Gênesis 4 e 5?

**maus o tempo todo**
Gênesis 6:5

**natureza pecaminosa**
o desejo e a tendência de optar por desobedecer a Deus

**genealogia**
uma lista de antepassados da família

### Visão geral

Gênesis 4-5

Esses capítulos mostram que os descendentes de Adão e Eva realmente herdaram a **natureza pecaminosa** de seus pais. Caim, o filho deles, matou o irmão Abel. Algumas gerações mais tarde, Lameque quebrou o padrão de um marido/uma esposa ao tomar para si duas esposas e justificou o assassinato de um homem que o feriu. Uma longa **genealogia** leva-nos aos dias de Noé, um tempo de maldade em que os pensamentos da humanidade eram maus o tempo todo.

1. **Gênesis 3 narra a queda de Adão e Eva.** Gênesis 4 mostra que a natureza pecaminosa de Adão e Eva foi legada aos seus descendentes. As pessoas não são pecadoras porque praticam o mal, mas praticam-no porque são pecadoras.
2. **Gênesis 5 lista homens que viveram centenas de anos.** Dá para acreditar nisso? A ciência médica já associou a maioria das doenças que encurtam a vida humana e o próprio envelhecimento a danos que vão ocorrendo pouco a pouco em nossos genes e cromossomos. Pessoas que viveram pouco depois de Deus ter criado Adão e Eva teriam sofrido muito pouco o dano genético. Deveríamos esperar que tivessem vivido consideravelmente mais do que nós.
3. **As pessoas especulam sobre a idade do universo e quando os seres humanos apareceram pela primeira vez.** Gênesis não dá dica alguma sobre quando se deram os eventos que descreve. O objetivo destes primeiros capítulos de Gênesis é revelar de onde vieram o universo e os seres humanos, e não quando a obra criativa de Deus foi realizada.

## Uma grande quantidade de água

### Visão geral

Gênesis 6–9

Estes capítulos contam a história de um grande dilúvio por meio do qual Deus dizimou grande parte da vida na Terra. A família de um homem, Noé, sobreviveu ao dilúvio. Ele obedeceu à ordem de Deus para construir uma arca que preservaria pares de animais terrestres que, então, povoariam a terra.

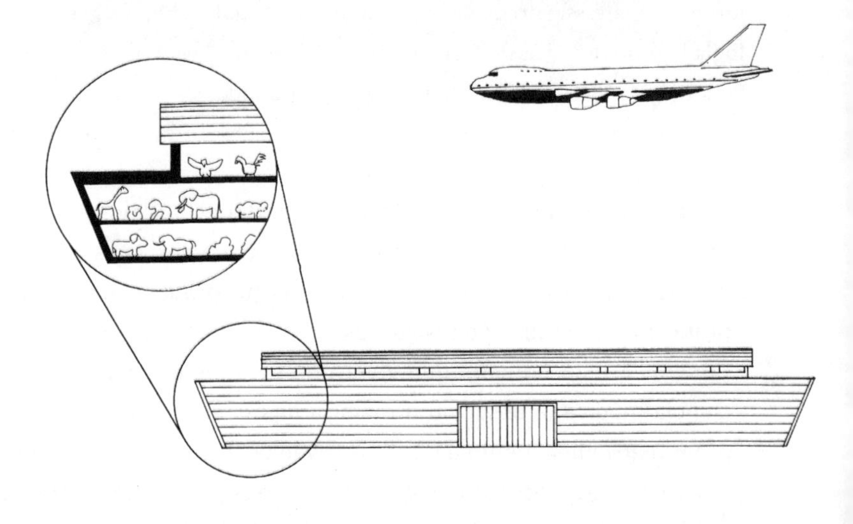

**Ilustração nº 2**
A arca de Noé era um barco de madeira sem motor com 137 metros de comprimento, 23 metros de largura e 14 metros de altura. Noé e seus filhos levaram 120 anos para construí-la, mas, quando terminaram, a arca tinha espaço suficiente para a família de Noé, todos os animais e comida para todos. Esse zoológico flutuante seria a casa da família de Noé por mais de um ano.

NOÉ: Noé foi um homem que andou com Deus, embora os homens à sua volta fossem ímpios. Deus disse a Noé que ele estava prestes a destruir os ímpios com um grande dilúvio. Quando recebeu a ordem para construir uma arca (veja Ilustração nº 2), Noé confiou em Deus e fez o que ele mandou. A fé de Noé é elogiada no Novo Testamento.

os homens à sua volta fossem ímpios
Gênesis 6:5

fé de Noé
Hebreus 11:7

**Juiz Moral**
Deus, em seu compromisso de punir o pecado

## O que há de especial em Gênesis 6-9?

1. **A causa do Dilúvio foi o pecado humano.** O Novo Testamento mostra o Dilúvio como prova de que Deus é um **Juiz Moral** que punirá os culpados. A história do Dilúvio é uma advertência.

2. **A promessa de Deus.** Depois do Dilúvio, Deus prometeu nunca mais destruir toda a vida na Terra pela água. O arco-íris que aparece após tempestades é um lembrete visível dessa promessa.
3. **A missão do governo.** Depois do Dilúvio, Deus disse a Noé que, daquele momento em diante, quem derramasse sangue do homem, pelo homem seu sangue seria derramado (ver Gênesis 9:6). Vemos isso como a instituição do governo humano.

**zigurate**
uma torre com escadas laterais

**Babilônia**
Isaías 13:1-11; Apocalipse 18:1-24

## Houve de fato um grande dilúvio por todo o mundo?

O Dilúvio foi um ato de Deus que o revelou como juiz da humanidade. É um aviso de que chegará um tempo na vida de cada pessoa e de cada nação em que Deus não mais fará vistas grossas à injustiça.

As pessoas em todo o mundo — do Oriente Médio à China, chegando às florestas da América do Sul — contam histórias sobre um dilúvio que dizimou grande parte da vida humana. A melhor explicação é uma tradição que remonta a um evento real!

## Uma torre alta

### Visão geral

**Gênesis 10–11 Por todo o mundo**

Gênesis 10 contém uma lista de nações que identifica com precisão as regiões nas quais viveram antigos grupos étnicos. Gênesis 11 diz que Deus levou povos antigos a falarem línguas diferentes quando os descendentes de Noé não se espalharam e não povoaram a terra como Deus havia intentado. Os últimos versículos de Gênesis 11 definem o cenário para a introdução de Abrão, uma figura fundamental na Bíblia.

A torre de Babel era um **zigurate** (veja Ilustração nº 3 na página 30), uma construção em forma de pirâmide, comum no antigo Oriente Médio e na América do Sul. Os antigos construíam templos no topo dessas torres. Eles estavam inventando sua própria religião, tentando alcançar Deus por meio de seus próprios esforços. A Bíblia e outros escritos do antigo Oriente Próximo consideram Babel a primeira civilização com base em uma cidade. Seus aspectos do mal são refletidos na descrição que as Escrituras fazem da Babilônia, que foi fundada no local da antiga Babel.

### Princípios em Gênesis

| | |
|---|---|
| Universo (1:1) | Promessa (3:15) |
| Luz (1:3) | Sacrifício (3:21) |
| Vida (1:20) | Procriação (4:1) |
| Seres humanos (1:27; 2:7) | Julgamento (6:7) |
| Casamento (2:24) | Governo (9:5-6) |
| Pecado (3:6) | "Religião" (9:8-17) |
| Consequências (3:14-19) | Língua (11:1-9) |

**Ilustração nº 3**
Zigurate: Torres como esta foram construídas pelos povos da Mesopotâmia há mais de 5 mil anos e pelos povos da América do Sul há 2 mil anos.

## Resumo do capítulo

- ✦ Gênesis fornece um relato único sobre a origem do universo, que não tem paralelos no antigo mundo (Gênesis 1).
- ✦ Deus criou os seres humanos à sua imagem e semelhança, tornando-os especiais (Gênesis 1:27; 2).
- ✦ Quando Adão e Eva desobedeceram a Deus, eles morreram espiritualmente e legaram sua natureza pecaminosa a todos os seus descendentes (Gênesis 3).
- ✦ A veracidade do relato bíblico sobre a Queda é vista nos grandes e pequenos males que desfiguram a sociedade e a experiência de cada pessoa.
- ✦ O Dilúvio de Gênesis revelou Deus como um Juiz Moral que deve — e irá — punir o pecado (Gênesis 6).

## Questões para estudo

1. Que diferença faz se Deus criou o universo ou não?
2. O que torna os seres humanos especiais?
3. Como a Bíblia explica os males que nos rodeiam e nossa própria tendência a fazer o que sabemos que é errado?
4. O que foi a Queda e quais as suas consequências?
5. O que o Dilúvio nos diz sobre Deus?

# Capítulo 2

*Em destaque no capítulo:*

- Abraão
- A promessa de Deus
- Os descendentes de Abraão

# Definindo o caminho Gênesis 12-50

## Vamos começar

Os 11 primeiros capítulos de Gênesis contam o início da história da raça humana. Começando com Gênesis 12, a Bíblia define um curso muito diferente ao relatar a escolha de Deus por um homem. O homem era Abraão, e seus descendentes eram os judeus. O restante dos 905 capítulos que compõem o Antigo Testamento traça a história desta família e o que Deus fez por meio dela. Por meio dos descendentes de Abraão, Deus se revelou, lidou com o pecado e reabriu o caminho para um relacionamento pessoal com ele.

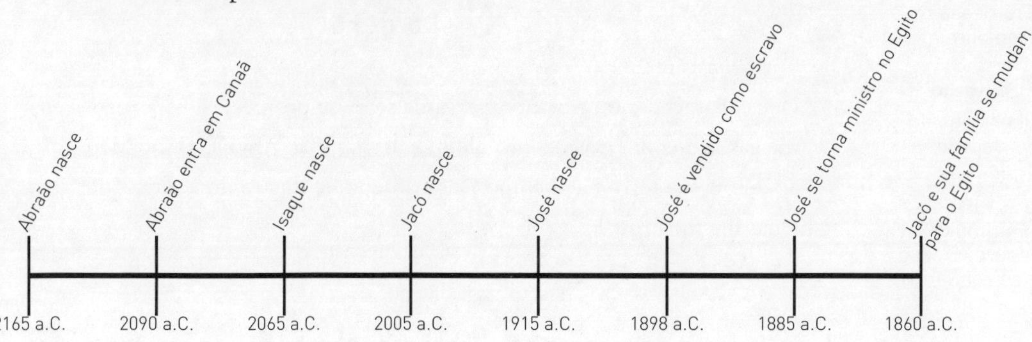


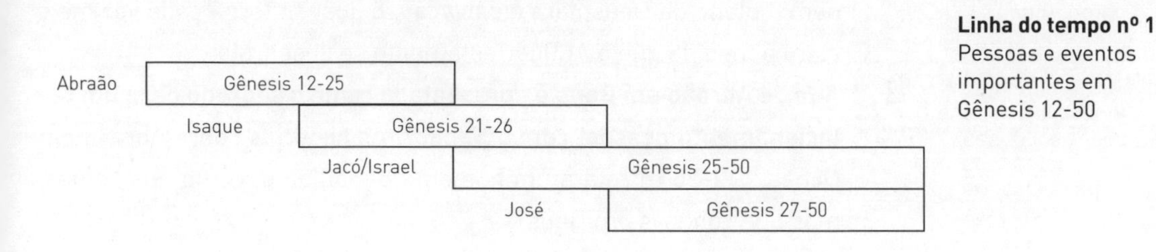


**Linha do tempo nº 1**
Pessoas e eventos importantes em Gênesis 12-50

## Eu escolhi você!

**aliança abraâmica**
Gênesis 12:1-3,7

Abraão: Quando Deus falou com Abrão, ele vivia na cidade rica, porém idólatra, de Ur (veja Ilustração nº 4). Abrão optou por seguir o Senhor. Mais tarde, seu nome passou a ser **Abraão**.

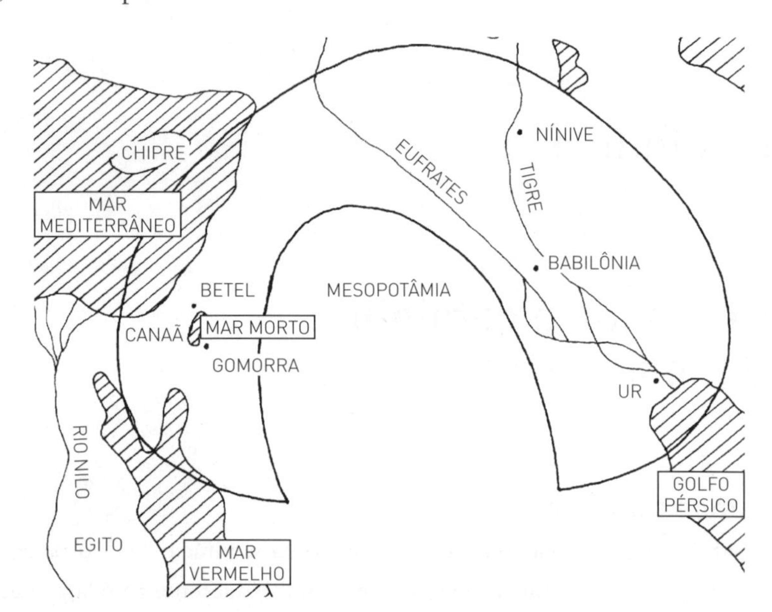


**Ilustração nº 4**
O Crescente Fértil: A área delineada foi chamada de "Crescente Fértil". Os vales amplos com rios sustentavam a agricultura e serviam como rotas comerciais na época de Abraão.

**Abraão**
"pai de uma multidão"

**aliança abraâmica**
promessas específicas que Deus fez a Abraão

**aliança**
pacto, juramento, promessa ou acordo obrigatório

**salvação**
libertação do pecado

**fé**
não é uma crença "sobre" Deus, mas confiança "nele"

**Senhor**
no Antigo Testamento, Senhor normalmente indica Javé, seu poder sobre seu povo, sobre toda a Terra e sobre todos os deuses

## O relacionamento de Abraão com Deus estabelece o curso da Bíblia em dois sentidos vitais

### Visão geral

Gênesis 12

Deus apareceu para Abraão e fez uma série de promessas. Essas promessas são conhecidas como aliança abraâmica. Abraão respondeu ao deixar sua terra natal como Deus ordenou e ir para uma terra que Deus lhe mostrou.

1. **Deus fez promessas na *aliança* com Abraão.** Essas promessas definem o plano de Deus para a **salvação**, o qual se torna cada vez mais claro à medida que o Antigo Testamento se desenrola.
2. **A *fé* de Abraão em Deus é apresentada como o segredo para um relacionamento pessoal com o *Senhor*.** As histórias sobre Abraão em Gênesis 12-25 retratam um homem que foi falho, como nós somos, mas que confiava em Deus.

## A aliança abraâmica

As promessas da aliança que Deus fez a Abraão são compromissos. Uma cerimônia especial no ato da aliança foi realizada, o que se fazia nos tempos antigos em casos de acordos legalmente obrigatórios.

Algumas das promessas da aliança de Deus já se cumpriram. Outras se cumpriram em parte e se cumprirão totalmente no final da história.

**justiça**
Gênesis 15:6; Romanos 3:10, 21-22

**justiça**
condição de estar sem pecado aos olhos de Deus

### AS PROMESSAS NA ALIANÇA QUE DEUS FEZ COM ABRAÃO

| GÊNESIS | AS PROMESSAS DE DEUS... | ...A PROMESSA MANTIDA |
|---|---|---|
| Gênesis 12:2 | Farei de você um grande povo. | De Abraão nasceram tanto os judeus como os árabes. |
| Gênesis 12:2 | Eu o abençoarei. | Deus protegeu e enriqueceu Abraão durante os dias de sua vida. |
| Gênesis 12:2 | Tornarei famoso o seu nome, e você será uma bênção. | Judeus, muçulmanos e cristãos honram Abraão como fundador de sua fé. |
| Gênesis 12:3 | Abençoarei os que o abençoarem e amaldiçoarei os que o amaldiçoarem. | Ao longo da história, os povos que perseguiram os judeus sofreram desastre em escala nacional. |
| Gênesis 12:3 | Por meio de você todos os povos da terra serão abençoados. | Os descendentes de Abraão deram ao mundo a Bíblia e Jesus, o Salvador. |
| Gênesis 12:7 | À sua descendência darei esta terra. | Israel continua a ser a Terra Prometida do povo judeu a ser ocupada no final da história. |

## A fé de Abraão

As histórias da Bíblia sobre Abraão não escondem suas fraquezas ou pecados. Contudo, Abraão tinha muita fé em Deus. Quando Abraão tinha cem anos de idade e sua esposa, Sara, noventa anos, Deus lhes prometeu um filho. Abraão creu em Deus, e sua fé lhe foi creditada como **justiça**. O Novo Testamento diz:

**glória**
louvor e honra

ROMANOS **4:19-24** *Sem se enfraquecer na fé, [Abraão] reconheceu que o seu corpo já estava sem vitalidade, pois já contava cerca de cem anos de idade, e que também o ventre de Sara já estava sem vitalidade. Mesmo assim não duvidou nem foi incrédulo em relação à promessa de Deus, mas foi fortalecido em sua fé e deu* ***glória*** *a Deus, estando plenamente convencido de que ele era poderoso para cumprir o que havia prometido. Em consequência, "isso lhe foi creditado como justiça". As palavras "lhe foi creditado" não foram escritas apenas para ele, mas também para nós, a quem Deus creditará justiça, para nós, que cremos naquele que ressuscitou dos mortos a Jesus, nosso Senhor.*

**O que outros dizem**

Max Lucado

Você não impressiona os funcionários da NASA com um avião de papel. Não se acha igual a Einstein porque consegue escrever $H_2O$. E você não se vangloria de sua bondade na presença do [Deus] Perfeito.[1]

Tanto o Antigo quanto o Novo Testamento ensinam que somente aqueles que confiam em Deus e em suas promessas têm um relacionamento pessoal com ele.

## Conhecendo Abraão

Algumas histórias da Bíblia sobre Abraão exibem suas fraquezas humanas. Algumas revelam sua confiança em Deus. Ler uma ou duas das seguintes histórias de cada uma das duas categorias lhe dará um entendimento tanto das fraquezas como da fé de Abraão.

| As fraquezas de Abraão são reveladas | A confiança cada vez maior de Abraão é mostrada |
|---|---|
| Gênesis 12:10-20 | Gênesis 12:4-9 |
| Gênesis 16:1-16 | Gênesis 13:1-18 |
| Gênesis 20:1-17 | Gênesis 14:1-24<br>Gênesis 15:1-20<br>Gênesis 19:1-29<br>Gênesis 22:1-19 |

Deus não espera que as pessoas sejam "boas" antes de aceitá-las. Deus aceita as pessoas que confiam nele e, então, ele as ajuda a serem melhores.

**O que outros dizem**

*Robert C. Girard*

Uma revelação surpreendente! Desde que me tornei um seguidor de Jesus Cristo, há uma parte de mim que quer o que Deus quer. Por meio da ação do Espírito Santo, uma nova criação, totalmente sintonizada com Deus e em pleno acordo com sua vontade, está se erguendo dos escombros da velha vida.[2]

## A arqueologia e Abraão

Alguns acreditam que as histórias sobre Abraão foram inventadas, mas a **arqueologia** deixa claro que essas histórias contêm detalhes autênticos. Por exemplo, a rota seguida pelos reis em Gênesis 14 realmente foi usada em 2000 a.C. Leis e contratos matrimoniais que datam da época de Abraão indicam que a oferta que Sara fez a Abraão de sua escrava Hagar para que ele pudesse ter um filho era uma prática comum naquela época. Uma pessoa que estivesse inventando essas histórias centenas de anos mais tarde não teria sido capaz de incluir tantos detalhes autênticos.

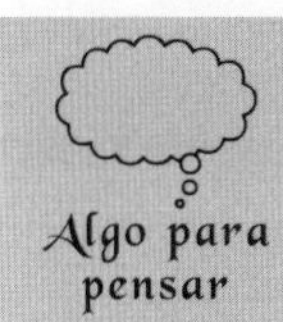


**arqueologia**
o estudo dos restos de civilizações antigas

### Quatrocentos anos antes de Abraão viver...

| | |
|---|---|
| Inglaterra | O monumento Stonehenge foi construído como um centro ritual. |
| Egito | As pirâmides foram construídas como túmulos para reis. |
| Estados Unidos | A olaria foi inventada na atual Geórgia. |
| Babilônia | Os astrônomos usavam um sistema de geometria altamente desenvolvido. |
| Ásia | Os ornamentos e as ferramentas de bronze estavam em uso na Tailândia. |

## E todos aqueles depois de você

**Visão geral**

*Gênesis 21–27*

Estes capítulos contam a história de Isaque, filho de Abraão por meio de sua esposa, Sara. Isaque é importante porque herdou a aliança que Deus fez com Abraão e passou-a a seu filho Jacó.

Isaque: Filho de Abraão e Sara, herdou as promessas da aliança que Deus fez com Abraão. Casou-se com Rebeca, e o filho deles, Jacó, também herdou as promessas de Deus.

Ponto importante

**patriarcal**
governado por homens

**direito de primogenitura**
o direito do filho mais velho à herança

**bênção**
aqui, um testamento verbal

## E as mulheres?

No mundo da Bíblia, os homens eram responsáveis por sustentar suas esposas e filhas. A herança era legada por meio da linhagem do homem. Consequentemente, as histórias na Bíblia, na maioria, são sobre homens. Isso não significa que as mulheres não sejam importantes aos olhos de Deus. Gênesis 24 fala sobre a preocupação de Abraão em encontrar a mulher certa para seu filho Isaque. Essa mulher, Rebeca, tomou uma decisão corajosa quando optou por se casar com Isaque. Rebeca mostrou uma fé como a de Abraão, pois também deixou sua terra natal em resposta ao chamado de Deus.

A despeito da sociedade **patriarcal** nos tempos do Antigo Testamento, as evidências deixam claro que as mulheres também demonstravam fé em Deus.

### Visão geral

Gênesis 25-50

Esses capítulos contam a história de Jacó, que estava prestes a herdar as promessas da aliança. Via de regra, Esaú, o irmão gêmeo mais velho de Jacó, teria sido o herdeiro de seu pai. Mas, não ligando para Deus nem para as suas promessas, o Esaú materialista trocou seu **direito de primogenitura** com Jacó por um prato de ensopado. Mais tarde, Jacó enganou o pai e levou-o a dar-lhe a **bênção** de Esaú. Quando Esaú ameaçou matar Jacó, este fugiu para Harã. Lá, Jacó casou-se e teve muitos filhos. Tempos depois, Jacó e sua família se mudaram para o Egito a fim de escaparem da fome. Os israelitas permaneceram lá por quatrocentos anos.

## Conhecendo Jacó

Jacó: Jacó era filho de Isaque e Rebeca; ele estava para herdar as promessas da aliança de Deus. Deus falou com Jacó várias vezes durante sua vida. Em uma dessas ocasiões, Deus mudou o nome de Jacó para Israel. O antigo nome significava "enganador", ao passo que Israel significa "Deus persevera". As pessoas que descenderam de Jacó/Israel e a nação que eles estabeleceram também são chamadas de Israel (israelitas) na Bíblia.

A leitura de pelo menos duas das histórias a seguir já oferece uma introdução ao personagem Jacó.

| | |
|---|---|
| Jacó "rouba" o direito de primogenitura de Esaú. | Gênesis 25:19-34 |
| Jacó engana o pai. | Gênesis 27:1-35 |
| Jacó foge para viver com seu tio Labão. | Gênesis 27:41-46 |
| Deus fala com Jacó pela primeira vez. | Gênesis 28:10-22 |
| Jacó casa-se com duas irmãs. | Gênesis 29:15-28 |
| As esposas de Jacó competem. | Gênesis 30:1-22 |
| Jacó planeja voltar para Canaã. | Gênesis 31:18-21 |
| Jacó ora pedindo proteção. | Gênesis 32:1-12 |
| Jacó reencontra-se com Esaú. | Gênesis 33:11-20 |

## As quatro esposas de Jacó

A Bíblia relata que Jacó teve duas esposas e duas **concubinas**, que juntas lhe deram 12 filhos. Os muçulmanos deduzem com isso que um homem tem permissão para ter quatro esposas. Os cristãos ensinam que o casamento é um relacionamento entre um homem e uma mulher. "O homem deixará pai e mãe e se unirá à sua mulher, e eles se tornarão uma só carne" (Gênesis 2:24).

A inveja e a infelicidade retratadas em Gênesis 29:31-30:24 mostram que a **poligamia** não é uma condição saudável.

**concubinas**
mulheres que vivem maritalmente com um homem, sem estarem casadas com ele

**poligamia**
ter várias esposas ao mesmo tempo

**narrativas**
histórias contadas

### NA ÉPOCA DE ISAQUE E JACÓ...

| | |
|---|---|
| Europa | As primeiras trombetas foram tocadas na Dinamarca. |
| Estados Unidos | Os índios norte-americanos trabalhavam em grandes minas de cobre a céu aberto em Wisconsin. |
| China | Os astrônomos faziam cuidadosos registros de eclipses. |
| Europa | Os cavalos começaram a ser usados para montaria. |
| Egito | Os cântaros de vinho que identificavam safras e pomares eram colocados nos túmulos dos ricos. |

Durante a leitura da Bíblia é importante lembrar que as passagens **narrativas** descrevem o que aconteceu, não o que deveria acontecer.

## Um casaco de muitas cores

### Visão geral

Gênesis 36-50

José era o filho favorito de Jacó, mas seus irmãos ciumentos venderam-no como escravo para o Egito. Depois de muitas provações, José tornou-se **vizir** do Egito, e Deus levou-o a preparar o império para sobreviver a uma grande fome. José foi capaz de salvar a vida de seu pai e de seus irmãos durante a fome, trazendo-os de Canaã para o Egito, onde seus descendentes viveram durante os quatrocentos anos seguintes.

JOSÉ: A história de José é uma das mais encorajadoras da Bíblia. Ele apegou-se à sua fé a despeito do sofrimento e do tratamento injusto que recebera. Suas palavras para os irmãos que o traíram resumem a lição que podemos aprender com sua vida: "Vocês planejaram o mal contra mim, mas Deus o tornou em bem, para que hoje fosse preservada a vida de muitos" (Gênesis 50:20). A história de José se parece com um romance emocionante. Não deixe passar nenhuma parte dela.

### O que outros dizem

Madre Teresa

Lembre-se de que você deixa a graça de Deus operar em sua alma quando aceita tudo o que ele lhe dá e quando dá tudo o que ele tira de você. A verdadeira santidade consiste em fazer a vontade de Deus com um sorriso.[3]

**vizir**
oficial de patente mais alta; governador

## Resumo do capítulo

- Deus deu a Abraão as promessas da aliança para ele e seus descendentes físicos (Gênesis 12:1-3,7).
- As promessas da aliança definem o que Deus intentou fazer no futuro.
- Abraão creu na promessa de Deus, e sua fé lhe foi creditada por Deus como justiça (Gênesis 15:6).
- Todos os que confiam em Deus como Abraão confiou são os seus descendentes espirituais (Romanos 4).
- As promessas da aliança dadas a Abraão foram legadas a Isaque, a Jacó e aos seus descendentes, o povo judeu.
- O restante do Antigo Testamento é a história do povo judeu e de como Deus cumpriu as promessas de sua aliança ao longo da história.

## Questões para estudo

1. O que há de especial em Abraão?
2. O que é uma aliança?
3. Por que é importante entender a aliança abraâmica?
4. Quem herdou as promessas da aliança após a morte de Abraão?
5. Por que a fé é importante para uma pessoa que busca um relacionamento pessoal com Deus?

# Capítulo 3

**Em destaque no capítulo:**

- Moisés
- As dez pragas
- Os Dez Mandamentos
- O tabernáculo

## Saída para a liberdade
## Êxodo

### Vamos começar

No início de Êxodo, os **israelitas** são escravos no Egito. Então, Deus chama um homem chamado Moisés para libertar seu povo. Êxodo é a história de como Deus agiu para quebrar o poder do Egito e libertar os israelitas. Deus, em seguida, conduziu os escravos libertados ao monte Sinai (veja Ilustração nº 5 na página 44), onde lhes deu os Dez Mandamentos.

**israelitas**
o povo de Deus na aliança; descendentes de Abraão, Isaque e Jacó

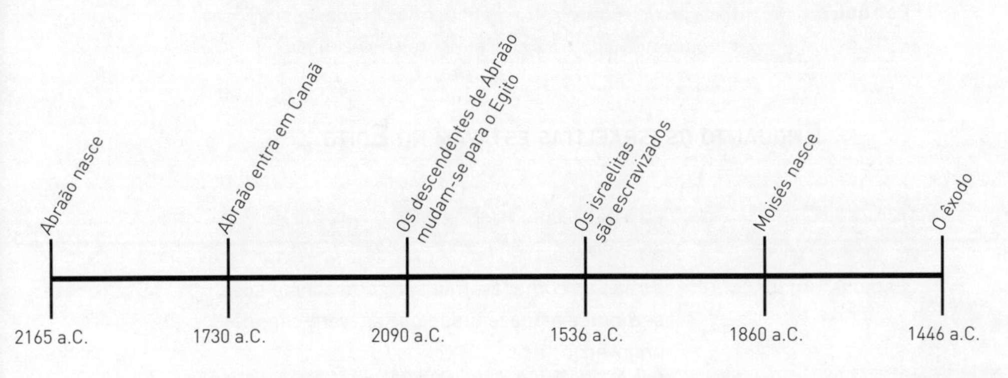


**Linha do tempo nº 2**
Pessoas e eventos importantes em Êxodo

**Ilustração nº 5**
Mapa do Êxodo:
Use este mapa para localizar onde os eventos do Êxodo ocorreram.

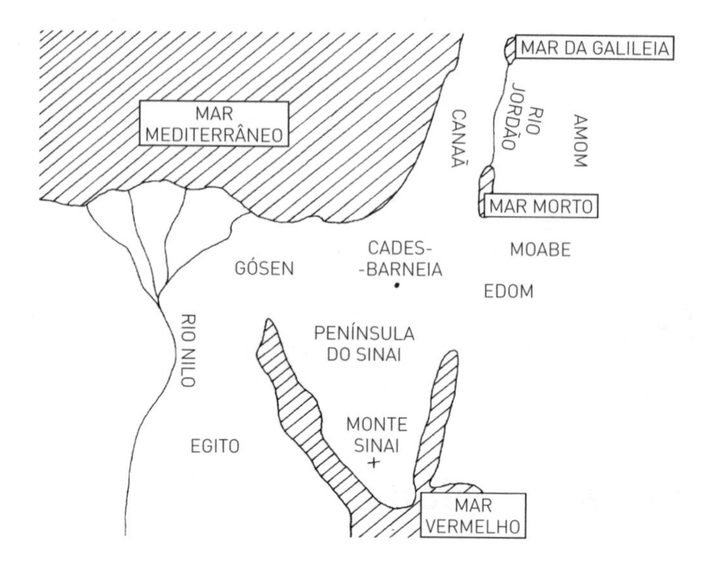


## Êxodo

### ...A SAÍDA PARA A LIBERDADE

| | |
|---|---|
| **Quem?** | Moisés |
| **O quê?** | escreveu a história da libertação dos israelitas da escravidão |
| **Onde?** | no Egito |
| **Quando?** | por volta de 1440 a.C. |
| **Por quê?** | para prover um registro do poder de Deus e de seu compromisso com os descendentes de Abraão |

### Enquanto os israelitas estavam no Egito...

| | |
|---|---|
| África | Carros puxados por cavalos eram somados ao exército egípcio. |
| Estados Unidos | Girassóis começavam a ser cultivados e suas sementes armazenadas para serem comidas no inverno. |
| China | Sacrifícios humanos eram colocados nos alicerces de edifícios públicos. |
| Síria | O vidro começava a ser moldado para formar vasos e substituir pedras semipreciosas. |

## Eu não, Senhor

Moisés: Moisés era um israelita adotado pela família real do Egito quando era bebê. Quando ele tinha oitenta anos de idade, Deus o chamou para enfrentar o **faraó** e libertar seu povo. Deus feriu o Egito com dez pragas para conquistar a liberdade de Israel, e Moisés conduziu os dois milhões de escravos libertados ao monte Sinai. Lá, Deus deu os Dez Mandamentos e um código de leis para os israelitas seguirem. Moisés liderou os israelitas por quarenta anos e morreu aos 120 anos de idade.

***faraó***
um título, rei do Egito

***profeta***
uma pessoa por meio de quem Deus fala e orienta nas escolhas

***sacerdote***
intermediário entre Deus e os israelitas

## O que há de especial em Moisés?

1. Moisés foi o homem escolhido por Deus para libertar os israelitas da escravidão.
2. Moisés foi o homem escolhido por Deus para receber os Dez Mandamentos.
3. Moisés foi o homem escolhido por Deus para dar a Israel sua Lei e é reconhecido no judaísmo como o Legislador.
4. Moisés foi o homem escolhido por Deus para escrever os cinco primeiros livros do Antigo Testamento — Gênesis, Êxodo, Levítico, Números e Deuteronômio — e foi o primeiro **profeta**.

## Um sumo sacerdote

Arão: Arão era irmão de Moisés e seu companheiro durante o período do êxodo; ele se tornou o primeiro sumo **sacerdote** dos israelitas.

## O que há de especial em Êxodo 1-6?

### Visão geral

*Êxodo 1-6*

Embora adotado pela família real do Egito, Moisés esperava libertar os israelitas. Depois de matar um feitor de escravos egípcio, fugiu para o deserto do Sinai. Quarenta anos mais tarde, Deus ordenou a Moisés que voltasse ao Egito e libertasse seu povo. Depois de ter sido humilhado, disse a Deus que se sentia impróprio para a missão. Deus prometeu estar com Moisés e também prometeu que ele teria vitória.

**metafísico**
abstrato, filosófico

Ponto importante

1. **As condições sob as quais os israelitas viviam eram, de fato, desumanas.** As pragas com as quais Deus, mais tarde, assolou o Egito foram uma punição justa.
2. **As palavras de Deus para Moisés, quando ele anunciou que estava prestes a libertar Israel, nos ajudam a ver que tipo de pessoa é Deus.** Aqui podemos vê-lo como um Deus que cumpre suas promessas, que ouve as orações de seu povo e responde ao sofrimento. Ele é um Deus que agirá para libertar seu povo, e que planejou um futuro maravilhoso para ele.
3. **Moisés deu desculpa após desculpa para explicar por que não era capaz de aceitar a incumbência de Deus.** Deus respondeu, revelando a Moisés seu nome pessoal. Em hebraico, esse nome é YHWH, que significa "aquele que está sempre presente". Moisés teve êxito porque Deus estava presente com ele, e não por causa de sua própria capacidade. YHWH é traduzido como "EU SOU". Em algumas versões bíblicas, toda vez que a palavra SENHOR aparece em versalete, significa que o original no hebraico usa este nome especial de Deus: "EU SOU".

## O que outros dizem

**William Sanford LaSor**

A existência [de Deus] não é uma questão de ser no sentido **metafísico**, como se fosse uma declaração filosófica, mas sim no sentido relativo ou eficaz: "Eu sou aquele que se faz presente (por você) — de fato e verdadeiramente presente, pronto para ajudar e agir."[1]

A Bíblia é, em primeiro lugar, um livro sobre Deus e seu amor fiel por nós.

# Milagres!

## Visão geral

Êxodo 7-19

Quando o faraó se recusou a libertar seus escravos israelitas, Moisés anunciou uma série de pragas. Dez terríveis **castigos** devastaram a terra do Egito, e o faraó foi forçado a deixar os israelitas partirem. Quando o faraó mudou de ideia e perseguiu o povo de Deus, o Senhor abriu um caminho pelo mar para os israelitas. Mas, então, o caminho se fechou, e todo o exército egípcio se afogou. O povo de Deus estava livre para seguir para o monte Sinai!

**castigos**
atos de Deus com intenção de punir

## As dez pragas

O que distingue as dez pragas que assolaram o Egito como atos de Deus ou **milagres**? Grande parte incluía fenômenos naturais e coisas comuns como rãs, gafanhotos e granizo. Mas:

**milagres**
atos diretos, inconfundíveis e sobrenaturais realizados por Deus

1. Essas pragas foram intensas, muito fora do comum.
2. Elas foram anunciadas antes por Moisés.
3. Elas começaram quando Moisés disse que começariam.
4. Elas pararam quando Moisés pediu a Deus para pará-las.
5. Muitas delas foram seletivas, atingindo somente os egípcios, e não os israelitas.
6. Tanto israelitas como egípcios sabiam que algo **sobrenatural** estava acontecendo.

**sobrenatural**
um exercício direto do poder de Deus

## O que outros dizem

C.S. Lewis

O milagre não é, de forma enfática, um acontecimento sem uma causa ou sem resultados. Sua causa é a atividade de Deus; seus resultados seguem a lei natural.[2]

### As dez pragas milagrosas

**endureceria**
Êxodo 7:3-5,13; 8:15

| | |
|---|---|
| O rio Nilo transforma-se em sangue | Êxodo 7:19-25 |
| Rãs cobrem a terra | Êxodo 8:1-15 |
| Piolhos infestam todo o Egito | Êxodo 8:16-19 |
| Moscas atingem como enxames os egípcios | Êxodo 8:20-32 |
| Os rebanhos egípcios morrem de doença | Êxodo 9:1-7 |
| Feridas purulentas surgem nos egípcios | Êxodo 9:8-12 |
| O granizo devasta as plantações egípcias | Êxodo 9:13-35 |
| Gafanhotos acabam com a vegetação no Egito | Êxodo 10:1-20 |
| As trevas cegam os egípcios | Êxodo 10:21-29 |
| Os primogênitos do Egito morrem, incluindo o filho do faraó | Êxodo 11:1-10 |

Deus não somente realizou milagres para libertar Israel do Egito, mas também realizou milagres para que os israelitas pudessem chegar ao monte Sinai. Depois de ferir o Egito com as pragas, veja o que mais Deus fez pelos israelitas:

### Outros milagres

| | |
|---|---|
| Deus os protegeu | Êxodo 14:5-20 |
| Deus abriu um caminho pelo mar | Êxodo 14:21-25 |
| Deus afogou um exército egípcio | Êxodo 14:26-31 |
| Deus purificou a água impotável | Êxodo 15:22-27 |
| Deus providenciou o maná como alimento | Êxodo 16:1-5,13-35 |
| Deus fez sair água de uma rocha | Êxodo 17:1-7 |
| Deus assegurou uma vitória militar | Êxodo 17:8-16 |
| Deus mostrou seu poder no monte Sinai | Êxodo 19:16-22 |

## O que há de especial em Êxodo 7-15?

1. **Deus disse a Moisés que endureceria o coração do faraó e que ele se recusaria a deixar os israelitas partirem.** Alguns perguntam: "Foi justo punir o faraó se ele não pôde deixar de resistir a Deus?" Mas tudo o que Deus fez para endurecer o coração do faraó foi para revelar cada vez mais seu poder. Assim como o mesmo Sol que derrete a cera endurece o barro, a revelação que Deus faz de si mesmo amolece o coração de alguns e endurece o de outros.

2. **Na primeira *Páscoa*, um cordeiro foi morto e seu sangue foi aspergido nas portas das casas dos israelitas.** Quando o anjo que feriu os primogênitos do Egito viu o sangue, ele "passou sobre" essas casas. O Novo Testamento relembra este acontecimento no título de Jesus como o "Cordeiro de Deus". Ele ensina que Jesus derramou seu sangue como pagamento por nossos pecados, para que pudéssemos ser salvos da punição destes.
3. **Deus ordenou aos israelitas que se lembrassem do que ele havia feito para libertá-los quando comessem a refeição da Páscoa todos os anos.** Eles deveriam servir a mesma comida que o povo comeu no Egito na noite em que Deus feriu os primogênitos dos egípcios, mas poupou seu próprio povo. As famílias judias ainda celebram a Páscoa toda primavera.
4. **Os milagres que Deus realizou ao libertar os israelitas e levá-los ao monte Sinai são atos distintivos.** Deus é conhecido em toda a Bíblia como o Criador que fez o mundo e o Redentor cujos atos poderosos na história obtiveram a liberdade de seu povo.

**cordeiro**
Êxodo 12:1-14,21-28; João 1:29-34

**Dez Mandamentos**
Êxodo 20:1-17

**Páscoa**
uma celebração anual que revivia a noite em que Deus conquistou a liberdade de Israel em relação ao Egito

A revelação que Deus faz de si mesmo amolece o coração de alguns e endurece o de outros.

### O que outros dizem

*Norman L. Geisler*

Se Deus existe, então os milagres são possíveis.[3]

## Escrito na pedra

### Visão geral

*Êxodo 20-24*

Moisés conduziu os israelitas ao deserto do monte Sinai. Nuvens e relâmpagos encobriam o monte enquanto Deus falava com seu povo. Deus chamou Moisés ao topo do monte e deu-lhe os Dez Mandamentos. Deus também deu a Moisés outras leis para os israelitas seguirem.

## O que são os Dez Mandamentos?

Deus deu a Moisés os Dez Mandamentos, que ensinam princípios morais básicos. Os quatro primeiros revelam o que é preciso para ter um bom relacionamento com Deus. Os seis seguintes mostram como ter bons relacionamentos com outras pessoas.

| Os mandamentos | Como cumpri-los |
|---|---|
| **Um bom relacionamento com Deus** | |
| **1.** Êxodo 20:3 — Não coloque outros deuses acima de mim | Coloque Deus em primeiro lugar em tudo |
| 2. Êxodo 20:4-6 — Não adore ídolos | Rejeite ideias sobre Deus que ele mesmo não revelou |
| 3. Êxodo 20:7 — Não use meu nome em vão | Nunca fale ou aja como se Deus não fosse real e presente |
| 4. Êxodo 20:8-11 — Santifique o sábado | Separe um dia para descansar e se lembrar de Deus |
| **Um bom relacionamento com os outros** | |
| **5.** Êxodo 20:12 — Honre sua mãe e seu pai | Mostre respeito por seus pais |
| 6. Êxodo 20:13 — Não cometa assassinato | Não faça nada com a intenção de prejudicar outra pessoa |
| 7. Êxodo 20:14 — Não adultere | Seja fiel em seu compromisso com seu cônjuge |
| 8. Êxodo 20:15 — Não roube | Respeite os direitos dos outros |
| 9. Êxodo 20:16 — Não dê falso testemunho | Respeite a reputação dos outros, como também a vida e os bens deles |
| 10. Êxodo 20:17 — Não cobice | Tenha interesse pelas pessoas, não pelos bens delas |

Somente um Deus que é amoroso, fiel e bom ordenaria ao seu povo que levasse esse tipo de vida.

### O que outros dizem

*Robert Schuller*

Deus nos deu estas dez leis para proteger-nos do caminho do fascínio e da tentação que, no final, levaria somente à doença, ao pecado e à tristeza. A obediência aos Dez Mandamentos resultará em saúde espiritual, mental e física. Atos como matar, mentir, roubar e adulterar fazem mal à saúde![4]

## O que há de especial em Êxodo 20-24?

1. **Deus deu estes mandamentos ao seu próprio povo.** Deus não deu os mandamentos a estranhos e disse: "Cumpram-nos, e vocês se tornarão meu povo." Um povo que foi salvo por Deus irá querer viver o tipo de vida que os mandamentos descrevem.

2. **Deus não forçou os israelitas a aceitarem suas leis.** Ele primeiro explicou o que esperava deles. Advertiu sobre a punição pela desobediência e prometeu bênçãos se os israelitas obedecessem. O povo prometeu: "Faremos tudo o que o SENHOR ordenou" (Êxodo 24:3).

3. **O acordo que Deus e Israel fizeram no monte Sinai é conhecido como a aliança da *Lei*.** Nos tempos antigos, a aliança podia ser um juramento, um contrato, um pacto ou até um estatuto nacional. A aliança da Lei é diferente da aliança que Deus fez com Abraão. Quais são as diferenças?

**promessas**
Gálatas 3:17-22

**Lei**
a lei de Moisés; os Dez Mandamentos e outras leis do Antigo Testamento que Deus deu aos israelitas

**apodícticas**
leis que dizem "faça" ou "não faça"

**casuísticas**
leis sobre o que fazer caso isso ou aquilo aconteça

Na Bíblia, somente a aliança da Lei é um acordo entre Deus e os israelitas. A aliança abraâmica e outras alianças são juramentos ou compromissos, promessas que declaram o que Deus diz que fará.

### ALIANÇAS BÍBLICAS

| PERGUNTA | ALIANÇA ABRAÂMICA | ALIANÇA DA LEI |
|---|---|---|
| Quem assumiu os compromissos? | Somente Deus | Deus e os israelitas |
| Quem deve cumprir os compromissos? | Deus | Deus e os israelitas |
| Do que a bênção depende? | Da fidelidade de Deus | Da obediência dos israelitas |
| O que acontece se as pessoas pecam? | Deus cumpre a aliança | Deus pune os pecadores |
| O que acontece se as pessoas obedecem? | Deus cumpre a aliança | Deus abençoa os obedientes |
| Que tipo de aliança é essa? | Promessa | Acordo |

4. **Dois tipos de leis são dados nestes capítulos: apodícticas e casuísticas.** As leis **apodícticas** são universais e aplicam-se a todos. Os Dez Mandamentos são leis apodícticas. As leis **casuísticas** dizem o que a pessoa deve fazer em uma situação específica. Elas se aplicam apenas a pessoas na situação descrita. Êxodo 22:5,6 e 23:4,5 são exemplos de lei casuística ou "da causa".

5. **Depois de receberem a Lei de Deus, os israelitas souberam:**

- o que eles deveriam fazer;
- que, em sua vida na terra, Deus iria abençoá-los se eles obedecessem;
- que Deus iria castigá-los se eles desobedecessem.

Contudo, a lei não alterou a aliança abraâmica, nem o fato de que Deus concede justiça aos que têm fé.

**Ilustração nº 6**
O tabernáculo no deserto: Deus projetou cada elemento do templo portátil em forma de tenda que os israelitas carregavam consigo.

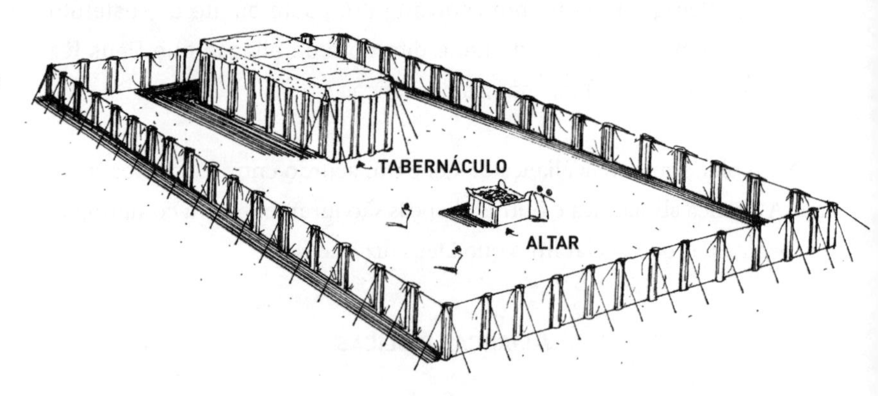


*adoração*
ato de honrar a Deus com nosso louvor

*tabernáculo*
uma tenda, aqui a "tenda do encontro" onde Deus se encontrava com seu povo

*dedicar*
separar para o serviço de Deus

## Nós iremos levá-lo conosco

### Visão geral

*Êxodo 25-40*

Com a Lei, Deus deu a Moisés o projeto para um centro de **adoração**. Explicou precisamente o que devia ser feito. Moisés e os israelitas seguiram as instruções de Deus e concluíram o centro de adoração, que foi chamado de **tabernáculo** (veja Ilustração nº 6). Quando tudo estava pronto, Moisés e o povo se reuniram para **dedicar** o tabernáculo ao Senhor.

## O que há de especial em Êxodo 25-40?

1. **O projeto do tabernáculo.** Por que as instruções de Deus foram tão específicas? Porque cada detalhe do tabernáculo ensinava uma verdade espiritual. Por exemplo, Deus instruiu que deveria haver apenas uma porta levando ao centro de adoração para mostrar

que há apenas uma maneira para o homem se aproximar de Deus: o caminho dele!

2. **O bezerro de ouro.** Enquanto Moisés estava no monte Sinai, os israelitas insistiram para que Arão fizesse um ídolo na forma de um bezerro. Muitos violaram o primeiro mandamento e adoraram o ídolo, dando-lhe crédito por libertar o povo de Deus das mãos do Egito. Deus puniu os culpados, como especificava a aliança da Lei.

**bezerro**
Êxodo 32:1-35

**glória**
neste caso, um sinal visível da presença de Deus

A despeito do fato de que o povo de Deus havia violado a Lei, Deus permaneceu fiel à sua promessa a Abraão. Quando o tabernáculo foi concluído, ele o encheu com sua **glória** para mostrar que realmente estava presente, ao lado do seu povo.

## Resumo do capítulo

- Êxodo conta a história da libertação dos israelitas da escravidão no Egito.
- Moisés foi o homem escolhido por Deus para enfrentar o faraó e anunciar os juízos milagrosos que forçaram os egípcios a libertarem seus escravos.
- Depois de libertar os escravos, Deus lhes deu os Dez Mandamentos para ensinar seu povo a manter um relacionamento saudável com ele e uns com os outros.
- Deus prometeu abençoar seu povo enquanto vivesse na Terra, se esse povo guardasse seus mandamentos.
- Deus também deu a Moisés os planos para um centro de adoração portátil, o tabernáculo, onde eles poderiam adorar e oferecer sacrifícios.

## Questões para estudo

1. O que torna Moisés uma figura importante no Antigo Testamento?
2. O que é um milagre?
3. Que milagres Deus realizou para libertar os escravos israelitas?
4. Qual é a diferença entre a aliança de uma promessa e a aliança de um acordo? De que tipo é a aliança da Lei?
5. O que podemos aprender com os Dez Mandamentos?

[illegible]

## Resumo do capítulo

[illegible]

## Questões para estudo

1. [illegible] Moisés [illegible]?
2. O que é o Decálogo?
3. [illegible]
4. [illegible]
5. O que podemos [illegible] Dez Mandamentos?

# Capítulo 4

*Em destaque no capítulo:*

- ✦ As leis para uma vida santa
- ✦ A longa jornada
- ✦ A Lei é revista

# A aventura continua
# Levítico • Números • Deuteronômio

## Vamos começar

No início de Levítico, os israelitas estavam livres da escravidão no Egito e haviam sido levados ao monte Sinai. Moisés lhes tinha dado os Dez Mandamentos de Deus, várias outras leis e o projeto para um centro de adoração portátil, o tabernáculo.

Enquanto estava no monte Sinai, Deus também revelou leis para uma **vida santa**. Em seguida, os israelitas partiram para a terra que Deus prometeu dar aos descendentes de Abraão. Contudo, uma rebelião trágica levou-os a 38 anos de peregrinação no deserto (veja Ilustração nº 7 na página 56). Somente depois que uma nova geração ocupou o lugar dos homens e mulheres que deixaram o Egito é que os israelitas alcançaram as fronteiras de Canaã. Lá, do outro lado do rio Jordão, Moisés recapitulou a aliança da Lei para a nova geração.

**vida santa**
um estilo de vida adequado para pessoas que são especiais para Deus

## Onde está a ação

**Linha do tempo nº 3**
Onde está a ação

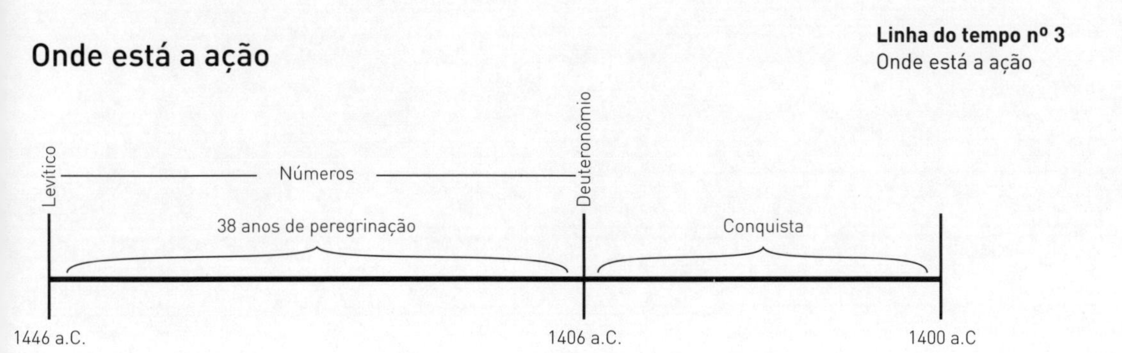

# Levítico

## ...AS LEIS PARA UMA VIDA SANTA

| | |
|---|---|
| **Quem?** | Moisés |
| **O quê?** | escreveu este livro de leis |
| **Onde?** | no monte Sinai |
| **Quando?** | em 1446 a.C. |
| **Por quê?** | para fazer os israelitas se lembrarem de que eles eram o povo especial de Deus |

**Ilustração nº 7**
Mapa das peregrinações no deserto: Quando os israelitas saíram do monte Sinai, eles viajaram para Cades-Barneia, onde se rebelaram contra Deus. Depois de vagarem pelo deserto por 38 anos, eles foram para o norte, até às planícies de Moabe. Lá, do outro lado do rio Jordão desde a Terra Prometida, Moisés examinou a Lei de Deus.

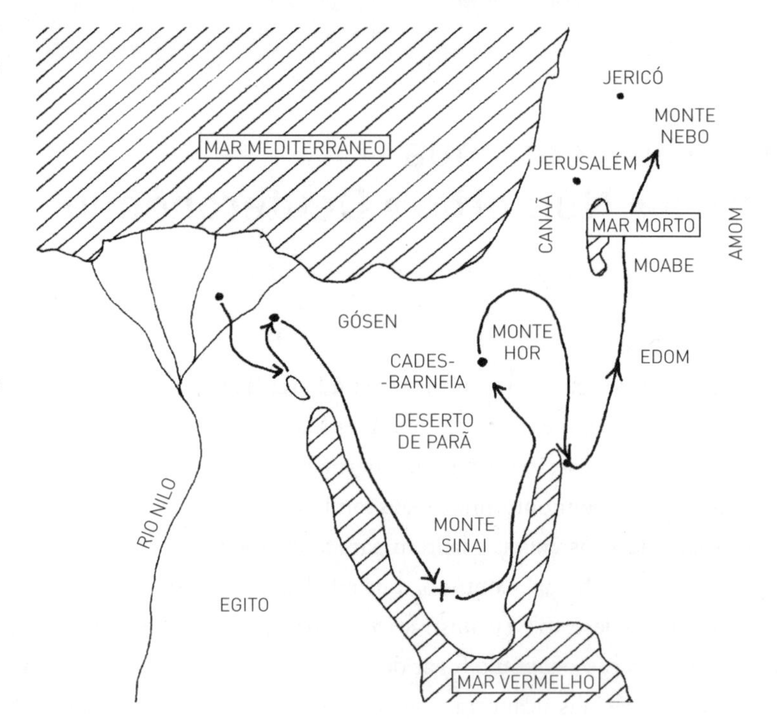

## Leis, leis, leis

### Visão geral

Levítico

Esta palavra significa "sobre os levitas". Um dos temas em Levítico é o das leis para os levitas, que eram os sacerdotes e líderes de adoração. Levítico contém muitas leis que se aplicam a todos os israelitas. Essas leis têm por objetivo fazer o povo de Deus se lembrar de que pertence a Deus. Os principais temas em Levítico são:

- Ofertas e sacrifícios (Levítico 1-7).
- Sacerdotes (Levítico 8-10).
- A lei ritual (Levítico 11-15).
- O Dia da Expiação (Levítico 16).
- A santidade prática (Levítico 17-22).
- A adoração a Deus (Levítico 23-25).
- Condições para a bênção (Levítico 26-27).

## O que há de especial em Levítico?

1. **Ofertas e sacrifícios (Levítico 1-7).** Quando um israelita queria se aproximar de Deus, ele trazia uma oferta ou um sacrifício. Algumas vezes, a pessoa queria se aproximar de Deus simplesmente para expressar gratidão. Em outras, ela precisava se aproximar dele porque havia pecado. Estes capítulos descrevem as ofertas e os sacrifícios que um israelita levava ao sacerdote, que, então, os queimava, apresentando simbolicamente uma oferta ou um sacrifício ao Senhor. As ofertas e sacrifícios descritos nestes capítulos são explicados no quadro a seguir.

### Sacrifícios e ofertas

| Ofertas | Passagens | Conteúdo | Significado |
|---|---|---|---|
| Holocausto | Levítico 1; 6:8-12 | Mamífero ou ave | Simboliza compromisso total com Deus |
| De cereal (refeição) | Levítico 2; 6:14-23 | Grão ou pão com azeite de oliva | Simboliza devoção a Deus |

| Ofertas | Passagens | Conteúdo | Significado |
|---|---|---|---|
| De comunhão ou de paz | Levítico 3; 7:11-36 | Rebanho ou animal sem mancha | Simboliza ação de graças |
| Pelo pecado ou pela purificação | Levítico 4:1-5,13; 6:24-30; 12:6-8; 14:12-14 | O animal depende do que o ofertante pode prover | **Expiação** pelo pecado ou pela **impureza** |
| Pela culpa | Levítico 5:14-6:7; 7:1-6; 14:12-18 | Cordeiro ou carneiro | Expiação pelos pecados ou violação dos diretos de pureza por outros |

**expiação**
reconciliação com Deus

**impureza**
contaminação por contato, o que limita temporariamente a participação na adoração comunitária

Muitos termos importantes da Bíblia estão associados a sacrifícios e ofertas. É importante saber o significado desses termos. Como veremos, interpretá-los mal pode até mesmo levar à confusão sobre a razão pela qual Jesus Cristo nasceu e sobre o significado de sua morte na cruz. Segue uma lista de termos e suas definições. Depois de lê-la, seria bom você abrir sua Bíblia em Levítico 5:1-10 e sublinhar cada termo.

### Palavras associadas a sacrifícios e ofertas

| Palavra | Significado |
|---|---|
| Pecado | Qualquer violação da vontade de Deus |
| Culpa | Não consiste no sentimento de culpa, mas numa consequência do pecado que submete o pecador à punição por Deus |
| Confessar | Reconhecer a responsabilidade pessoal por um pecado |
| Sangue | Representação da vida (veja Levítico 17:11): fazer um sacrifício animal era o reconhecimento do fato de que a morte é a punição adequada pelo pecado contra Deus |
| Expiação | Quando um israelita oferecia o sangue de um animal e reconhecia seu pecado, o sangue cobria aquele pecado e restaurava o relacionamento do israelita com Deus |
| Perdoado | Quem está perdoado não precisa mais temer o castigo divino |

*Ponto importante*

*Vá para*

**sacrifício**
Romanos 3:21-26

O Novo Testamento ensina que Jesus Cristo, o Filho de Deus, deu sua vida na cruz como um sacrifício para pagar o castigo por nossos pecados. Quando reconhecemos nossa culpa e confiamos em Jesus como Salvador, Deus perdoa nossos pecados livre e completamente. Os sacrifícios frequentes do Antigo Testamento eram lições práticas, ensinando esta linguagem especial de sacrifício e de salvação.

2. **Sacerdócio (Levítico 8-10).** Arão e seus filhos foram separados como sacerdotes em uma cerimônia solene, e o tabernáculo, concluído havia pouco tempo, foi consagrado. Somente os descendentes de Arão tinham permissão para apresentar a oferta ou os sacrifícios de um israelita ao Senhor.
3. **Diferentes tipos de leis (Levítico 11-15).** Existem dois tipos básicos de lei no Antigo Testamento. Um tipo é a lei moral, que diz respeito ao que é certo e errado e no modo como tratamos Deus e as outras pessoas. O outro tipo de lei é a **ritual**, muitas vezes chamada de lei cerimonial. As leis rituais eram as que os israelitas deveriam pôr em prática pelo simples fato de serem o povo de Deus, e não porque representavam o que era certo ou errado por si só. As leis rituais estavam relacionadas à adoração, porque uma pessoa que violava uma lei ritual tornava-se impura e não podia se juntar aos outros na adoração a Deus.

Vá para

**impura**
Levítico 13:45,46; 16:14-16,29-34

**ritual**
termo relacionado a práticas de culto

### O que outros dizem

*Joni Eareckson Tada*

Deus está dizendo ao seu povo o que ele espera na adoração. Deus quer que seu povo entenda que tudo na vida é espiritual; todas as atividades da vida estão sob seu domínio: o modo como aramos nossos campos ou fazemos compras no mercado; o modo como acasalamos nossos animais ou mesmo conversamos com um frentista no posto de gasolina. Tudo o que fazemos pode ser uma forma de adorar a Deus.[1]

Quais das cinco leis a seguir você acha que são exemplos de lei ritual? Lembre-se de que as leis rituais não têm nada a ver com o princípio moral de certo e errado. (Veja as respostas no Apêndice B.)

1. Não coma camarão.
2. Ofereça um sacrifício depois de dar à luz.
3. Não cometa adultério.
4. Ajude seu inimigo se o gado dele escapar.
5. Lave suas roupas depois de tocar em um cadáver.

## Termos da lei ritual

Impureza: A pessoa que violou uma lei ritual se tornou ritualmente impura. Ela não podia participar da adoração nem comer a carne sacrificada. Em alguns casos, a pessoa impura tinha de ser isolada

**sacrifício de sangue**
Levítico 17:11

**purificação**
ato de tornar ritualmente puro

**adorar**
louvar a Deus por quem ele é e pelo que ele fez

das outras. Este é um conceito importante no Antigo Testamento, no qual a palavra hebraica para "impuro" ocorre 279 vezes!

Purificação: O israelita que violava uma lei ritual e tornava-se impuro podia ser limpo outra vez. Normalmente, isso exigia um período de espera e, em seguida, uma lavagem com água ou um ritual de **purificação**, o qual incluía oferecer um sacrifício de sangue. Depois disso, o israelita podia se juntar novamente aos outros para a adoração.

4. **Leis rituais (Levítico 11-15).** As leis rituais desta seção de Levítico incluem o que os israelitas podiam e não podiam comer, o que fazer quando uma pessoa nascia, contraía uma doença de pele contagiosa, tinha supuração corporal, morria etc. As leis rituais faziam os israelitas se lembrarem de que Deus se preocupava com todos os aspectos da vida diária deles.
5. **O Dia da Expiação (Levítico 16).** Os sacrifícios pelo pecado descritos em Levítico 1-7 só podiam expiar pecados não intencionais. E os pecados que um israelita cometia de forma intencional, plenamente ciente de que estava fazendo algo errado? Uma vez por ano, no Dia da Expiação, o sumo sacerdote levava um sacrifício de sangue à sala interior do tabernáculo, o Santo dos Santos, para fazer uma expiação por todos os pecados dos israelitas.
6. **Leis da santidade prática (Levítico 17-22).** Estes capítulos contêm uma variedade de leis que os israelitas deveriam seguir. Muitas delas eram leis morais sobre relacionamentos entre as pessoas. Outras leis tinham por objetivo fortalecer a família, enquanto outras, ainda, eram lembretes simbólicos de que, como povo de Deus, os israelitas deveriam ser diferentes dos povos ao seu redor. "Eu, o SENHOR, sou santo, e os separei dentre os povos para serem meus" (Levítico 20:26).
7. **Adorando a Deus (Levítico 23-25).** Estes capítulos descrevem festivais especiais, durante os quais os israelitas se reuniam para **adorar** a Deus. Hoje, alguns desses mesmos festivais são celebrados como feriados religiosos por judeus.

## O SIGNIFICADO DAS FESTAS JUDAICAS

| Festa | Data | Significado |
|---|---|---|
| Páscoa | 14 do mês de *nisã* (março/abril) | As famílias participam de uma refeição e lembram como Deus libertou os israelitas da escravidão no Egito |
| Dos pães sem fermento | 15 a 21 do mês de *nisã* (março/abril) | As famílias oferecem sacrifícios e comem pão sem fermento como um lembrete da saída apressada do Egito |
| Dos primeiros frutos | 6 do mês de *nisã* (março/abril) | A época da colheita, a celebração de ação de graças |
| Pentecostes (das Semanas) | 5 do mês de *sivan* (maio/junho) | Uma celebração de ação de graças, quando os grãos recém-amadurecidos são oferecidos e sacrifícios são feitos |
| Das trombetas | 1º do mês de *tishrei* (setembro/outubro) | Este é um dia de descanso: o primeiro dia do ano civil de Israel |
| *Rosh Hashana* | | O ano religioso começa com a Páscoa |
| Dia da Expiação | 10 do mês de *tishrei* (setembro/outubro) | O sumo sacerdote entra no tabernáculo e faz o sacrifício anual por todos os pecados dos israelitas; o povo jejua nesse dia solene |
| Dos tabernáculos | 15 a 21 do mês de *tishrei* (setembro/outubro) | Durante uma semana, os israelitas vivem em abrigos ao ar livre, revivendo as viagens da geração do êxodo à Terra Prometida |

8. **Condições para a bênção (Levítico 26-27).** Levítico termina com um lembrete importante. No monte Sinai, Deus fez uma aliança com Israel por meio de um acordo, prometendo bênçãos nesta vida para aqueles que obedecessem à sua Lei e advertindo sobre a punição nesta vida para os que desobedecessem. Levítico 26 claramente declara as recompensas e punições que os israelitas podem esperar. Contudo, o capítulo termina com um lembrete de que a aliança de Deus na promessa com os descendentes de Abraão ainda está em vigor. Uma geração pode falhar, mas Deus não abandonará seu povo. Deus diz: "Eu me lembrarei da minha aliança com Jacó, da minha aliança com Isaque, e da minha aliança com Abraão [...] não os desprezarei, nem os rejeitarei, para destruí-los totalmente, quebrando a minha aliança com eles" (Levítico 26:42,44).

*Terra Prometida*
a terra que Deus prometeu aos descendentes de Abraão, atual Israel (Palestina)

## NÚMEROS

### ...A LONGA JORNADA

| | |
|---|---|
| **Quem?** | Moisés |
| **O quê?** | escreveu esta narrativa |
| **Onde?** | depois de chegar às fronteiras de Canaã |
| **Quando?** | cerca de 1406 a.C. |
| **Por quê?** | para fazer os israelitas se lembrarem das consequências da rebelião contra Deus. |

## Não estaremos lá amanhã

### Visão geral

*Números*

O nome é extraído de duas contagens dos israelitas, registradas nos capítulos 1 e 26. Depois de terem acampado por um ano no monte Sinai, os israelitas, liderados por Moisés, partiram para Canaã. Na chegada, eles se recusaram a confiar em Deus e se rebelaram. Durante os próximos 38 anos, eles vagaram pelo deserto (veja Linha do tempo nº 3 na página 55). Durante esse tempo, Deus supriu todas as necessidades dos israelitas. Quando todos os adultos que foram libertados do Egito morreram, Moisés liderou uma nova geração que confiou que ele iria levá-la de volta a Canaã. Números tem três seções principais:

- Preparando-se para a viagem (Números 1-10)
- Viajando para Canaã (Números 11-21)
- Esperando nas planícies de Moabe (Números 22-36)

## O que há de especial em Números?

1. **Preparação para a viagem (Números 1-10).** Havia muitas coisas para fazer durante o ano em que os israelitas acamparam no monte Sinai. Foi realizado um censo, que listou 603.550 homens. Com mulheres e crianças, o número de pessoas passou de dois milhões! O tabernáculo e seus móveis foram construídos e consagrados (veja Ilustração nº 6 na página 52). Os descendentes de Levi foram separados por Deus para cuidar do tabernáculo, e foram atribuídas tarefas a várias famílias de levitas. Quando todas estas tarefas foram concluídas, os israelitas estavam prontos para partir para a **Terra Prometida**.

2. **Viajando para Canaã (Números 11-21).** Deus estava claramente presente na vida dos israelitas. Sua coluna de nuvem e de fogo os conduziu. Seu maná os alimentou diariamente. Mas, em vez de agradecerem, os israelitas murmuraram e queixaram-se. Quando chegaram às fronteiras de Canaã, Moisés enviou homens para explorarem a terra. Os homens relataram que Canaã era fértil, mas que os habitantes daquela terra eram poderosos, e suas cidades fortificadas, assustadoras. Aterrorizados com o relatório, os israelitas se recusaram a obedecer à ordem de Deus para atacar e tomar a Terra Prometida. Nos termos da aliança da Lei, a desobediência direta exigia punição. Moisés orou pelo povo, e o Senhor perdoou o pecado dos israelitas. Mas eles não puderam evitar as consequências de sua relutância em obedecer ao Senhor. Até que toda a geração dos que não se dispuseram a obedecer a Deus morresse, os israelitas foram obrigados a vagar pelo deserto e esperar.

**se recusaram a obedecer**
Hebreus 3:7-19

**Balaão**
2Pedro 2:15,16

*A fidelidade de Deus é enfatizada* (Números 15-21). As primeiras palavras de Números 15 nos fazem lembrar da fidelidade de Deus. Os israelitas rebelaram-se. Contudo, Deus imediatamente disse a Moisés: "Diga o seguinte aos israelitas: Quando entrarem na terra que lhes dou para sua habitação [...]" (Números 15:2). A despeito dos frequentes fracassos de confiar e obedecer a Deus relatados nestes capítulos, Deus intentou cumprir suas promessas e dar aos israelitas a Terra Prometida.

### Enquanto os israelitas vagavam pelo deserto...

| | |
|---|---|
| Na Mesopotâmia | A cidade de Nínive, capital da Assíria, foi fundada. |
| Nos Estados Unidos | Os índios em Nevada usavam chamarizes na caça de patos. |
| Nos Estados Unidos | Os índios que viviam perto dos Grandes Lagos usavam conchas do Golfo do México como ornamentos. |
| Na China | Um alfabeto de dois mil caracteres estava sendo usado. |

3. **Esperando nas planícies de Moabe (Números 22-36).** À medida que os anos de peregrinação chegavam ao fim, os israelitas seguiram uma grande rota comercial ao leste do monte Sinai. Evitaram alguns de seus inimigos, mas lutaram contra outros. Assustado, o governante de Moabe mandou chamar um homem por nome Balaão. Este era conhecido por ter influência com poderes sobrenaturais. O governante de Moabe esperava que Balaão pudesse amaldiçoar e enfraquecer os israelitas. Ele tentou amaldiçoá-los, mas Deus interveio, e Balaão, em vez disso, foi forçado a abençoá-los.

Balaão foi obrigado a confessar: "Não há magia que possa contra Jacó, nem encantamento contra Israel" (Números 23:23). Deus protege seu povo dos poderes espirituais do mal.

*O conselho de Balaão.* Balaão queria ganhar o dinheiro que os moabitas lhe ofereceram, mas Israel não podia ser amaldiçoado. Então, ele sugeriu que os moabitas tentassem fazer Deus se voltar contra seu povo! Seguindo o conselho de Balaão, o governante midianita enviou mulheres jovens para seduzir os homens de Israel e convidá-los a fazer sacrifícios aos ídolos. Balaão imaginou que o próprio Deus puniria os israelitas, e eles seriam derrotados por suas clientes moabitas.

*Deus puniu, mas somente os culpados.* Deus permaneceu fiel às suas promessas para o povo.

*O segundo censo.* Neste momento em Números, os adultos que haviam saído do Egito morreram e foram substituídos por seus filhos já crescidos. Um segundo censo mostrou que, a despeito dessas mortes, os israelitas eram tão numerosos quanto antes, com mais de 600 mil homens. A nova geração aprendeu com o fracasso de seus pais. Esta geração obedeceu ao Senhor, seu Deus.

*Os moabitas são derrotados.* Várias leis são revistas nos capítulos 27-30. Os capítulos 31-33 narram a derrota dos moabitas e o pedido que várias tribos de Israel fizeram para receber a terra onde os moabitas viviam. Estas tribos concordaram em acompanhar seus irmãos na luta por Canaã.

*Moisés define os limites de Canaã e faz planos.* Moisés explicou aos israelitas como o território seria distribuído a cada tribo. Com Deus do lado de Israel, a dúvida não era se o povo tomaria Canaã, mas o que aconteceria quando a vitória fosse alcançada!

## Deuteronômio

### ...A LEI É REVISTA

| | |
|---|---|
| **Quem?** | Moisés |
| **O quê?** | pregou os sermões que recapitulavam a Lei de Deus |
| **Onde?** | nas planícies de Moabe |
| **Quando?** | por volta de 1406 a.C. |
| **Por quê?** | para fazer as novas gerações de israelitas se lembrarem do que Deus espera |

## Eu direi novamente

### Visão geral

*Deuteronômio*

Deuteronômio significa "segunda lei". A nova geração de israelitas estava prestes a entrar na Terra Prometida quando Moisés a fez se lembrar de tudo o que Deus havia feito por ela. Ele resumiu o modo como o povo de Deus deveria viver para desfrutar da sua bênção. O livro termina relatando a bênção de despedida de Moisés e sua morte. As principais seções de Deuteronômio são:

- ✦ Lembrando a jornada (Deuteronômio 1:1-4:43).
- ✦ Recapitulando a Lei de Deus (Deuteronômio 4:44-11:32).
- ✦ Regras para lembrar (Deuteronômio 12-26).
- ✦ Consequências a considerar (Deuteronômio 27-28).
- ✦ O compromisso da aliança (Deuteronômio 29-30).
- ✦ A despedida e a morte de Moisés (Deuteronômio 31-34).

## O que há de especial em Deuteronômio?

1. **Lembrando a jornada (Deuteronômio 1:1-4:43).** Moisés relembrou a jornada de 38 anos do monte Sinai à fronteira da Terra Prometida. Ele exortou a nova geração a aprender com a história e, especialmente, a desenvolver um sentimento de fascínio pelo relacionamento especial que tinha com o Deus do universo.
2. **Recapitulando a Lei de Deus (Deuteronômio 4:44-11:32).** Moisés reafirmou uma série de leis dadas no monte Sinai, incluindo os Dez Mandamentos. Vários temas nestes capítulos podem levantar perguntas.

Ponto importante

*Pergunta: O que significa "temer ao Senhor"?*

Resposta: Não significa "ter medo de". A expressão significa "mostrar respeito por" Deus, a fim de agradá-lo.

*Pergunta: O que "amor" tem a ver com Lei?*

Resposta: Foi o amor que levou Deus a dar a Lei a Israel, e o amor leva as pessoas a cumprirem a Lei. A Lei mostrou como expressar o amor.

*Pergunta: Por que Deus ordenou aos israelitas que destruíssem totalmente os cananeus?*

Resposta: Deus estava punindo a imoralidade e a idolatria dos cananeus. Se eles continuassem vivos, suas práticas teriam corrompido o povo de Deus.

Leia as seguintes passagens e indique a pergunta que cada uma ajuda a responder. Nos espaços em branco, escreva T para temor, A para amor ou D para destruição. (Veja as respostas no Apêndice B.)

__ Deuteronômio 6:1-3
__ Deuteronômio 6:20-24
__ Deuteronômio 7:1-6
__ Deuteronômio 7:7-10
__ Deuteronômio 10:12-22
__ Deuteronômio 11:16-17

Vá para

**prática oculta**
Deuteronômio 18:9-22

**prática oculta**
qualquer prática usada para fazer escolhas com uma orientação sobrenatural não cristã

**legalista**
que confia nas boas obras, e não em Deus

**remanescente**
os poucos dentro de Israel que continuaram a confiar em Deus

3. **Regras para lembrar (Deuteronômio 12-26).** Estes capítulos discutem muitos assuntos considerados em Levítico, como alimentos puros e impuros, festas anuais de adoração e várias leis sobre casamento e relacionamentos com o próximo. Alguns temas novos também são introduzidos. Deuteronômio 17:14-20 restringe os direitos de qualquer futuro rei, enquanto Deuteronômio 20 apresenta leis humanas para a guerra. Deuteronômio 18 adverte contra procurar direção por meio de qualquer **prática oculta** e promete que Deus providenciará profetas para guiá-los em seu caminho.

**O que outros dizem**

*Lewis Goldberg*

Deuteronômio descreve como Deus abençoou e derramou seu amor sobre eles por causa de sua graça e sua misericórdia. O que o Senhor esperava de Israel em troca era uma demonstração de amor. Embora algumas pessoas tenham abusado das intenções de Deus e desenvolvido um substituto **legalista**, um **remanescente** em cada geração sempre amou, honrou e serviu profundamente ao Senhor, seu Deus.[2]

## Uma pequena orientação

A Lei do Antigo Testamento oferecia regras a serem seguidas na vida diária, mas algumas situações simplesmente não eram contempladas pela Lei. Como os israelitas poderiam conhecer e seguir a vontade de Deus em tais casos?

Os cananeus e outros povos pagãos confiavam no ocultismo para terem orientação. Consultavam horóscopos, procuravam médiuns ou necromantes, praticavam adivinhações e até se envolviam com a bruxaria. Deus chamou essas práticas de "abominações" e as proibiu.

Deus, então, prometeu enviar profetas ao seu povo, como Moisés, por meio de quem Deus lhe daria uma orientação especial quando fosse necessária. Deuteronômio 18 apresenta três testes para distinguirmos um verdadeiro profeta de um **falso profeta**. O verdadeiro profeta estará "entre os seus **compatriotas**", falará em nome de Deus e prenunciará o futuro com precisão.

À medida que avançarmos na Bíblia, encontraremos muitos profetas que Deus enviou ao seu povo. Também leremos muitos de seus surpreendentes prenúncios sobre o futuro!

**falso profeta**
uma pessoa não enviada por Deus que afirma ter uma mensagem divina

**compatriotas**
companheiros judeus

**epitáfio**
enaltecimento; elogio para o falecido

4. **Consequências a considerar (Deuteronômio 27, 28).** A aliança da Lei é uma aliança feita por um acordo. Quando os israelitas cumpriam a Lei, Deus os abençoava. Quando desobedeciam, Deus os disciplinava. Estes capítulos esclarecem tanto as bênçãos pela obediência como as punições pela desobediência.
5. **O compromisso da aliança (Deuteronômio 29, 30).** Moisés apelou aos israelitas para que fizessem uma escolha e mantivessem a aliança que haviam feito com o Senhor, seu Deus.
6. **A despedida e a morte de Moisés (Deuteronômio 31-34).** Deus escolheu um sucessor de Moisés para conduzir os israelitas. Ele abençoou o povo que havia liderado por quarenta anos. Então, subiu ao topo do monte Nebo e contemplou o rio Jordão, e pôde ver a Terra Prometida. Moisés morreu ali, e o próprio Deus enterrou seu servo fiel. O que segue, escrito algum tempo depois da morte de Moisés, é um **epitáfio** apropriado.

**Deuteronômio 34:10-12** *Em Israel nunca mais se levantou profeta como Moisés, a quem o Senhor conheceu face a face, e que fez todos aqueles sinais e maravilhas que o Senhor o tinha enviado para fazer no Egito, contra o faraó, contra todos os seus servos e contra toda a sua terra. Pois ninguém jamais mostrou tamanho poder como Moisés nem executou os feitos temíveis que Moisés realizou aos olhos de todo o Israel.*

## Resumo do capítulo

- No monte Sinai, Deus deu aos israelitas as leis para uma vida santa, as quais são encontradas em Levítico.
- As ofertas e os sacrifícios especificados em Levítico nos fazem lembrar de que todos pecam e o castigo do pecado é a morte.
- As ofertas e os sacrifícios especificados em Levítico nos ensinam que a expiação pelo sangue é necessária se quisermos ser perdoados.
- As leis morais tinham a ver com ações certas e erradas, enquanto as leis rituais regiam as ações que tornavam um israelita ritualmente impuro e desqualificado por um tempo para participar da adoração.
- Números relata a rebelião dos israelitas. Consequentemente, Deus exigiu que eles vagassem pelo deserto por 38 anos, e, então, uma geração obediente ocupou o lugar da antecessora rebelde.
- Deuteronômio registra as últimas palavras de Moisés aos israelitas, quando eles estavam prestes a entrar na Terra Prometida.
- Deuteronômio deixa muito claro que aqueles que conhecem a Deus não devem ter ligação alguma com práticas ocultas.
- Deuteronômio enfatiza o fato de que Deus foi motivado pelo amor ao dar sua Lei aos israelitas, e, portanto, somente o amor a Deus pode motivar o cristão a obedecer ao Senhor.

## Questões para estudo

1. Qual é o tema de Levítico?
2. Que termos bíblicos estão ligados ao ensino de Levítico sobre sacrifício? Por que é tão importante entendermos estes termos?
3. Qual é a diferença entre lei ritual e lei moral?
4. O que tornava um israelita impuro e o que ele poderia fazer para resolver isso?
5. Por que os israelitas tiveram que vagar pelo deserto por 38 anos depois de deixarem o monte Sinai?
6. Que papéis o amor desempenha na Lei que Deus deu a Israel?
7. O que é um profeta, e como os israelitas podiam distinguir um profeta verdadeiro de um falso?

# Capítulo 5

# Conquista e queda
# Josué • Juízes • Rute

*Em destaque no capítulo:*

- A conquista de Canaã
- Quando os juízes governavam
- Fé simples

## Vamos começar

Deus libertou os israelitas da escravidão no Egito e deu-lhes sua Lei no monte Sinai. Uma nova geração de israelitas estava pronta para tomar a terra que Deus prometera a Abraão centenas de anos antes. A conquista iminente seria bem-sucedida, porque essa geração estava disposta a confiar no Senhor e a obedecer-lhe. Mas os dias de glória da conquista logo desapareceriam, e a idolatria e a incredulidade condenariam os israelitas a séculos de opressão nas mãos de inimigos estrangeiros.

### JOSUÉ
### ...A CONQUISTA DE CANAÃ

| | |
|---|---|
| **Quem?** | Um autor não identificado |
| **O quê?** | escreveu esta história sobre |
| **Onde?** | a ocupação de **Canaã** |
| **Quando?** | por volta de 1400 a.C. |
| **Por quê?** | para enfatizar a importância da obediência ao Senhor |

## Finalmente chegamos

JOSUÉ: Josué foi sucessor de Moisés como líder dos israelitas. Um homem de fé, foi o braço direito de Moisés e comandante militar durante os anos de peregrinação no deserto. (Alguns acreditam que ele tenha sido antes oficial do exército egípcio.) Era um líder espiritual e militar, e, durante sua vida, os israelitas foram fiéis ao Senhor.

**Canaã**
a terra que Deus prometeu a Abraão, de agora em diante conhecida como "Israel"

## Visão geral

*Josué*

Liderados por Josué, os israelitas atravessaram o rio Jordão e invadiram Canaã (veja Ilustração nº 8). Em uma série de campanhas militares, os israelitas derrotaram os exércitos aliados formados pelos habitantes de Canaã. Com a resistência organizada subjugada, Josué dividiu a terra entre as 12 tribos israelitas. O livro de Josué inclui:

- A preparação para a invasão (Josué 1-5).
- A conquista (Josué 6-12).
- A divisão da terra (Josué 13-21).
- O desafio de Josué na despedida (Josué 22-24).

**Ilustração nº 8**
Mapa da conquista: Canaã não era uma nação unida quando os israelitas a invadiram. Ela havia sido colonizada por uma série de grupos étnicos, cada um vivendo em uma pequena cidade-estado fortificada. Quando os israelitas chegaram, os reis dessas cidades-estados uniram-se contra eles. A primeira investida de Josué contra Canaã dividiu o território em dois, e os israelitas derrotaram primeiro as coalizões do sul e, em seguida, as do norte. A campanha contra os cananeus ainda é estudada em faculdades norte-americanas e israelenses.

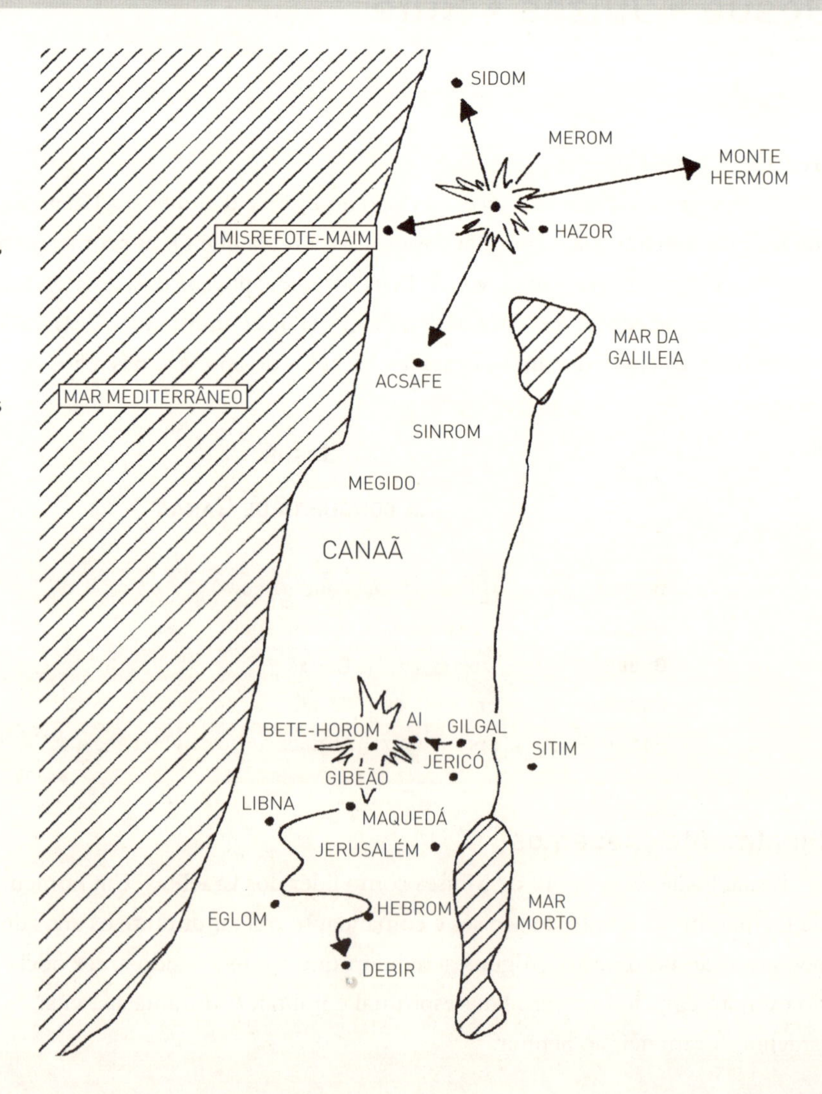

## O que há de especial em Josué?

1. **A preparação para a vitória (Josué 1-5).** Os israelitas estavam prestes a atacar uma terra muito povoada. Estes capítulos de Josué contam como Deus os preparou para enfrentar o desafio. Quatro tipos de preparação são enfatizados:

**circuncidado**
homem que teve removido o prepúcio como sinal de fé nas promessas da aliança de Deus

A. *A preparação espiritual de Josué.* Como Josué, quem quer ser um líder espiritual deve estar pronto para submeter-se a Deus e reivindicar as promessas dele.

B. *A preparação secreta do caminho indicado por Deus.* Espiões israelitas, enviados à cidade murada de Jericó, descobriram que a população estava ciente de Deus e de seu poder. As pessoas estavam apavoradas. Quando Deus pede a alguém para assumir um risco por ele, ele prepara o caminho.

C. *A preparação delicada dos israelitas.* Deus abriu um caminho pelo rio Jordão para mostrar que estava com Josué como havia estado com Moisés. Deus foi sensível à necessidade dos israelitas de provas de sua presença com Josué.

D. *A preparação do coração do povo.* Os homens de Israel foram **circuncidados**, e toda a comunidade celebrou a Páscoa. Esses atos expressavam compromisso com o Senhor.

Raabe: Uma mulher que morava em Jericó e escondeu espiões israelitas. Como outras pessoas na cidade, ela havia ouvido que Deus realizava milagres em favor de seu povo. Ela compartilhava da convicção deles de que "o Senhor [...] é Deus em cima nos céus e embaixo na terra" (Josué 2:11). Raabe escondeu os espiões, e, quando Jericó caiu, somente ela e sua família sobreviveram.

Todas as pessoas de Jericó tinham as mesmas informações que Raabe sobre Deus. Mas somente Raabe optou por confiar nele, em vez de resistir-lhe. Fé não é simplesmente conhecer a verdade sobre Deus. Fé é responder à verdade que conhecemos.

2. **A conquista de Canaã (Josué 6-12).**

*Jericó.* Os capítulos 6 a 8 de Josué dedicam-se à queda de Jericó, seguida por uma derrota em Ai. Jericó era uma cidade murada (veja Ilustração nº 9 na página 72) que bloqueava o acesso à única passagem que levava ao centro de Canaã. Deus instruiu Josué a fazer os israelitas marcharem em silêncio ao redor da cidade por seis dias. No sétimo dia, eles circundaram a cidade sete vezes, gritaram, e os muros caíram! A obediência a uma ordem de Deus aparentemente tola levou a uma vitória impressionante.

**Ilustração nº 9**
Os muros de Jericó: No alto de um muro de 3,35 metros, pedras lisas de aproximadamente dez metros de comprimento inclinavam-se em um ângulo de 35 graus para se juntar aos grandes muros principais. A cidade de Jericó era invencível em se tratando de um ataque direto por um exército sem aríetes.

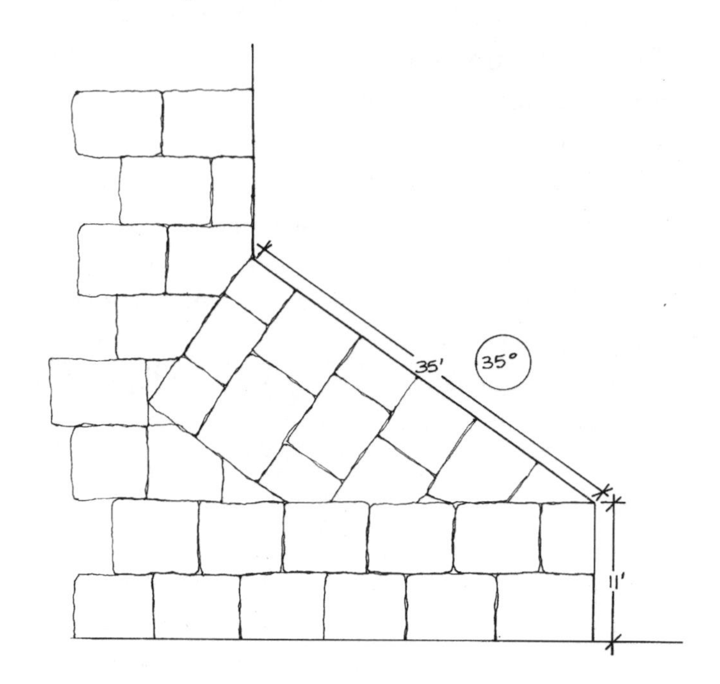

espólio
despojo tomado na batalha

*Ai.* Em Jericó, um israelita chamado Acã desobedeceu a Deus, que ordenou que não levassem **espólio** algum. Quando uma força de israelitas foi enviada para atacar Ai, uma pequena cidade vizinha, os israelitas foram derrotados e 38 foram mortos. Os dois eventos colocados lado a lado ensinaram uma importante lição. A obediência a Deus garantiu a vitória. A desobediência garantiu a derrota (ver Josué 7-8).

*Gibeão.* A notícia da vitória em Jericó assustou ainda mais os cananeus. Um grupo, os gibeonitas, fingiu viver fora de Canaã e enganou os israelitas, levando-os a fazerem um acordo com eles. Quando o engano foi descoberto, Josué insistiu em que o tratado fosse honrado, porque os israelitas haviam jurado em nome do Senhor, seu Deus (ver Josué 9).

*Outras vitórias.* As campanhas do sul e do norte, que levaram vários anos, são resumidas rapidamente nos capítulos 10-12.

As grandes lições ensinadas no livro de Josué estão resumidas nos primeiros estágios da batalha por Canaã. A seguir, uma lista de lugares e suas respectivas lições:

## Batalha por Canaã

Ponto importante

| Lugar | Lição |
|---|---|
| Jericó | A obediência à vontade de Deus traz vitória. |
| Ai | A desobediência à vontade de Deus traz derrota. |
| Gibeão | Quando há duvidas sobre a vontade de Deus, deve-se pedir-lhe orientação. |

**sorteio**
Provérbios 16:33
João 19:24

3. **A divisão da terra (Josué 13-21).**

*Terra para todos* (Josué 12-19). O Antigo Testamento apresenta Canaã como a posse especial de Deus, na qual ele estabeleceu os descendentes de Abraão. As terras de cada tribo lhes foram dadas. Em seguida, o território tribal foi subdividido e distribuído para **clãs** e famílias por **sorteio**. Uma vez que Deus estava no controle do sorteio, cada israelita percebeu que Deus, pessoalmente, havia suprido sua casa. As propriedades consignadas na conquista deveriam permanecer dentro da família, ser passadas de pai para filho

*Cidades de refúgio* (Josué 20). Nos tempos do Antigo Testamento, os israelitas não tinham uma força policial nacional ou local. As violações da Lei eram tratadas na comunidade. No caso de assassinato, um parente próximo da vítima era responsável por levar o assassino à justiça. Contudo, a Lei fazia distinção entre assassinato **premeditado** e assassinato acidental. As cidades de refúgio ficavam estabelecidas dentro de um dia de viagem de qualquer israelita. A pessoa que matava outra podia fugir para lá e ficar segura até os anciãos da comunidade decidirem se a morte havia sido intencional ou por acidente. Enquanto os assassinos eram executados, os que haviam matado acidentalmente eram protegidos.

**clãs**
grupos de famílias aparentadas

**sorteio**
como dados

**premeditado**
planejado e intentado

*Cidades para os levitas* (Josué 21). A tribo de Levi proveu os sacerdotes e os líderes de adoração para Israel. Os levitas também deveriam ensinar a Lei de Deus. Em vez de receberem um distrito para si, foram-lhes designadas cidades e campos dentro do território das outras tribos. Todos precisavam ter acesso aos responsáveis por comunicar a Palavra de Deus.

4. **A despedida de Josué (Josué 22-24).** Muitos anos após a vitória sobre os cananeus, Josué convocou os israelitas e os fez se lembrarem de tudo o que Deus havia feito. Ele os desafiou: "Temam o SENHOR e sirvam-no com integridade e fidelidade" (Josué 24:14). A exortação final de Josué é tão relevante hoje quanto foi há 3400 anos: "Escolham hoje a quem irão servir [...] Mas, eu e a minha família serviremos ao SENHOR" (Josué 24:15).

## JUÍZES

### ...O LONGO DECLÍNIO

| | |
|---|---|
| **Quem?** | Um autor não identificado |
| **O quê?** | escreveu esta breve história |
| **Onde?** | em Canaã |
| **Quando?** | de 1375 a.C. a 1050 a.C. |
| **Por quê?** | para enfatizar a importância do compromisso nacional com o Senhor |

## Visão geral

### Juízes

Após a morte de Josué, os israelitas se apartaram várias vezes de Deus e se voltaram para a idolatria dos vizinhos **pagãos**. Isso os levou à opressão sob inimigos estrangeiros até o povo de Deus voltar-se para ele e orar por libertação. Deus, então, providenciou líderes chamados de **juízes**, que expulsaram os opressores. Durante o seu governo, os israelitas ficaram em paz e permaneceram fiéis a Deus, mas logo se desviaram novamente depois que os líderes morreram. O livro de Juízes tem três seções principais:

- ✦ Causas do declínio (Juízes 1:1-3:5).
- ✦ As histórias dos juízes (Juízes 3:6-16:31).
- ✦ Consequências do desvio (Juízes 17-21).

## O que há de especial em Juízes?

**pagãos**
povos que adoravam deuses falsos

**juízes**
líderes israelitas; líderes espirituais, políticos e militares

**despojasse**
colocasse para fora, cortasse ou separasse de

1. **Causas do declínio (Juízes 1:1-3:5).** Nem todos os cananeus foram expulsos durante a conquista. Para proteger o povo de Deus da corrupção moral e espiritual, foi dito a cada tribo israelita que **despojasse** aqueles que haviam permanecido. Algumas tribos não fizeram isso por causa da falta de fé. Outras desobedeceram diretamente, e, quando Israel se tornou forte, eles impuseram aos cananeus o trabalho forçado (veja Juízes 1:28). Várias vezes o fato de se voltarem para a adoração dos ídolos dos povos pagãos de Canaã traria desastre.

### O que outros dizem

**Howard Hendricks**

O lar deveria ser um campo de treinamento para desenvolver padrões de hábitos que sirvam a Jesus Cristo. E, então, evitaríamos a tragédia descrita em Juízes 2:10 — cresceu outra geração que não conhecia o Senhor, nem sabia o que ele havia feito.[1]

2. **As histórias dos juízes (Juízes 3:6-16:31).** O que era um juiz? Juiz era um indivíduo que Deus levantava para liderar uma ou mais tribos de Israel. O termo "juiz" pode dar a impressão errada. Esses indivíduos habilidosos exerciam todos os poderes governamentais durante seu tempo no ofício:

executivo, legislativo e judiciário. Eles, na sua maioria, também eram líderes militares. O ofício de juiz não era hereditário. Deus chamava indivíduos de diferentes posições sociais e dava-lhes poder para servir como juízes.

Juízes: Quem foram os juízes? Doze juízes são mencionados, e a lista a seguir indica os versículos dedicados a cada um. As histórias com maior número de versículos têm lições para ensinar aos cristãos de hoje.

## Os 12 juízes

| Juiz | Número de versículos | Anos de paz obtidos |
|---|---|---|
| Otoniel | 4 | 40 |
| Eúde | 18 | 80 |
| Sangar | 1 | — |
| Débora | 53 | 40 |
| Gideão | 100 | 40 |
| Tolá | 2 | 23 |
| Jair | 3 | — |
| Jefté | 58 | 6 |
| Ibsã | 3 | — |
| Elom | 2 | — |
| Abdom | 3 | — |
| Sansão | 97 | 20 |

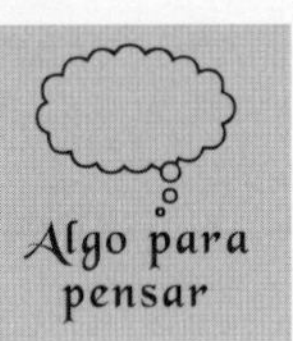


Débora: Todas as sociedades antigas eram patriarcais. Israel não era exceção. Sacerdotes, anciãos da cidade, líderes políticos e militares, assim como os chefes de famílias, eram homens. Mas, nesse tempo, Débora, uma profetisa, emergiu como líder reconhecida, juíza, de várias das tribos israelitas do norte. O que importava eram os dons óbvios e o chamado de Deus dessa mulher excepcional, não seu gênero. O que ainda importa hoje não é como a sociedade nos limita, mas como Deus nos capacita (Juízes 4:1-16).

Gideão: A história da vitória de Gideão com apenas trezentos homens contra um exército muito maior é a preferida de todo o currículo da escola dominical. O mais fascinante é que, mesmo estando muito ciente de sua fraqueza e buscando constante consolo, Gideão obedeceu a Deus antes de ser confortado. Uma pessoa fraca disposta a obedecer a Deus será a mais forte no final (Juízes 6-7).

**O que outros dizem**

*Martinho Lutero*

Quando Deus contempla alguma grande obra, ele a começa pela mão de alguma criatura humana pobre e fraca, a quem ele depois auxilia, para que os inimigos que procuram impedi-la sejam vencidos.[2]

**filisteus**
povo guerreiro de Creta que controlava a costa de Canaã

**pontos de apoio**
valores compartilhados com um compromisso comum

JEFTÉ: Jefté era filho de uma prostituta. Seu pai o reconheceu e o criou como se fosse seu filho legítimo, ou seja, fruto de um casamento. Quando o pai morreu, no entanto, Jefté foi expulso da família, do clã e da tribo. Quando veio a guerra, os anciãos das tribos chamaram Jefté de volta para liderá-los. Suas cartas aos invasores amorreus mostram que Jefté conhecia bem a história do relacionamento de sua nação com Deus. As primeiras desvantagens não precisam limitar o futuro daqueles que conhecem a Deus (Juízes 10:4-40).

A filha de Jefté: Leia Juízes 11:29-40 e depois vote. Jefté matou sua única filha em um sacrifício ao Senhor? SIM___ NÃO___ (Veja a resposta no Apêndice B.)

SANSÃO: As histórias da escola dominical enfatizam a força física de Sansão. A Bíblia enfatiza suas fraquezas morais e espirituais. Embora fosse um juiz, Sansão nunca libertou seu povo da opressão dos **filisteus**. Finalmente, a paixão de Sansão por uma prostituta o levou a contar o segredo de sua força, o que, por fim, levou à sua morte. Por mais maravilhosos que sejam nossos dons naturais, somente o compromisso total com Deus nos permitirá viver à altura de nosso potencial (Juízes 16).

3. **Consequências do desvio (Juízes 17-21).** O livro dos Juízes termina com uma descrição dos três incidentes que revelam o que acontece quando uma sociedade perde seus **pontos de apoio** ao afastar-se da Palavra e dos caminhos de Deus.

### Quando nos desviamos de Deus, somos afetados de três maneiras

| | 1. Espiritualmente | 2. Moralmente | 3. Socialmente |
|---|---|---|---|
| O ato | Juízes 17-18 Mica faz um ídolo e leva um levita a servir como seu sacerdote. | Juízes 19 Sob a ameaça de ser violentado sexualmente por homens, um viajante entrega sua concubina aos estupradores. | Juízes 20-21 Começa uma guerra civil quando as tribos tentam punir a multidão. |
| O resultado | Perde-se e distorce-se o conhecimento de Deus. | Padrões morais são abandonados e corrompidos. | Soluções sociais não têm efeito. |

## Rute

### ...fé simples

| | |
|---|---|
| **Quem?** | Um autor não identificado |
| **O quê?** | escreveu esta bela história |
| **Sobre?** | acerca de uma jovem que honrou a Deus |
| **Quando?** | durante os dias dos juízes |
| **Por quê?** | para mostrar que, mesmo quando uma sociedade abandona a Deus, o compromisso individual é honrado |

## Uma coluna de fé

### Visão geral

*Rute*

Este livro da Bíblia leva o nome da nora moabita de Noemi. Noemi deixou Israel durante um período de fome e voltou anos mais tarde, após a morte de seu marido e de seus filhos. Rute assumiu um compromisso com Noemi e com o Deus de Israel. Apesar da pobreza, a virtude e o caráter de Rute ganharam a admiração de um parente do marido de Noemi, que se casou com ela. A união levou ao nascimento de Obede, avô do maior rei de Israel, Davi.

**resgatador**
um parente próximo para comprar de volta

**tipo**
uma pessoa ou coisa que é parecida com outra em um aspecto importante

NOEMI: Depois que seu marido e seus filhos morreram em Moabe, Noemi, que significa "agradável", mudou seu nome para Mara, que significa "amarga". Mas, com o apoio amoroso de sua nora Rute, Noemi encontrou conforto e um futuro.

RUTE: As famosas palavras de Rute para Noemi expressam seu compromisso. "Aonde fores irei, onde ficares ficarei! O teu povo será o meu povo e o teu Deus será o meu Deus!" (Rute 1:16). A modéstia e o compromisso notório de Rute com sua sogra conquistaram a admiração da comunidade e o amor de Boaz, com quem ela se casou.

BOAZ: Um homem mais velho, Boaz ficou encantado com o caráter e também com a beleza de Rute. A história depende de como Boaz desempenhou o papel do **resgatador** e de como, ao se casar com Rute, ele reconquistou as terras perdidas de Noemi para Obede, seu filho com Rute.

## O que há de especial em Rute?

1. **Esta história meiga, que se passa durante os dias dos juízes, está em nítido contraste com as histórias contadas em Juízes 17-21.** Ela nos faz lembrar de que, mesmo quando uma sociedade sucumbe, as pessoas de fé podem levar uma vida gratificante e bela.

2. **Por milhares de anos, o relacionamento de Rute e Noemi serviu como um exemplo claro do preço e dos benefícios do compromisso.** Não é de admirar que as palavras de Rute para Noemi (Rute 1:16) sejam citadas em muitas cerimônias de casamento.

**se tronar humano**
Hebreus 2:14-18

**morte na cruz**
Colossenses 1:21-22

3. **Boaz é um modelo do resgatador do Antigo Testamento.** Quando morria um homem sem filhos, um parente próximo podia se casar com a viúva. Qualquer filho que resultasse da união receberia a herança do primeiro marido. Mas, para resgatar os bens perdidos, o resgatador tinha de ser um parente próximo e tinha de estar disposto a aceitar a responsabilidade.

Muitos veem Boaz como um **tipo** de Jesus Cristo. Para reconquistar o que nós, seres humanos, perdemos por causa do pecado e da morte espiritual, Jesus teve de se tornar humano (ou seja, ele teve de se tornar um verdadeiro parente) e teve de estar disposto a pagar o preço por nossos pecados. Com sua morte na cruz, Jesus pagou o preço e conquistou a liberdade e a vida eterna para nós.

## Resumo do capítulo

- ✦ O livro de Josué conta a história da conquista de Canaã pelos israelitas.
- ✦ O milagre em Jericó ensinou aos israelitas que a obediência às ordens de Deus garante a vitória, e o fracasso deles em Ai ensinou a Israel que a desobediência a Deus leva à derrota.
- ✦ Juízes conta incidentes que aconteceram durante um longo período de tempo, no qual os israelitas muitas vezes se desviaram de Deus.
- ✦ Os juízes foram líderes políticos, militares e religiosos que Deus providenciou quando os israelitas confiaram na ajuda divina.
- ✦ Os israelitas sofreram uma perda material, moral e social durante aquele tempo porque não conseguiram permanecer fiéis a Deus.
- ✦ O livro de Rute nos faz lembrar de que os indivíduos podem encontrar bênção quando confiam em Deus, mesmo durante os tempos em que suas nações se afastam dele.

## Questões para estudo

1. Que período de tempo os livros de Josué, Juízes e Rute compreendem?
2. Qual é a principal mensagem do livro de Josué?
3. Qual é a principal mensagem do livro de Juízes?
4. O que era um juiz, e o que os juízes faziam pelos israelitas?
5. Cite três das quatro pessoas que são enfatizadas em Juízes.
6. Qual é a principal mensagem do livro de Rute?

# Capítulo 6

*Em destaque no capítulo:*
- ✦ Samuel
- ✦ Saul
- ✦ Saul e Davi
- ✦ Davi

# Um novo começo
# 1Samuel • 2Samuel • 1Crônicas

## Vamos começar

Durante a época dos juízes, Israel era uma fusão livre de tribos fracas, sobrevivendo a duras penas na Terra Prometida. Em 1050 a.C., o último juiz, Samuel, **ungiu** Saul, o primeiro rei de Israel. O falho rei Saul teve Davi como seu sucessor, que se tornou o maior rei de Israel. Davi unificou os israelitas em uma só nação, derrotou todos os inimigos estrangeiros e estabeleceu Jerusalém como capital política e religiosa de Israel. Quando Davi morreu, em 970 a.C., os israelitas ocupavam um território dez vezes maior que o que ocupavam quando ele se tornou rei.

**ungiu**
separou para uma tarefa, derramando óleo sobre a cabeça da pessoa escolhida

## Histórias contadas e recontadas

Este período central da história do Antigo Testamento é tão importante que suas histórias são contadas e recontadas na Bíblia. A tabela a seguir mostra como os livros da Bíblia que apresentam Samuel, Saul e Davi se sobrepõem.

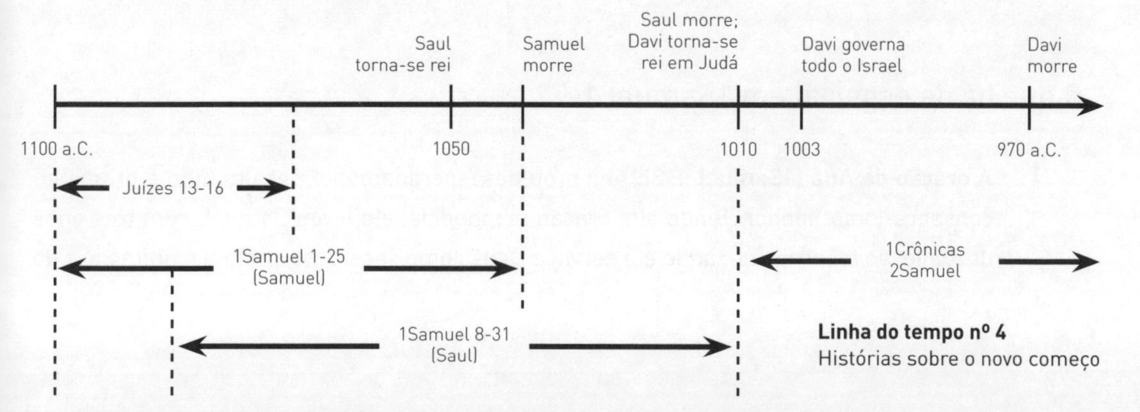


**Linha do tempo nº 4**
Histórias sobre o novo começo

# 1Samuel

## ...origem da monarquia

| | |
|---|---|
| **Quem?** | Um autor não identificado |
| **O quê?** | escreveu esta história |
| **Onde?** | em Canaã |
| **Quando?** | de 1050 a.C. a 1010 a.C. |
| **Por quê?** | para registrar como Israel tornou-se uma nação unida, governada por reis |

## Dedicado ao Senhor

### Visão geral

*Primeiro Livro de Samuel*

O livro começa com o nascimento de Samuel e sua dedicação ao Senhor. Os primeiros capítulos enfatizam incidentes do ministério de Samuel, que foi profeta de Deus e o último juiz de Israel. Pressionado na velhice pelo povo, Samuel unge Saul como o primeiro rei de Israel. O foco de 1Samuel, então, muda para Saul, cujas falhas levam à sua rejeição como rei por Deus. A maior parte do livro acompanha o relacionamento entre Saul e um recém-chegado à sua corte, Davi, que se tornará rei com a morte de Saul. O primeiro livro de Samuel pode ser resumido da seguinte forma:

- ✦ Samuel (capítulos 1-7).
- ✦ Saul (capítulos 8-15).
- ✦ Saul e Davi (capítulos 16-31).

Samuel: Com três anos de idade, Samuel foi consagrado por sua mãe para servir a Deus no tabernáculo. Mais tarde, ele se tornou o último juiz de Israel e expulsou os filisteus de seu território. Quando Samuel estava velho, os israelitas exigiram um rei. Conforme as instruções de Deus, Samuel ungiu Saul e, mais tarde, Davi, para se tornarem governantes de Israel.

## O que há de especial em 1Samuel 1-7?

1. **A oração de Ana (1Samuel 1-2).** Ana orou desesperadamente por um filho e prometeu consagrá-lo ao Senhor. Tendo sua oração respondida, ela levou Samuel, com três anos de idade, ao tabernáculo, onde ele serviu a Deus como sacerdote, profeta e último juiz de

Israel. A oração de louvor de Ana expressou sua alegria, que veio como consequência de devolver a Deus o que ele lhe tinha dado.

2. **A derrota de Israel (1Samuel 4-6).** Com a invasão de um exército filisteu, dois sacerdotes de Israel levaram a **arca da aliança** para o campo de batalha em Afeca, confiando que os poderes mágicos dela iriam ajudá-los. Os filisteus derrotaram Israel e capturaram a arca. Mas o "troféu", que simbolizava a presença de Deus, causou pragas tão terríveis que os filisteus devolveram-na rapidamente a Israel. Embora o filme *Os caçadores da arca perdida* seja ficção, a arca da aliança existiu, e o Deus da arca era e é real!

***arca da aliança***
o objeto mais sagrado de Israel; a caixa coberta de ouro continha as tábuas de pedra com os Dez Mandamentos e simbolizava a presença de Deus na terra

3. **Vitória em Mispá (1Samuel 7).** Vinte anos após a derrota em Afeca, Samuel eliminou a idolatria de Israel e levou o povo de volta a Deus. Quando atacado novamente pelos filisteus, Samuel orou, e Israel conquistou uma grande vitória em Mispá. A vitória foi tão decisiva que pôs fim a qualquer ameaça imediata dos filisteus durante o período em que Samuel foi juiz.

## O quê? Sem firmeza de caráter?

Saul: Saul, o primeiro rei de Israel, era um jovem alto, cujos primeiros sucessos conquistaram a lealdade de seu povo. A despeito de seu físico impressionante, Saul era moralmente fraco. Sob pressão, ele deixou de confiar em Deus e não se mostrou disposto a obedecer ao Senhor. O resultado foi que Deus, por fim, o rejeitou como rei.

## O que há de especial em 1Samuel 8-15?

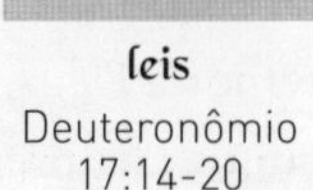

Vá para
leis
Deuteronômio 17:14-20

1. **Uma questão de motivação (1Samuel 8).** Moisés apresentou as leis sob as quais os reis de Israel deveriam governar. Contudo, séculos mais tarde, os israelitas exigiram um rei porque queriam ser como todas as nações. Antes, Israel era diferente — responsável para com Deus e dependente dele, não de um governante humano. A exigência de um rei era uma clara rejeição do governo direto de Deus.

Vá para

**medo**
Mateus 6:25-34; 10:16-31

**confiar**
Salmos 23

**como tolo**
não no sentido de idiota, mas de moralmente errado

2. **As falhas de Saul são reveladas (1Samuel 13; 15:1-26).** Os reis de Israel eram líderes espirituais além de políticos. O compromisso de um rei para com Deus definia os rumos da nação. Dois incidentes revelam por que motivo Saul não servia para governar o povo de Deus.

*O primeiro incidente.* Um poderoso exército filisteu juntou-se para atacar Israel. Samuel pediu a Saul que esperasse e disse que, dentro de sete dias, ele viria e intercederia junto a Deus. Saul esperou, mas um número cada vez maior de seu exército começou a se dispersar. Finalmente, o próprio Saul ofereceu um sacrifício. Samuel repreendeu Saul, dizendo: "Você agiu **como tolo**, desobedecendo ao mandamento que o Senhor, o seu Deus, lhe deu" (1Samuel 13:13). Saul não somente desobedeceu ao profeta de Deus, mas também desobedeceu à Lei de Deus. Apenas um descendente de Arão estava qualificado para oferecer um sacrifício.

*O segundo incidente.* Deus encarregou Saul de destruir totalmente os amalequitas. Uma vez que não conseguiu fazer isso, Saul deu desculpas: "Tive medo dos soldados [de seu próprio exército] e lhes atendi" (1Samuel 15:24). Essa rejeição à autoridade eterna de Deus resultou na rejeição à autoridade terrena de Saul por Deus. Quase sempre hesitamos em fazer o que sabemos que é certo porque estamos preocupados com o que os outros podem pensar ou dizer.

## A inveja não acaba

DAVI: Uma figura imponente do Antigo Testamento. Como o filho caçula de uma grande família, Davi cuidava do rebanho da casa. Vivendo ao ar livre, ele desenvolveu um grande temor a Deus, o Criador, e, enquanto protegia suas ovelhas de animais selvagens, aprendeu a confiar na presença viva e no poder de Deus. Davi chamou a atenção de Saul quando, ainda adolescente, enfrentou e matou Golias, o gigante guerreiro filisteu. Alistado no exército de Saul como comandante subalterno, as proezas de Davi fascinaram a nação; mas despertaram a inveja de Saul. Davi casou-se com uma das filhas de Saul, mas, por fim, este, paranoico e hostil, decidiu matar o genro, a quem via como um rival. Os capítulos 16-31 apresentam muitas histórias sobre as aventuras de Davi durante os anos em que primeiro serviu ao rei Saul e depois fugiu dele.

## O que há de especial em 1Samuel 16-31?

1. **Davi é escolhido por Deus (1Samuel 16).** Deus enviou Samuel para ungir o sucessor de Saul. Quando Samuel imaginou que um dos irmãos de bela aparência de Davi pudesse ser o escolhido por Deus, o Senhor o corrigiu. "Não considere sua aparência nem sua altura [...] o homem vê a aparência, mas o Senhor vê o coração" (1Samuel 16:7). Davi, que não chamava a atenção fisicamente, foi o escolhido porque tinha o coração voltado para Deus.

2. **Davi contra Golias (1Samuel 17).** Nenhuma história elucida mais precisamente a confiança absoluta de Davi em Deus do que a conhecida história da luta desigual do jovem contra o guerreiro filisteu, armado e gigante. A derrota de Golias (veja Ilustração nº 10) desmoralizou os filisteus e levou a uma grande vitória dos israelitas.

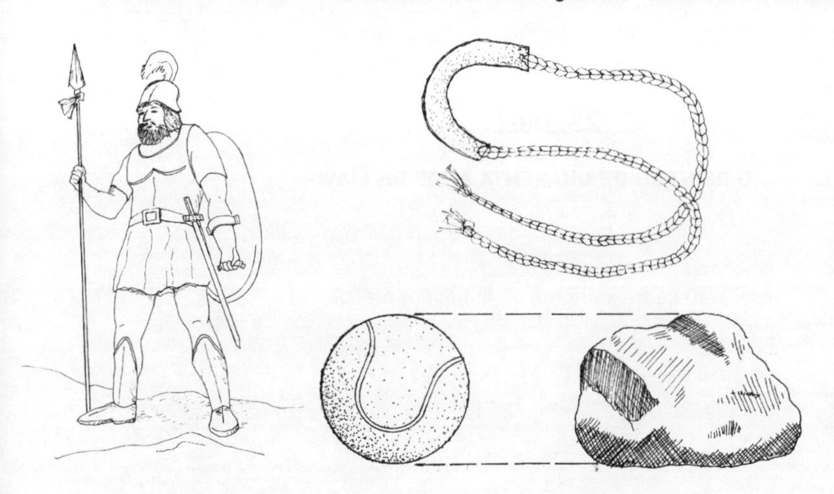

**Ilustração nº 10**
Qual era a altura de Golias? Com seis côvados e um palmo, Golias tinha mais de 2,70 metros de altura.
Como era uma atiradeira? Parecia uma corda dobrada com um bolso de couro no centro.
Qual era o peso das pedras usadas nas atiradeiras? As pedras encontradas nos campos de batalha israelitas eram do tamanho de bolas de tênis; elas eram mais arredondadas do que irregulares.

3. **As histórias dos primeiros anos de Davi (1Samuel 18-31).** O relacionamento cada vez mais conturbado entre o rei Saul e Davi é observado nas histórias listadas a seguir. A leitura de duas ou três já lhe dará uma boa dose de informações sobre o caráter de Davi e o de Saul.

| 1Samuel | A história |
|---|---|
| 18:1-16 | Os sucessos de Davi deixam Saul com inveja e com medo |
| 18:17-30 | Saul tenta atrair Davi para um ataque fatal |
| 19:1-18 | Saul arremessa sua própria lança contra Davi e depois ordena a morte dele |
| 20:1-42 | Jônatas, filho de Saul, defende a lealdade de Davi |
| 21:1-21 | Davi é forçado a fugir |
| 22:6-23 | Saul executa 85 sacerdotes que, involuntariamente, ajudaram Davi |
| 23:7-29 | Davi reúne um pequeno exército, o qual Saul persegue |
| 24:1-22 | Davi demonstra sua lealdade ao poupar a vida de Saul |
| 26:1-25 | Davi novamente poupa a vida de Saul |
| 27:1-12 | Desanimado, Davi deixa Israel e se instala entre os filisteus |
| 29:1-11 | Davi evita lutar contra Saul ao lado dos filisteus |
| 31:1-13 | Saul e Jônatas morrem na batalha contra os filisteus |

## 2Samuel

### ...o reinado de quarenta anos de Davi

| | |
|---|---|
| **Quem?** | Um autor não identificado |
| **O quê?** | escreveu sobre a origem da linhagem real de |
| **Onde?** | Israel |
| **Quando?** | de 1010 a.C. a 970 a.C. |
| **Por quê?** | para estabelecer o direito ao trono dos descendentes de Davi |

### Visão geral

*Segundo Livro de Samuel*

Este livro é um registro da ascensão de Davi ao trono e suas muitas realizações durante seu reinado de quarenta anos. São descritos tanto os pontos fortes como os fracassos pessoais de Davi para que todos leiam. O livro recapitula:

- O governo de Davi em Judá (2Samuel 1-4).
- A união de Israel por Davi (2Samuel 5-24).

# 1Crônicas

## ...o reinado de quarenta anos de Davi

| | |
|---|---|
| **Quem?** | Um autor não identificado |
| **O quê?** | recapitulou o reinado de Davi |
| **Onde?** | sobre o Israel unido |
| **Quando?** | de 1003 a.C. a 970 a.C. |
| **Por quê?** | para incentivar os judeus exilados na década de 500 a.C. |

### Visão geral

*Primeiro Livro das Crônicas*

Este livro enfatiza as realizações de Davi, que fazem os exilados judeus na Babilônia se lembrarem de que Deus prometeu restaurar a monarquia governada por um descendente de Davi, o segundo rei de Israel. O livro contém:

- ✦ Genealogias (1Crônicas 1-10)
- ✦ Um registro dos atos de Davi (1Crônicas 11-29)

## Um rei segundo o coração de Deus

Davi: O primeiro livro de Samuel apresentou Davi como um oficial jovem, talentoso, membro da família de Saul e perseguido por seu exército. O Segundo Livro de Samuel e o primeiro das Crônicas apresentam um Davi maduro que, sob a autoridade de Deus, governa como rei de Israel. Atribuem-se as grandes realizações de Davi não somente ao seu gênio, mas ao seu compromisso com o Senhor. Na verdade, as realizações de Davi foram espetaculares.

Durante suas quatro décadas de governo, Davi fez seu povo deixar de ser uma coalizão indefinida de tribos para ser uma forte monarquia centralizada. Especificamente, o reinado de Davi marca a transição:

- ✦ Do governo feito por juízes para o governo de um rei.
- ✦ De uma **confederação** indefinida de tribos para uma nação unida.
- ✦ Da **anarquia** para um governo central sólido.
- ✦ Da pobreza para uma economia da **era do ferro** e rica.
- ✦ Da opressão para a conquista. Sob a autoridade de Davi, Israel ocupou um território dez vezes maior que o anterior.

***confederação***
tribos intimamente associadas, mas independentes

***anarquia***
vida sem leis

***era do ferro***
começou quando as pessoas aprenderam a fazer ferramentas e armas de ferro

Da adoração em pontos locais à adoração em Jerusalém, a qual Davi estabeleceu como centro político e de adoração de Israel.

### O QUE ESTÁ ACONTECENDO NO MUNDO ENQUANTO DAVI ESTÁ FORMANDO UMA NAÇÃO?

| | |
|---|---|
| Na **Ásia Menor** | Os gregos jônios estabelecem 12 cidades. |
| Na China | Um livro de matemática avançada é publicado. |
| Na Europa | O ouro está sendo usado em joias. |
| Na Índia | Introduz-se o **sistema de castas** e surge o ensino da **transmigração** de almas. |

## O que há de especial nos livros que registram os acontecimentos no reinado de Davi?

**promessas da aliança**
Gênesis 12:1-3,7

**Ásia Menor**
atual Turquia

**sistema de castas**
uma forma de classificar as pessoas por grupos sociais, nos quais permanecem para o resto da vida

**transmigração**
a crença de que, após a morte, uma pessoa pode voltar como um inseto ou animal

1. **A genealogia (1Crônicas 1-10).** A lista aparentemente interminável de nomes estranhos confunde, hoje, as pessoas. Mas, para os israelitas, os nomes eram vitais. Cada nome servia para ancorar na história o fato de que, independentemente do que acontecesse, o povo hebreu ainda seria o povo escolhido de Deus. Como descendentes de Abraão, Isaque e Jacó, os judeus são os herdeiros escolhidos por Deus das promessas da aliança dadas a Abraão.
2. **O reinado de sete anos de Davi em Judá (2Samuel 1-4).** Após a morte de Saul, a tribo de Judá reconheceu Davi como rei. No entanto, as tribos do norte apoiaram um filho de Saul chamado Isbosete. Somente depois de sete anos, em 1003 a.C., Davi foi chamado rei de todos os israelitas.

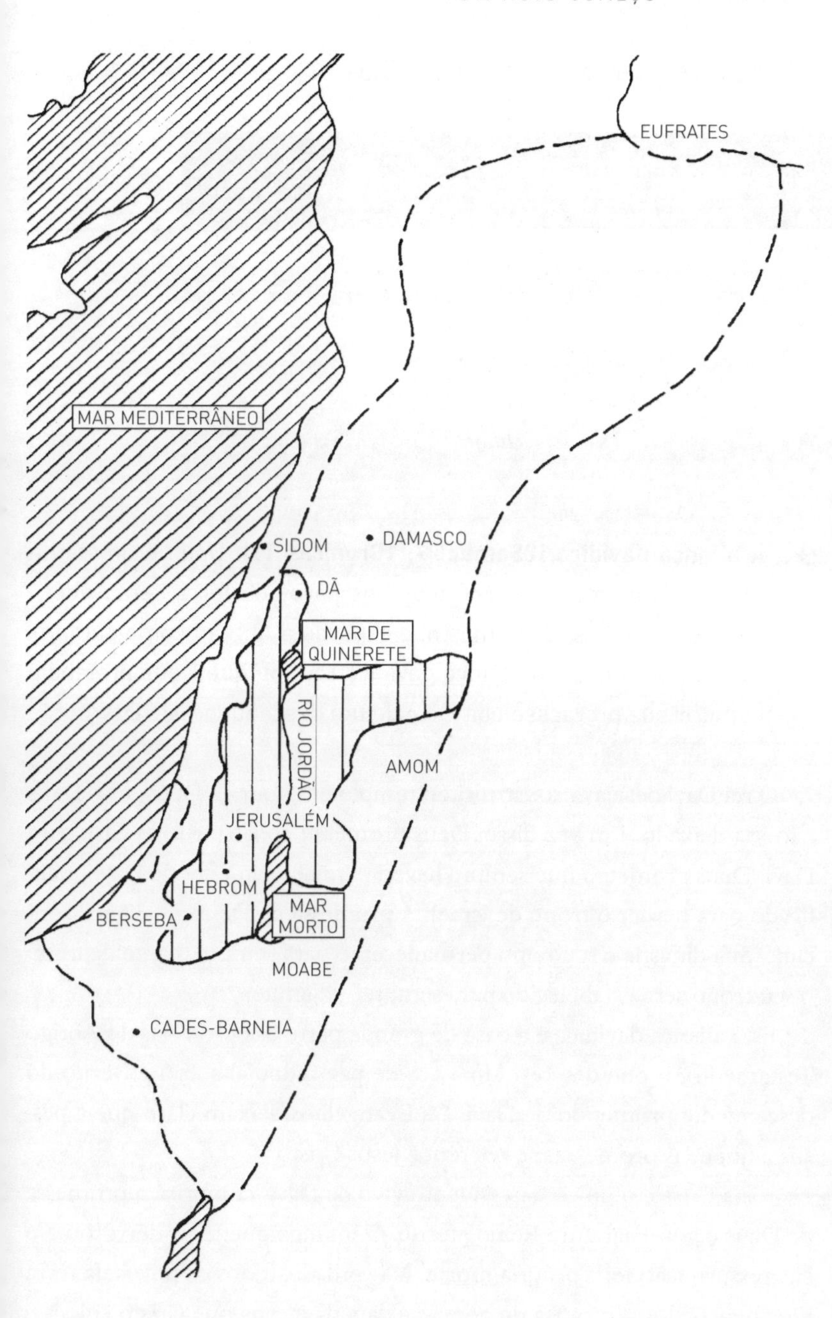


**Ilustração nº 11**
Território israelita antes e depois do reinado de Davi: O rei Davi expandiu as fronteiras de Israel e deu ao seu povo uma terra dez vezes maior que a ocupada quando Saul se tornou rei. A área de terra listrada no mapa indica a extensão do reino de Israel antes do reinado de Davi. A linha tracejada indica a extensão do reino de Israel no final do reinado de Davi.

3. **As vitórias militares de Davi.** Auxiliados e guiados por Deus, os exércitos de Davi impuseram derrotas devastadoras às nações que cercavam Israel. As vitórias serviram para expandir dez vezes mais o território controlado por Israel (veja Ilustração nº 11). Elas também deram a Davi o controle das rotas comerciais, o que trouxe grande riqueza a Israel. As "histórias de guerra" ilustram a dependência consciente que Davi tinha de Deus; elas são encontradas nas seguintes passagens:

## As histórias de guerra do rei Davi

| O inimigo | A história de guerra |
|---|---|
| Os jebuseus | 2Samuel 5:6-16 |
| Os filisteus | 2Samuel 5:17-25; 1Crônicas 20:4-8 |
| Os moabitas | 2Samuel 8:2 |
| Os sírios | 2Samuel 8:3-11; 1Crônicas 18 |
| Os edomitas | 2Samuel 8:13,14 |
| Os amonitas e arameus | 2Samuel 10:1-19; 1Crônicas 19 |

Vá para

**aliança davídica**
Salmos 89:2-8; Jeremias 33:14-26; 2Samuel 7:1-17; Isaías 9:6,7; Mateus 1:1-16

**própria morte**
1Coríntios 15: 20-28

Ponto importante

**casa**
aqui, é tanto um templo como uma dinastia

4. **A aliança davídica (2Samuel 7; 1Crônicas 17).** Deus prometeu a Abraão: "Por meio de você todos os povos da terra serão abençoados" (Gênesis 12:3), mas não explicou a Abraão como cumpriria esta promessa. A aliança davídica revelou que Deus pretendia cumprir sua promessa por meio de um descendente de Davi.

O rei Davi desejava construir um templo em honra a Deus, mas Deus não iria deixá-lo. Em vez disso, Deus prometeu construir uma **casa** para Davi. Deus prometeu que sempre haveria um descendente de Davi qualificado para herdar o trono de Israel. A promessa de Deus na aliança conclui: "Sua dinastia e seu reino permanecerão para sempre diante de mim; o seu trono será estabelecido para sempre" (2Samuel 7:16).

Esta aliança davídica é a base de grande parte das profecias do Antigo Testamento, o que descreve uma era de paz mundial sob o governo do descendente prometido de Davi. Os Evangelhos deixam claro que a pessoa a quem as promessas se referem é Jesus Cristo.

Jesus Cristo, o único descendente vivo de Davi, cumprirá a promessa de Deus e governará um Reino eterno. O inimigo que Jesus derrotou em sua ressurreição foi a própria morte. Na verdade, todos os povos da terra são abençoados por causa do perdão e da vida eterna que Cristo coloca à disposição de quem confia nele.

5. **As falhas pessoais de Davi (2Samuel 11-18, 24).** Os anais de outros governantes antigos glorificam as vitórias que tiveram e ignoram suas derrotas ou falhas pessoais, mas a Bíblia descreve explicitamente os pecados e os pontos fracos de Davi. Davi não é um

herói mítico; ele é um ser humano de carne e osso, cujos grandes pontos fortes são acompanhados por grandes fraquezas. Cada história resumida a seguir descreve um pecado ou falha do maior rei de Israel.

**Os pecados do rei Davi**

| 2Samuel 11 | 2Samuel 13 | 2Samuel 14 | 2Samuel 24 |
|---|---|---|---|
| Davi seduz Bate-Seba, e, quando ela fica grávida, se empenha para que o marido dela seja morto em batalha. | Quando um dos filhos de Davi estupra uma meia-irmã, Davi não age. O irmão da menina, Absalão, assassina o estuprador. | Davi não pune nem perdoa seu filho Absalão. Isolado, Absalão planeja uma rebelião na qual muitos perdem a vida. | Davi realiza um recenseamento militar, o que revela uma falta de confiança em Deus. |

## Lições com as falhas e os fracassos de Davi

1. Até as pessoas consideradas mais santas herdaram a natureza pecaminosa de Adão. Todos nós precisamos da salvação que Deus oferece aos que nele confiam.
2. O pecado de Davi com Bate-Seba roubou-lhe a autoridade moral em sua própria família e paralisou sua capacidade de corrigir seus filhos. Há consequências até para pecados perdoados.
3. Apesar de Saul e Davi terem pecado, houve uma diferença significativa entre suas posturas. Davi assumiu a responsabilidade pública por seus pecados e, abertamente, buscou o perdão de Deus. Saul deu desculpas e fingiu que tudo estava certo entre ele e o Senhor. Deus pode e irá perdoar nossos pecados, mas temos de ser honestos com nós mesmos, com ele e com os outros.

Ponto importante

Vá para

**salvação**
Romanos 5:9-11

**responsabilidade**
Salmos 51

**O que outros dizem**

*Blaise Pascal*

É igualmente perigoso para o homem conhecer a Deus sem conhecer a própria miséria, e conhecer a própria miséria sem conhecer a Deus.[1]

Do grande clamor de Davi no momento de confissão.

SALMOS 51:1,3,4,10,14 *Tem misericórdia de mim, ó Deus, por teu amor; por tua grande compaixão. [...] Pois eu mesmo reconheço as minhas transgressões, e o meu pecado sempre me persegue. Contra ti, só contra ti, pequei e fiz o que tu reprovas. [...] Cria em mim um coração puro, ó Deus, e renova dentro de mim um espírito estável. [...] Livra-me da culpa dos crimes de sangue, ó Deus, Deus da minha salvação! E a minha língua aclamará a tua justiça.*

### O que outros dizem

Santo Agostinho

A confissão das más obras é o começo das boas obras.[2]

6. **As reformas religiosas de Davi (1Crônicas 22-26; 28; 29).** No início de seu reinado, Davi trouxe a arca da aliança para Jerusalém. Quando suas conquistas militares chegaram ao fim, ele concentrou sua atenção na adoração. Fez planos detalhados para o templo que seu filho Salomão construiria. Contribuiu com uma grande riqueza para o projeto e reuniu apenas os melhores materiais de construção. Davi também desenvolveu descrições de cargos para os sacerdotes e levitas que serviriam no templo. Contratou músicos e cantores treinados. Uma das maiores realizações de Davi foi compor, pessoalmente, muitos dos cânticos e poemas para serem usados na adoração pública. Muitos desses cânticos e poemas estão registrados para nós, nos Salmos, o 19º livro do Antigo Testamento.

Quando Davi morreu, em 970 a.C., ele deixou uma nação judaica poderosa, rica e unida, ansiosa por honrar a Deus e celebrá-lo.

## Resumo do capítulo

- ✦ O primeiro livro de Samuel registra o momento em que os israelitas começaram a deixar de ser uma associação livre de tribos para se tornarem uma nação governada por reis.
- ✦ Samuel, o último juiz de Israel, ungiu o rei Saul cerca de 1050 a.C.
- ✦ Saul não confiou em Deus nem lhe obedeceu, e não teve permissão para criar uma dinastia.
- ✦ Davi, sucessor de Saul, conseguiu edificar Israel e transformá-la em uma nação poderosa e dominante no Oriente Médio.
- ✦ Deus fez uma promessa a Davi na aliança, assegurando que um descendente seu governaria para sempre.

## Questões para estudo

1. Quais são as três figuras importantes que marcaram a transição para a monarquia?
2. Como eram as condições em Israel quando Samuel nasceu?
3. Como as condições mudaram quando Davi morreu?
4. Quais foram as diferenças mais importantes entre Saul e Davi? Por que um fracassou e o outro teve sucesso?
5. Cite pelo menos três grandes realizações de Davi?
6. Como a promessa de Deus a Davi em 2Samuel 7 está relacionada com as promessas que Deus fez a Abraão na aliança?
7. Quais são algumas das coisas que as pessoas, hoje, podem aprender ao estudarem a vida de Davi?

*Em destaque no capítulo:*

- A poesia hebraica
- Provérbios
- Eclesiastes
- Cântico dos Cânticos

# Capítulo 7

# A era de ouro de Israel
## 1Reis 1-11 • 2Crônicas 1-9 • Jó • Salmos • Provérbios • Eclesiastes • Cântico dos Cânticos

### Vamos começar

O reino de Davi dominou o Oriente Médio por meio do reino de seu filho, Salomão. Os oitenta anos em que Davi e Salomão governaram foram a era de ouro de Israel. A nação foi próspera e poderosa. Os dois reis iniciaram grandes obras literárias, e um templo magnífico foi erguido em Jerusalém. A era de ouro logo passaria, mas suas glórias seriam lembradas.

**Linha do tempo nº 5**
Durante esses oitenta anos, os poderes normalmente dominantes, o Egito ao sul e os hititas e assírios ao norte, eram fracos e incapazes de ameaçar Israel.

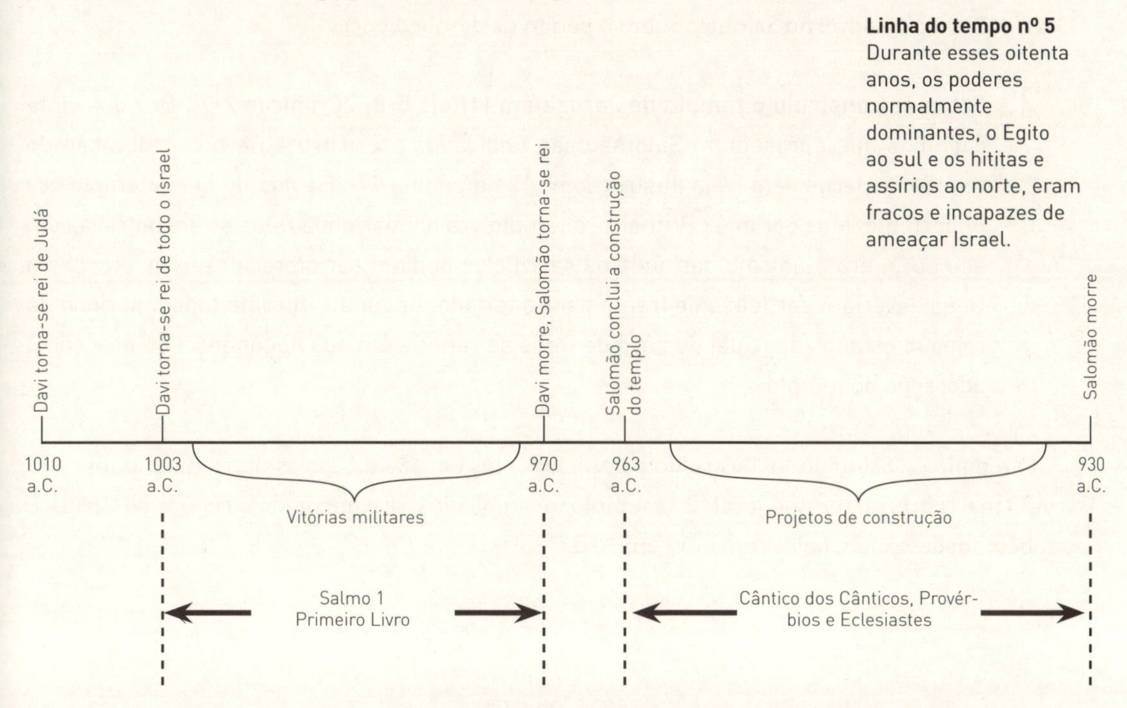

Vá para

**milhares de provérbios e mais de mil cânticos**
1Reis 4:29-30

**23 toneladas de ouro**
2Crônicas 9:13

**desobediência**
1Reis 9:6-9

## Até o mais sábio pode cair

SALOMÃO: Salomão sucedeu Davi como rei de Israel. Foi famoso por suas realizações intelectuais. Escreveu milhares de provérbios e mais de mil cânticos. Também tornou-se um botânico, catalogando a vida vegetal, e um zoólogo, pesquisando os hábitos dos animais. Salomão encontrou tempo para realizar muitos projetos de construção, incluindo a construção do magnífico templo de Jerusalém, que foi uma das maravilhas do mundo antigo. A riqueza de Salomão, como sua sabedoria, foi célebre. A renda pessoal de Salomão, sem incluir somas de dinheiro decorrentes de impostos e do comércio, era de 23 toneladas de ouro por ano.

## O que há de especial no reinado de Salomão?

1. **Deus apareceu para Salomão (1Reis 3; 9; 2Crônicas 1; 7).** Deus falou com Salomão duas vezes. No início do seu reinado, o jovem rei pediu um coração cheio de discernimento para governar seu povo e fazer a distinção entre o certo e o errado (1Reis 3:9). Este pedido altruísta agradou a Deus, que prometeu a Salomão sabedoria, riqueza e uma vida longa.

Mais tarde, no reinado de Salomão, Deus falou com ele novamente. O Senhor o encorajou a "andar segundo a [sua] vontade, com integridade de coração e com retidão, como fez o seu pai Davi" (1Reis 9:4) e advertiu Salomão sobre o perigo da desobediência.

2. **Salomão construiu o templo de Jerusalém (1Reis 5-8; 2Crônicas 2-7).** Dez dos vinte capítulos que apresentam Salomão são dedicados à construção e à consagração do templo de Jerusalém (veja Ilustração nº 12 na página 97). É evidente que o templo era importante. Mas por quê? Primeiro, o templo era o lugar onde Deus se encontrava com seu povo; era o único lugar onde os sacrifícios podiam ser oferecidos, e as orações a Deus deveriam ser feitas de frente para o templo. Segundo, durante todo o período do reino, o estado espiritual do povo de Deus se refletia em sua negligência ou devoção à adoração no templo.

O templo de Salomão foi destruído pelos babilônios em 586 a.C., mas outro templo foi construído mais tarde no mesmo local. Este templo foi ampliado e ornamentado na época de Cristo. E também foi destruído, pelos romanos, em 70 d.C.

3. **Salomão afastou-se de Deus (1Reis 11).** A promessa inicial de Salomão nunca foi cumprida. A despeito de sua dedicação a Deus na juventude, Salomão afastou-se do Senhor em seus últimos anos. Em desobediência à Lei de Deus, ele firmou tratados com muitas nações ao se casar com mulheres de famílias reais estrangeiras. Esta escolha ocasionou, diretamente, tragédias.

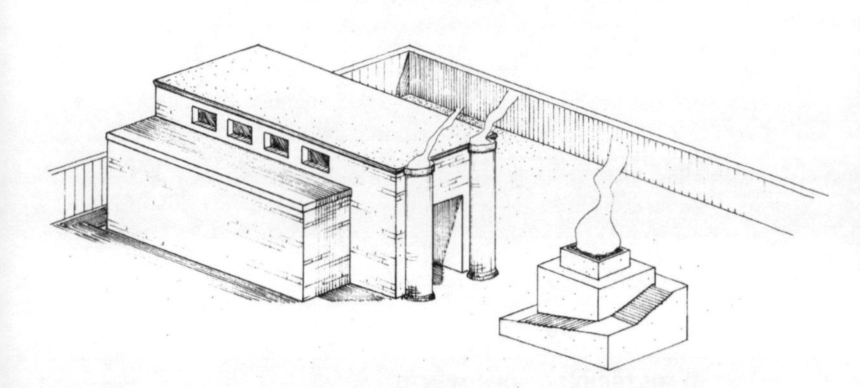

**Ilustração nº 12**
O templo de Salomão: Salomão esbanjou toneladas de ouro no templo magnífico que construiu para honrar a Deus. Considerando os preços de hoje, seria algo no valor de 5 bilhões de dólares!

## Poesia: Quem lê isso?

Convém fazer uma pausa aqui em nosso estudo da Bíblia e examinar os cinco fascinantes livros de poesia do Antigo Testamento. A era de ouro de Israel foi um momento de grandes realizações literárias. O livro dos Salmos, uma coletânea de poemas de louvor, foi criado por Davi, que escreveu muitos deles. Seu filho Salomão registrou muitos dos breves provérbios encontrados no livro de Provérbios. Salomão também escreveu um tratado filosófico obscuro (Eclesiastes) e um **poema lírico** celebrando o amor conjugal (**Cântico dos Cânticos**).

Estes livros, com Jó, são poéticos. Mas a poesia hebraica é incomum. Em vez de depender de **rima e métrica**, depende de colocar as ideias lado a lado, em um padrão chamado "paralelismo".

É difícil traduzir a poesia que depende de rima ou ritmo. Mas a poesia hebraica pode ser traduzida com eficácia em qualquer língua. O seu poder vívido muitas vezes foi usado pelos profetas para enriquecer sua mensagem. Este poder é refletido nos cinco livros poéticos do Antigo Testamento: Jó, Salmos, Provérbios, Eclesiastes e Cântico dos Cânticos.

**poema lírico**
tem a forma e o efeito geral de um cântico

**Cântico dos Cânticos**
também chamado de Cantares de Salomão

**rima e métrica**
ênfase nas sílabas

### As formas básicas de paralelismo poético

| Forma de paralelismo | Característica | Exemplo nas Escrituras |
|---|---|---|
| Paralelismo sinônimo | O pensamento no primeiro e no segundo versos é o mesmo | "Então a nossa boca encheu-se de riso, e a nossa língua de cantos de alegria. Até nas outras nações se dizia: 'O Senhor fez coisas grandiosas por este povo.'" (Salmos 126:2) |
| Paralelismo antitético | O pensamento no primeiro verso é enfatizado por seu oposto | "Quem faz o bem aos outros, a si mesmo o faz; o homem cruel causa o seu próprio mal." (Provérbios 11:17) |
| Paralelismo sintético | O pensamento no primeiro verso é desenvolvido ou concluído por pensamentos nos versos seguintes | "Em paz me deito e logo adormeço, pois só tu, Senhor, me fazes viver em segurança." (Salmos 4:8) |

## Jó

### ...o mistério do sofrimento

| | |
|---|---|
| **Quem?** | Um autor desconhecido |
| **O quê?** | contou a história de Jó |
| **Onde?** | na Mesopotâmia |
| **Quando?** | cerca de 2 mil anos antes de Cristo |
| **Por quê?** | para examinar a resposta da fé ao sofrimento humano |

## Ah, ai de mim! — A história de Jó

1. **Jó 1-2.** Jó foi reconhecido pelo próprio Deus como um homem íntegro e reto. Quando Satanás afirma que Jó só é assim porque Deus o tem abençoado e protegido do mal, o Senhor permite que Satanás o ataque. Em um único dia, tragédias súbitas roubam de Jó sua riqueza e sua família; mas ele permanece fiel a Deus. Mesmo quando Satanás o aflige com dolorosas feridas abertas, ele permanece fiel. Não se ouve mais de Satanás, que provou estar errado. Mas o sofrimento de Jó continua.
2. **Jó 3-31.** Três amigos aparecem para consolar Jó e ficam atordoados com sua condição. Ele, quase entrando em desespero, finalmente conta aos três que gostaria de ter morrido ao nascer. Os amigos começam um diálogo com Jó. Cada um deles está convencido de que Deus é justo e reto, e castiga o pecado. Eles concluem que Jó provavelmente pecou. Os amigos encorajam-no a confessar o pecado oculto que Deus está punindo e

a pedir misericórdia. Mas a consciência de Jó está limpa: não há pecado oculto. Ele não pode explicar por que motivo Deus o está fazendo sofrer, mas se recusa a confessar pecados dos quais não tem conhecimento.

**sofrimento**
1Pedro 2: 18-25; Romanos 5:10-12

**restaura**
Tiago 5:10-12

Enquanto o diálogo continua, os seus amigos começam a pressioná-lo cada vez mais. "Jó deve ter pecado, e pecado de forma terrível." Jó rebate dizendo que não pecou, e que Deus não está sendo justo.

3. **Jó 32-37.** Jó e seus amigos estão em um impasse. Em seguida, um homem mais jovem, chamado Eliú, fala. Ele ressalta que o sofrimento nem sempre precisa ser uma punição. Deus pode usá-lo para ensinar e chamar a atenção de uma pessoa. Portanto, os amigos de Jó estão errados em atacá-lo como um pecador, e Jó está errado em dizer que Deus não está sendo justo.
4. **Jó 38-41.** Em seguida, o próprio Deus fala com Jó. Deus não lhe revela o motivo de ter permitido tamanho sofrimento. Ele simplesmente o faz se lembrar de duas verdades básicas: Deus é maior que a compreensão humana, e os seres humanos são fracos e limitados.
5. **Jó 42.** Jó percebe que não cabe a uma criatura explicar os feitos do Criador. Deus repreende os três amigos, e, então, restaura tudo o que Jó perdeu e lhe dá muito mais.

## Pensando em Jó

O livro de Jó não nos diz por que Deus permite que pessoas boas sofram. O livro faz-nos lembrar de que as pessoas de fé respondem ao sofrimento de maneira diferente das sem fé. Algumas, como os três amigos, sentem-se obrigadas a perguntar: "Por quê?" Outras, como Jó, aprendem simplesmente a confiar em Deus, venha o que vier.

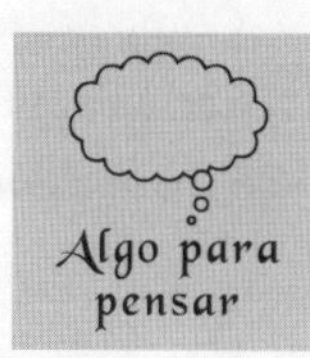


A Carta de Tiago, no Novo Testamento, observa: "Vocês ouviram falar sobre a paciência de Jó e viram o fim que o Senhor lhe proporcionou. O Senhor é cheio de compaixão e misericórdia" (Tiago 5:11). Mesmo quando Deus permite o sofrimento, seu maior intento é abençoar.

## SALMOS

### ...O LIVRO DE LOUVORES

| | |
|---|---|
| **Quem?** | Davi e outros |
| **O quê?** | escreveram estes poemas |
| **Onde?** | no antigo Israel |
| **Quando?** | durante muitos séculos antes de Cristo |
| **Por quê?** | como uma forma de ajudar a adoração privada e congregacional |

## Louvemos ao Senhor

1. **Os cinco "livros" dentro do livro de Salmos.** Cada livro representa uma coletânea de poemas. O primeiro livro (Salmos 1-41) foi reunido na época de Davi. O último livro (Salmos 107-150) foi reunido aproximadamente na época de Esdras, cerca de seiscentos anos mais tarde. Muitos dos salmos foram usados na adoração antes de serem incluídos em uma das coletâneas oficiais.

2. **Uma das características mais marcantes dos Salmos é a profundidade da emoção que exibem.** Os salmos fazem-nos lembrar de que, independentemente do que podemos sentir — raiva ou dor, gratidão ou alegria —, podemos livremente abrir nossos corações para o Senhor. Quando compartilhamos nossas emoções mais íntimas com ele, podemos ter certeza de que ouve e se importa, e trabalhará dentro dos nossos corações, assim como em nossas circunstâncias.

## Salmos que tocam nossos corações

Como lidar com emoções fortes? Qual é o valor de expressar nossos sentimentos livremente na conversa com Deus? A seguir, uma lista de emoções com uma lista de pares de salmos. A leitura de pelo menos dois deles lhe dará uma introdução de como os salmos expressam emoção.

3. **Classificação dos salmos.** Enquanto podemos descrever os salmos pelas emoções que expressam, estes poemas maravilhosos também podem ser classificados por tema, como demonstrado a seguir.

## Expressões de emoção

| Emoção | Salmos |
| --- | --- |
| Raiva de outros | Salmos 7, 36 |
| Culpa pelos pecados | Salmos 32, 51 |
| Ansiedade ou medo | Salmos 23, 64 |
| Desânimo | Salmos 42, 107 |
| Alegria | Salmos 33, 98 |
| Solidão | Salmos 25, 91 |
| Estresse | Salmos 31, 89 |
| Tribulação | Salmos 10, 126 |
| Fraqueza | Salmos 62, 102 |
| Inveja | Salmos 16, 73 |

## O que há para falar?

| Tipo de Salmo | Tema | Exemplos (Salmos) |
| --- | --- | --- |
| Penitencial | Confissão de pecados | 6, 32, 51, 102, 130 |
| Sabedoria | Tomada de decisões certas | 1, 37, 49, 73, 127 |
| Messiânico | Espera por Cristo | 22, 89, 110 |
| Imprecatório | Invocação de Deus para julgar | 35, 58, 109, 137 |
| Lamento | Queixa para Deus | 4, 12, 26, 57, 88 |
| Louvor | Gratidão pelo livramento | 18, 30, 34, 116, 138 |
| Adoração | Louvor ao próprio Deus | 103, 113, 117, 146 |

4. **O livro dos Salmos causa um impacto capaz de transformar a vida.** Mais do que qualquer outro livro da Bíblia, o livro dos Salmos explora a natureza pessoal de nosso relacionamento com Deus. Qualquer um que queira conhecer melhor a Deus encontrará neles uma ajuda e um guia incomparáveis.

### O que outros dizem

**Albert H. Baylis**

Inumeráveis santos e pecadores ao longo dos séculos foram edificados, consolados, inspirados e radicalmente transformados pela leitura e pela meditação dos Salmos.[1]

## Provérbios

### ...DIRETRIZES PARA A VIDA COTIDIANA

| | |
|---|---|
| **Quem?** | Salomão e outros |
| **O quê?** | contribuíram com provérbios de sabedoria |
| **Onde?** | em Israel |
| **Quando?** | cerca de novecentos anos antes de Cristo |
| **Por quê?** | para ajudar os leitores a tomarem boas decisões |

## Sabedoria para hoje

Um provérbio é um breve ditado que defende um ponto de vista prático, normalmente comparando ou contrastando uma ideia com algo familiar. O termo hebraico traduzido como *provérbio* significa "representar" ou "ser como". O livro de Provérbios é uma coletânea de ditados que têm por objetivo dar ao leitor a sabedoria necessária para fazer escolhas sábias na vida diária.

O livro de Provérbios começa com uma declaração de propósitos. Os provérbios são para (ver Provérbios 1:2,3):

- ✦ Conhecer a sabedoria e a instrução.
- ✦ Observar as palavras que dão entendimento.
- ✦ Receber o ensino da sabedoria.
- ✦ Aprender sobre justiça, julgamento e equidade.

## O que há de especial em Provérbios?

1. **O livro de Provérbios expressa princípios gerais.** Estes princípios são aplicáveis a todas as pessoas em todos os lugares, não apenas aos cristãos. Os provérbios não são promessas dadas por Deus. Eles descrevem o que normalmente acontecerá quando uma pessoa fizer uma escolha certa, não o que Deus garante que vai acontecer.

2. **O livro de Provérbios fala de escolhas.** Os autores não estão tentando transmitir informações, mas orientar decisões. A preocupação deles é que façamos o que é certo e evitemos as consequências prejudiciais de más decisões.
3. **"O temor do Senhor" é fundamental.** O livro de Provérbios afirma claramente que "o temor do SENHOR é o princípio do conhecimento, mas os insensatos desprezam a sabedoria e a disciplina" (Provérbios 1:7). O temor do Senhor não é medo, mas um reconhecimento reverente de seu poder e de sua presença. Apenas uma firme fé em Deus manterá os seres humanos no sábio caminho moral descrito em Provérbios.

4. **Muitos tópicos são examinados no livro de Provérbios.** A tabela apresentada a seguir lista os provérbios em vários tópicos.

| Tópico | Provérbios selecionados |
|---|---|
| Adultério | 5:1-6; 6:24-32; 7:6-27; 22:14; 23:26-28; 29:1; 30:7 |
| Álcool | 20:1; 23:20-21, 29-35; 31:4-7 |
| Crime | 6:30-31; 10:9-16; 13:11; 15:6,27; 16:8-19; 17:15,23 |
| Disciplina | 3:11-12; 5:12-14; 9:7-10; 13:18,24; 19:18; 22:15; 27:5 |
| Amizade | 12:26; 13:20; 16:28; 17:17; 18:1,24; 19:17; 22:10 |
| Fofoca | 11:13; 16:28; 18:8; 20:19; 26:22 |
| Governo | 8:15-16; 14:28,34-35; 16:12-15; 18:17; 24:24-25; 25:5 |
| Preguiça | 6:9-11; 12:24-27; 13:4; 15:19; 19:15; 20:4,20; 24:30-34 |
| Mentira | 6:16-17; 12:17-19,22; 14:5,24; 17:4,20; 24:28,29; 30:8 |
| Amor | 10:12; 15:17; 16:6; 17:9,17; 19:22; 20:6 |
| Vizinhos | 3:29-30; 6:16-19; 11:9; 14:20-21; 26:17-20; 29:5 |
| Pais e filhos | 6:20-23; 10:1; 15:20; 17:6,21,25; 22:6; 23:13-14,22,24 |
| Os pobres | 13:8,18,23; 14:20,31; 17:5; 19:1,4,7,17,22; 30:11-14 |
| Orgulho | 6:16-17; 8:13; 11:2; 15:25; 16:5,18; 18:12; 25:6-7 |
| Temperamento | 14:17,29; 15:1,18; 16:32; 19:19; 22:24-25; 29:11,22 |
| Riqueza | 10:2,4,15,22; 11:4,28; 13:8,21-22; 14:24; 20:21; 23:4-8 |
| Trabalho | 12:11,14,24,27; 14:23; 16:26; 18:9; 22:29; 27:18,23-27 |

## Eclesiastes

### ...à procura do sentido da vida

| | |
|---|---|
| **Quem?** | Salomão |
| **O quê?** | escreveu este livro |
| **Onde?** | como rei em Jerusalém |
| **Quando?** | quase no fim de sua vida |
| **Por quê?** | para perguntar se a vida humana tem sentido sem um relacionamento pessoal com Deus |

## À procura de um sentido sem Deus

Quase no fim de sua vida, Salomão perdeu seus pontos de apoio espirituais e começou a adorar os deuses de suas esposas estrangeiras. Durante este tempo, decidiu procurar o sentido da vida. Ele escreveu: "Dediquei-me a investigar e a usar a sabedoria para explorar tudo que é feito debaixo do céu" (Eclesiastes 1:13). Salomão usaria sua grande inteligência para testar e explorar a experiência humana. Mas ele se limitaria a tudo o que foi feito debaixo do céu. Salomão não levaria em consideração a verdade revelada por Deus! Ele procuraria o sentido da vida nos breves anos que os seres humanos têm para viver aqui na terra. E Salomão não conseguiu! A despeito do fato de ter acesso a todos os prazeres, riquezas incalculáveis e conquistas que ganharam o aplauso de todos, resumiu suas descobertas em algumas palavras trágicas:

> ECLESIASTES **1:2** *"Que grande inutilidade!", diz o mestre. "Que grande inutilidade! Nada faz sentido!"*

Por mais que tentemos encontrar sentido sem Deus, não conseguiremos. Pois sem Deus e seu propósito amoroso para nós, a vida humana não tem sentido.

## O que há de especial em Eclesiastes?

**inspirado**
Deus cuida para que a mensagem expresse o que ele deseja

**revelação**
o próprio Deus revela a verdade que não poderíamos conhecer de outro modo

1. **Eclesiastes é um livro *inspirado* das Escrituras, mas não de *revelação*.** Eclesiastes é um relato preciso do raciocínio de Salomão. Mas nem tudo que ele escreve é verdade. Este livro está na Bíblia para fazer com que nos lembremos de uma verdade importante.

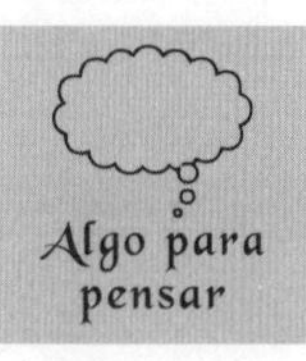


Algumas das palavras deste livro inquietam, pois parecem contradizer outros ensinamentos da Bíblia. É importante lembrar que nem todas as palavras em Eclesiastes têm por objetivo revelar verdades de Deus. Pelo contrário, Eclesiastes tem por objetivo relatar com precisão as reflexões de Salomão e expressar de modo convincente uma mensagem vital, necessária a todos os seres humanos. A mensagem é que, sem Deus e a perspectiva que sua Palavra dá, a vida humana, na verdade, não tem sentido. Aqueles que se esforçam para encontrar sentido para a vida sem Deus estão condenados ao fracasso — uma verdade global que Salomão, o mais sábio dos seres humanos, descobriu muito tarde.

2. **Onde Salomão procurou sentido? (Eclesiastes 1:12-6:12)** A primeira metade de Eclesiastes, dos capítulos 1 a 6, contém um relato de onde Salomão procurou a resposta inexplicável. Aqui estão suas conclusões:

| A BUSCA DE SALOMÃO PELO SENTIDO DA VIDA | REFERÊNCIA |
|---|---|
| Introdução | 1:1-11 |
| O conhecimento pode dar sentido? | 1:12-18 |
| O prazer pode dar sentido? | 2:1-11 |
| As realizações podem dar sentido? | 2:17-26 |
| Os seres humanos podem fazer alguma mudança real no modo como as coisas são? | 3:16-22 |
| O destino do homem sugere que a vida não tem sentido | 4:1-16 |
| A incapacidade humana de afetar as obras de Deus sugere que a vida não tem sentido | 5:1-7 |
| Os bens podem dar sentido à vida? | 5:8-6:2 |
| A incapacidade do homem de controlar seu futuro sugere que a vida não tem sentido | 6:3-12 |

3. **Como podemos tirar o maior proveito de uma vida sem sentido? (Eclesiastes 7:1-12:8)** Salomão descobriu que a vida humana — se só o que existe é esta vida — não tem sentido algum. Mas ele não pôde deixar de mostrar que, mesmo sob essas circunstâncias, alguns cursos de ação são melhores que outros.

4. **O epílogo de Salomão (Eclesiastes 12:9-14).** À medida que o livro se aproxima do fim, podemos perceber que Salomão está lembrando, ao longo dos anos, a grande promessa de sua juventude. Aqui estão suas recomendações:

ECLESIASTES **12:13-14** *Agora que já se ouviu tudo, aqui está a conclusão: Tema a Deus e guarde os seus mandamentos, pois isso é o essencial para o homem. Pois Deus trará a julgamento tudo o que foi feito, inclusive tudo o que está escondido, seja bom, seja mau.*

| TIRANDO O MAIOR PROVEITO DE UMA VIDA SEM SENTIDO | REFERÊNCIA |
|---|---|
| Faça as melhores escolhas que você puder | 7:1-12 |
| Adote uma atitude fatalista | 7:13-14 |
| Evite extremos | 7:15-22 |
| Seja sábio, evite a insensatez | 7:23-8:1 |
| Submeta-se às autoridades | 8:2-10 |

| Tirando o maior proveito de uma vida sem sentido | Referência |
|---|---|
| Seja temente a Deus | 8:11-13 |
| Aproveite as coisas boas que a vida oferece | 8:14-15 |
| Aproveite a vida enquanto for possível: a morte está à espera | 9:1-12 |
| Siga a sabedoria | 9:13-10:20 |
| Prepare-se para o futuro | 11:1-6 |
| Desfrute de sua juventude — a velhice está se aproximando | 11:7-12:8 |

## Cântico dos Cânticos

### ...A CELEBRAÇÃO DO AMOR

**alegoria**
uma história usada para expressar uma ideia

**monogâmico**
compromisso com um único cônjuge por toda a vida

| | |
|---|---|
| **Quem?** | O jovem Salomão |
| **O quê?** | escreveu este poema de amor |
| **Onde?** | em Jerusalém |
| **Quando?** | durante o início de seu reinado |
| **Por quê?** | como uma celebração do amor conjugal |

## O amor de uma vida

Esta é a história da tentativa de Salomão de cortejar uma jovem, a Sulamita? Ou o poema é fruto de uma experiência inicial de Salomão com o amor verdadeiro? Ou é simplesmente uma **alegoria**, cujo objetivo é descrever o amor de Deus por Israel, ou de Cristo pela Igreja? Charles Swindoll e muitos outros acreditam que este poema seja sobre o verdadeiro amor, um amor que se perdeu quando Salomão abandonou o casamento **monogâmico** por muitos casamentos com motivos políticos.

### O que outros dizem

**Bruce Wilkinson**

O relacionamento de Salomão com a Sulamita foi o único romance puro que ele conheceu. Seus casamentos, na maior parte, foram arranjos políticos. É importante o fato de a Sulamita, sem grandes recursos, cuidar de vinhas. Este livro também foi escrito antes de Salomão mergulhar na imoralidade e na idolatria.[2]

## O que há de especial em Cântico dos Cânticos?

1. **O poema é escrito em três vozes.** A voz do Amado é de Salomão. A voz da Amada é da Sulamita. A outra é de um coro de amigas da Sulamita.
2. **O poema está dividido em três seções.**
   1. O cortejo (1:2-3:5)
   2. O casamento (3:6-5:1)
   3. O relacionamento cada vez mais profundo (5:2-8:14)

### O que outros dizem

**Charles Swindoll**

Que ilustração ideal temos em Cântico dos Cânticos para o casamento cristão! Que liberdade para estarmos loucamente apaixonados, românticos, carinhosos e sensuais. Para estarmos comprometidos, seguros [e] felizes.[3]

3. **O Cântico dos Cânticos, por seu exemplo positivo, pode revelar pelo menos quatro coisas de que nosso casamento precisa.**
   A. *Atenção pessoal.* O amor físico é uma arte que não pode se desenvolver sem ser alimentada. Exige intimidade emocional, o prazer de estar um com o outro.
   B. *Lazer.* Criatividade, prazer e diversão só florescem em um relacionamento quando são cultivados no solo do tempo.
   C. *Escapadas especiais.* Momentos especiais longe do tumulto e do barulho das constantes demandas podem renovar um relacionamento.
   D. *Segurança.* Para atingir o nível mais profundo do amor seguro e sereno é preciso compromisso.

Para o seu casamento

## Resumo do capítulo

- Os anos de 1010 a.C. a 930 a.C. foram os anos de ouro de Israel, marcados por força, prosperidade e produção literária.
- Davi e Salomão foram os dois reis que governaram durante os anos de ouro.
- A construção do templo de Jerusalém foi a realização mais notável do rei Salomão.
- O período também testemunhou o início de grandes produções literárias poéticas.
- O livro de Jó, de uma época anterior, examina como uma pessoa de fé pode responder ao sofrimento.

- ✦ Os salmos, cuja grande maioria foi escrita pelo rei Davi, são um guia de adoração e de um relacionamento pessoal com Deus.
- ✦ O livro de Provérbios, cuja grande maioria foi escrita por Salomão, dá conselhos práticos sobre como fazer escolhas sábias e certas.
- ✦ Eclesiastes, escrito depois de Salomão ter se afastado de Deus, é uma busca pelo sentido na vida sem Deus.
- ✦ Cântico dos Cânticos é um poema que examina as alegrias de amantes casados.

## Questões para estudo

1. Quais foram os dois reis que governaram durante a idade de ouro de Israel?
2. Que realizações marcaram a era de ouro de Israel?
3. Quais são os quatro livros de poesia da Bíblia que foram escritos ou iniciados durante a era de ouro?
4. Que característica da poesia hebraica possibilita que ela seja facilmente traduzida para qualquer língua?
5. Qual é o tema de cada um dos seguintes livros de poesia da Bíblia?

- ✦ Jó ______________________________
- ✦ Salmos _________________________
- ✦ Provérbios ______________________
- ✦ Eclesiastes ______________________
- ✦ Cântico dos Cânticos ___________

# Capítulo 8

*Em destaque no capítulo:*

- ✦ Um reino dividido
- ✦ Elias e Eliseu
- ✦ Jonas
- ✦ Amós
- ✦ Oseias

## O reino do norte 1Reis 12-22 • 2Reis • Jonas • Amós • Oseias

### Vamos começar

Quando Salomão morreu em 930 a.C. (veja Linha do tempo nº 6, na página 137), o reino hebreu unificado foi dividido. Dois grupos tribais ao sul mantiveram o compromisso com os governantes da linhagem de Davi. Esse reino do sul era conhecido como Judá. As dez tribos hebreias do norte estabeleceram um reino rival, que manteve o antigo nome de Israel. Desde o início, os reis de Israel abandonaram a Lei de Deus, preferindo uma religião falsa. A despeito do ministério de profetas enviados para chamar Israel de volta a Deus, o reino do norte continuou em seu curso fatal. Em 722 a.C., Israel caiu nas mãos dos assírios. Seus cidadãos foram levados cativos e dispersaram-se pelo Império Assírio.

### 1 e 2Reis

**...UM RELATO HISTÓRICO**

| | |
|---|---|
| **Quem?** | Um autor não identificado |
| **O quê?** | avaliou os reinados dos monarcas |
| **Onde?** | de Israel e de Judá |
| **Quando?** | entre 970 a.C. e 586 a.C. |
| **Por quê?** | para demonstrar o valor da obediência e o perigo da desobediência a Deus |

**falsa religião**
1Reis 12:26-33; Amós 4:1-5

**apóstata**
que se rebelou contra o que acreditava

## Não precisamos deles

Quando Salomão morreu, o povo apelou ao seu filho, Roboão, para ter alívio de impostos. O rei jovem e tolo recusou-se. As dez tribos do norte rebelaram-se e coroaram Jeroboão como seu rei. Jerusalém, o lugar do templo de Salomão, estava no sul. Isso preocupou Jeroboão. Se o povo do norte ia a Jerusalém para adorar, como exigia a Lei de Deus, por quanto tempo permaneceria leal a ele? Portanto, Jeroboão criou sua própria religião, uma que imitava a fé que Deus revelou a Moisés. Ele designou seus próprios sacerdotes, criou ídolos em forma de bezerros em centros de adoração em Betel e Dã, e estabeleceu seus próprios feriados religiosos. Mesmo afirmando que esta religião era um meio para a adoração ao Senhor, todo ato de "adoração" violava diretamente a Lei de Deus.

Todos os governantes do reino do norte apoiaram essa falsa religião e fizeram mal aos olhos de Deus. Não havia maneira alguma pela qual a **apóstata** nação de Israel pudesse sobreviver ao juízo divino ou evitá-lo.

## Vozes proféticas

A tabela a seguir identifica os reis e os profetas do reino hebreu do norte. Nenhum desses reis procurou honrar a Deus. Para ter uma noção fascinante da vida dos governantes maus que governaram Israel, leia as histórias contadas sobre o rei Acabe.

Deus não abandonou Israel durante os duzentos anos (930-722 a.C.) que o reino hebreu do norte existiu. Repetidas vezes enviou profetas que advertiram os israelitas e insistiram para que voltassem para ele.

Duas categorias de profetas são encontradas na Bíblia. Alguns foram profetas que falaram, cujas histórias estão entrelaçadas em uma narrativa histórica. Outros foram profetas que escreveram, cujas mensagens estão registradas como livros da Bíblia. Elias e Eliseu foram profetas enviados por Deus para falar a Israel. Jonas, Amós e Oseias foram profetas que escreveram e pregaram no norte.

Os livros dos profetas que escreveram estão reunidos no final do Antigo Testamento. Mas, para entendermos mais claramente esses profetas, precisamos entender o contexto histórico em que suas mensagens foram dadas.

Qual foi a mensagem dos profetas que Deus enviou para o reino do norte? E como suas mensagens são importantes para nós hoje?

## REIS E PROFETAS DO REINO DO NORTE

| REI | PROFETAS | TEMPO DE REINADO | REFERÊNCIA |
|---|---|---|---|
| Jeroboão I | — | 22 anos | 1Reis 12-14 |
| Nadabe | — | 2 anos | 1Reis 15 |
| Baasa | — | 24 anos | 1Reis 15-16 |
| Elá | — | 2 anos | 1Reis 16 |
| Zinri | — | sete dias | 1Reis 16 |
| Onri | — | 12 anos | 1Reis 16 |
| Acabe | Elias | 22 anos | 1Reis 16-22 |
| Acazias | Elias | 2 anos | 1Reis 22; 2Reis 1 |
| Jeorão (Jorão) | Eliseu | 12 anos | 2Reis 3-8 |
| Jeú | Eliseu | 28 anos | 2Reis 9-10 |
| Jeoacaz (Joacaz) | Eliseu | 17 anos | 2Reis 13 |
| Jeoás (Joás) | Eliseu | 16 anos | 2Reis 13 |
| Jeroboão II | Jonas e Amós | 41 anos | 2Reis 14 |
| Zacarias | Oseias | seis meses | 2Reis 15 |
| Salum | Oseias | um mês | 2Reis 15 |
| Menaém | Oseias | 10 anos | 2Reis 15 |
| Pecaías | Oseias | 2 anos | 2Reis 15 |
| Peca | Oseias | 20 anos | 2Reis 15 |
| Oseias | Oseias | 9 anos | 2Reis 17 |

Hoje, muitas pessoas imaginam que os profetas estavam apenas preocupados com o futuro. É verdade que os livros de profecia do Antigo Testamento contêm muitos prenúncios sobre o que Deus pretendia fazer em algum momento futuro. Mas, para entendermos os profetas, temos de perceber que sua principal missão era para com os governantes e o povo de sua própria época. As advertências sobre o juízo futuro têm por objetivo confrontar problemas como injustiça, materialismo, religião vazia e a opressão dos desamparados pelos poderosos. Os prenúncios de bênçãos futuras têm por objetivo encorajar os doentes e os que sofrem e assegurar às vítimas de injustiça que Deus se importa com elas e pretende corrigir toda injustiça. Podemos ficar fascinados com a descrição do que será encontrado pela frente nos escritos dos profetas. Mas nunca devemos ignorar o fato de que as visões da ação de Deus no futuro têm por objetivo nos motivar a levar uma vida piedosa em nosso próprio tempo.

**nos motivar**
1Tessalonicenses 4:13-18
2Pedro 3:10-13

## Pregue!

A maioria das pessoas sabe que a Bíblia contém histórias de milagres, mas poucas se dão conta de que podem passar centenas de anos de história da Bíblia sem milagre algum. Na verdade, a maioria dos milagres registrados nas Escrituras ocorreu em três períodos relativamente curtos!

A primeira era de milagres estendeu-se por um período de apenas cinquenta anos. Ela incluiu a série de milagres que Deus realizou por meio de Moisés para forçar o faraó a libertar seus escravos israelitas, e outros milagres enquanto Israel viajava para a Terra Prometida.

A segunda era de milagres também durou cerca de cinquenta anos, durante o tempo de Elias e Eliseu. Os milagres realizados por esses dois profetas serviram como uma nova revelação do poder e da graça de Deus em um momento fundamental, em que o reino hebreu do norte parecia prestes a adotar uma religião pagã como sua fé oficial.

A terceira era de milagres foi inaugurada por Jesus, cujos muitos milagres autenticaram sua alegação de ser Filho de Deus. Os apóstolos de Cristo também realizaram milagres no nome de Jesus, nos primeiros dias da Igreja cristã.

Enquanto a Bíblia relata que Deus opera milagres, as pessoas que acreditam que os milagres aconteciam todos os dias nos tempos bíblicos estão erradas. Os milagres eram eventos incomuns e estavam reservados para momentos decisivos na história, em que Deus tinha novas revelações para seu povo.

### Três eras de milagres

| Primeira era | Segunda era | Terceira era |
|---|---|---|
| Moisés | Elias; Eliseu | Cristo; os apóstolos |
| 1446-1306 a.C. | 860-810 a.C. | 27-75 d.C. |
| Revelou Deus como o Senhor | Provaram que o Senhor é o verdadeiro Deus | **Autenticaram** Cristo como Filho de Deus |
| Apresentou o Pentateuco | | Apresentaram o Novo Testamento |

**autenticaram**
deram prova

**Baal**
um termo cananeu para "deus"

## Elias

Elias foi enviado a Israel em um momento fundamental. O rei Acabe havia se casado com Jezabel, filha de um rei pagão. Juntos, Jezabel e Acabe começaram a substituir a adoração ao Senhor pela adoração a **Baal**. O casal real executou profetas de Deus e importou centenas de falsos profetas da terra natal de Jezabel. O esforço parecia prestes a ter sucesso, quando Deus enviou Elias para confrontar o rei e mostrar seu poder.

## Fogo do céu

Elias invocou a Deus para cessar as chuvas. Por três anos terríveis não houve chuva, e a terra de Israel secou. O exército poderoso de Acabe foi devastado, uma vez que não havia forragem para os cavalos de seus carros. Então, Elias reapareceu e desafiou Acabe para um duelo entre ele e quatrocentos profetas de Baal. A disputa aconteceu no monte Carmelo e foi testemunhada por milhares de israelitas. Os profetas de Baal clamaram o dia todo para que seu deus enviasse fogo e queimasse um sacrifício que haviam apresentado; mas nada aconteceu. Então, quando Elias invocou ao Senhor para agir, o fogo do céu queimou o sacrifício e até mesmo as pedras do altar onde ele estava. O povo convenceu-se de que o Senhor era Deus. Ao comando de Elias, o povo matou os profetas de Baal. A ameaça de paganização de Israel foi impedida!

| Histórias de Elias | Referência |
| --- | --- |
| Elias é alimentado por corvos | 1Reis 17:1-6 |
| Elias multiplica o alimento de uma viúva | 1Reis 17:7-16 |
| Elias ressuscita o filho morto da viúva | 1Reis 17:17-24 |
| Elias vence os profetas de Baal | 1Reis 18:16-19:18 |
| Elias anuncia a destruição de Acabe | 1Reis 21:1-28 |
| Elias é arrebatado vivo ao céu | 2Reis 2:1-18 |

## Eliseu

Eliseu foi aprendiz e depois sucessor de Elias. Ele ministrou após a morte de Acabe, durante os reinados de seus descendentes, Acaz e Jorão.

Durante os anos em que Eliseu profetizou, Israel foi ameaçado pelo poderoso reino sírio (ou arameu), liderado primeiro por Ben-Hadade e depois por Hazael. Enquanto Elias confrontava Acabe e mostrava o poder de Deus, o ministério de Eliseu exibia a graça e a disposição de Deus em apoiar seu povo. A despeito dos milagres que Eliseu realizou em favor de Israel, não houve um grande retorno da nação a Deus. Mais tarde, ele ungiu um comandante militar, Jeú, como o seguinte rei de Israel. Jeú eliminou o restante da família de Acabe e purificou Israel da adoração a Baal que o casal real tentou estabelecer. Mas Jeú continuou a apoiar o sistema da falsa adoração instituído por Jeroboão décadas antes.

| Histórias de Eliseu | Referência |
|---|---|
| Eliseu divide o rio Jordão | 2Reis 2:1-14 |
| Eliseu purifica águas ruins | 2Reis 2:19-22 |
| Eliseu amaldiçoa jovens escarnecedores | 2Reis 2:23-25 |
| Eliseu prenuncia uma vitória milagrosa | 2Reis 3:1-25 |
| Eliseu multiplica o azeite de uma viúva | 2Reis 4:1-7 |
| Eliseu promete uma gravidez | 2Reis 4:8-17 |
| Eliseu ressuscita um menino morto | 2Reis 4:18-37 |
| Eliseu torna um ensopado venenoso em algo inofensivo | 2Reis 4:38-41 |
| Eliseu multiplica pães | 2Reis 4:42-44 |
| Eliseu amaldiçoa Geazi com lepra | 2Reis 5:1-27 |
| Eliseu faz o ferro de um machado flutuar | 2Reis 6:1-7 |
| Eliseu prepara uma armadilha para o exército sírio | 2Reis 6:8-23 |
| Eliseu mostra ao seu servo um exército de anjos | 2Reis 6:13-17 |
| Eliseu prenuncia alimento para uma cidade sitiada | 2Reis 6:24-7:20 |

## Escreva!

### Jonas

#### ...o mensageiro relutante de Deus

| | |
|---|---|
| **Quem?** | Jonas |
| **O quê?** | anunciou o juízo |
| **Onde?** | em Nínive |
| **Quando?** | quando Jeroboão II governava Israel |
| **Por quê?** | para que a cidade tivesse uma oportunidade de se arrepender |

## Engolido

### Visão geral

*Jonas*

Este livro contém quatro capítulos breves.

- ✦ Jonas foge e é engolido por um grande peixe.
- ✦ Jonas agradece a Deus por salvar sua vida.
- ✦ Jonas vai para Nínive, e a cidade se arrepende!
- ✦ Jonas fica amuado e é repreendido por Deus por sua falta de compaixão.

Jeroboão II foi um governante mau, porém vigoroso e bem-sucedido. Durante seu reinado de 41 anos, o reino do norte tornou-se uma potência no Oriente Médio. O segundo livro dos Reis nos diz que ele "restabeleceu as fronteiras de Israel desde Lebo-Hamate até o mar da Arabá" (14:25), expandindo as fronteiras de Israel quase ao ponto alcançado durante o governo de Davi e Salomão. As vitórias de Jeroboão II estavam de acordo com a "palavra do SENHOR, Deus de Israel", dada por um profeta patriota, "Jonas, filho de Amitai, profeta de Gate-Héfer" (2Reis 14:25).

Mas quando Deus chamou este mesmo Jonas para ir e pregar contra Nínive (veja Ilustração nº 4 na página 34), a capital do Império Assírio, ele apressadamente tomou um navio que seguia para a direção oposta — para a atual Espanha, não para a Assíria, ao norte! No livro que leva seu nome, o profeta explica por que agiu assim.

> **JONAS 4:2** *Eu sabia que tu és Deus misericordioso e compassivo, muito paciente, cheio de amor e que prometes castigar mas depois te arrependes.*

A Assíria foi o grande inimigo do povo de Jonas. Ele queria que Deus destruísse Nínive. Ele tinha medo de que, advertindo os assírios, eles se arrependessem, e Deus não os destruísse, apesar de tudo.

É neste contexto que lemos as aventuras de Jonas e consideramos o significado de seu pequeno e conhecido livro, porém mal-interpretado.

**arrependimento**
Jeremias 15:19; Isaías 30:15

## O que há de especial em Jonas?

**arrependimento**
não somente tristeza pelo pecado, mas compromisso de mudar

**pano de saco**
um material muito rústico, semelhante à aniagem

1. **Não é o conto da baleia (Jonas 1:17).** As primeiras versões em inglês traduziram uma palavra hebraica que significa "grande peixe" por "baleia". O texto deixa claro que Deus preparou especialmente o grande peixe que engoliu Jonas para que o profeta não se afogasse.
2. **A segunda chance de Jonas (Jonas 3:1-4).** O Senhor deu ao desobediente Jonas uma segunda chance para lhe obedecer. Dessa vez, Jonas entregou a mensagem de Deus: "Daqui a quarenta dias Nínive será destruída" (Jonas 3:4).
3. **Os ninivitas creram em Deus (Jonas 3:5-9).** O povo de Nínive creu em Deus e mostrou **arrependimento** ao jejuar e vestir-se de **pano de saco**. O próprio rei exigiu que todos desistissem de seus maus caminhos e atos de violência.
4. **Nínive sobreviveu! (Jonas 3:10) O livro de Jonas introduz um princípio vital.** Grande parte das profecias bíblicas sobre o juízo

vindouro é condicional. Elas descrevem o que certamente acontecerá se a nação ou os indivíduos em questão não se arrependerem. Mas Deus é "misericordioso e compassivo". Ele atrasará ou reterá o juízo se as pessoas tão somente se voltarem para ele.

5. **Jonas tinha uma mensagem poderosa para Israel (Jonas 4:2).** Jonas pregou em Nínive, mas a mensagem do livro era para Israel, não para os assírios. Os profetas há muito chamavam o povo a arrepender-se e voltar-se para Deus. A sobrevivência de Nínive foi uma lição prática para Israel. Se Deus reteve o juízo contra a cidade arrependida de Nínive, certamente perdoaria seu próprio povo, se ele também se arrependesse.

Ponto importante

A bondade de Deus para com os outros nos faz lembrar de que ele anseia ser bom para conosco também.

## Amós

### ...O JULGAMENTO VINDOURO

| | |
|---|---|
| **Quem?** | Deus |
| **O quê?** | enviou um rancheiro de Judá para anunciar o juízo |
| **Onde?** | contra Israel |
| **Quando?** | durante o reinado de Jeroboão II |
| **Por quê?** | por causa da injustiça e da opressão que existiam no reino do norte |

## O Dia do Senhor

### Visão geral

Amós

O livro de Amós contém uma série de sermões para Israel. Os temas servem como um esboço do livro.

- Deus julgará os vizinhos de Israel (Amós 1:1-2:5).
- Deus julgará Israel (Amós 2:6-16).
- Os pecados de Israel são identificados (Amós 3:1-6:14).
- Cinco visões da destruição são relacionadas (Amós 7:1-9:10).
- A restauração final de Israel é assegurada (Amós 9:11-15).

Amós era um rancheiro que vivia em Judá quando Deus o chamou para entregar sua Palavra do outro lado da fronteira, em Israel, durante o reinado de Jeroboão II. O reino do norte era extraordinariamente próspero na época, mas os muito ricos oprimiam os muito pobres. Amós corajosamente levou sua mensagem sobre o juízo vindouro ao refúgio dos ricos em Betel, um dos centros de adoração estabelecidos muito antes por Jeroboão I. Lá, o sacerdote Amazias ameaçou a vida de Amós e ordenou que ele não profetizasse. Mas Amós anunciou com ousadia o juízo de Deus contra o sacerdote e terminou, antes de voltar para seu rancho em Judá, sua mensagem sobre a destruição iminente de Israel.

Cerca de quarenta anos depois de Amós pregar a Palavra de Deus a um Israel impenitente, os assírios, sob a autoridade de Sargão II, esmagaram aquela nação e espalharam sua população por todo o Império Assírio.

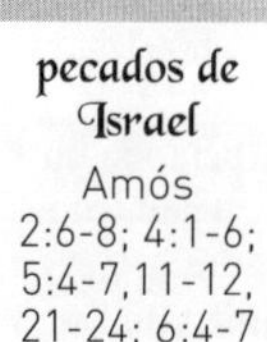

Vá para

pecados de Israel
Amós 2:6-8; 4:1-6; 5:4-7,11-12, 21-24; 6:4-7

## O que há de especial em Amós?

1. **Queixas de Deus contra Israel.** Amós descreve poderosamente os pecados de Israel que exigem o juízo. Israel mostra desdém ao seguir a falsa religião instituída por Jeroboão I e violar constantemente a Lei moral de Deus. Os ricos em Israel mostravam desprezo pelo Senhor por meio de sua opressão sistemática aos pobres. Religião falsa, imoralidade e injustiça social: todas revelam o quanto o coração do povo de Deus está longe dele.

### O que outros dizem

**Billy Graham**

Desde o princípio dos tempos, até hoje, a busca ímpia do homem pelo poder, sua determinação em usar a dádiva do livre-arbítrio para seus fins egoístas, levou-o à beira da destruição. Os escombros e as ruínas de muitas civilizações estão espalhados sobre a superfície da Terra — o testemunho mudo da incapacidade humana de construir um mundo duradouro sem Deus.[1]

### O QUE HÁ DE ESPECIAL EM AMÓS?

| FALSA RELIGIÃO | IMORALIDADE | INJUSTIÇA |
|---|---|---|
| Eu odeio e desprezo as suas festas religiosas; não suporto as suas assembleias solenes. Mesmo que vocês me tragam holocaustos e ofertas de cereal, isso não me agradará. | Pai e filho possuem a mesma mulher e assim profanam o meu santo nome. Inclinam-se diante de qualquer altar com roupas tomadas como penhor. No templo do seu deus bebem vinho recebido como multa. | Vendem por prata o justo, e por um par de sandálias o pobre. Pisam a cabeça dos necessitados como pisam o pó da terra, e negam justiça ao oprimido. |
| Amós 5:21-22 | Amós 2:7b-8 | Amós 2:6-7a |

**Dia do Senhor** um momento de julgamento terrível

**período da tribulação** sete anos do juízo de Deus no fim da história

2. **O "Dia do Senhor" (Amós 5:18-27).** Os profetas do Antigo Testamento falam muitas vezes do Dia do Senhor ou se referem a esse Dia. Estas expressões têm um significado especial. O **Dia do Senhor**, outro nome para o **período da tribulação**, é um momento futuro no tempo, em que Deus intervirá pessoalmente na história humana.

Na maioria das passagens proféticas, como aqui em Amós, referências ao dia do Senhor descrevem Deus agindo para punir o pecado. Como adverte Amós, "o Dia do SENHOR será de trevas e não de luz. Uma escuridão total, sem um raio de claridade" (Amós 5:20). Para a pecaminosa Israel, o Dia do Senhor que haveria de vir seria, de fato, uma escuridão. "'Eu os mandarei para o exílio, para além de Damasco', diz o SENHOR, o Deus dos Exércitos é o seu nome" (Amós 5:27).

3. **Cinco visões da destruição (Amós 7:1-9:10).** Amós relaciona cinco visões que Deus lhe mostrou. As visões revelam que, embora tenha retido o castigo no passado, Deus não fará isso por mais tempo. "Chegou o fim de Israel, o meu povo; não mais o pouparei" (Amós 8:2).

4. **Uma promessa de restauração futura (Amós 9:11-15).** A derrota do reino do norte pelos assírios e o exílio das dez tribos hebreias do norte não significavam que Deus havia anulado as promessas da aliança dadas a Abraão mais de mil anos antes. Embora essa geração de israelitas fosse removida da terra, no final da história, Deus traria seus descendentes de volta à Terra Prometida.

Cada um dos profetas do Antigo Testamento que prenunciam o juízo divino contra os que pecam contra Deus inclui a mesma mensagem reconfortante. Aconteça o que acontecer, no final, as promessas de Deus a Abraão serão cumpridas, e o seu povo será abençoado. As últimas palavras de Amós, proferidas em nome de Deus, são:

AMÓS 9:14-15 *"Trarei de volta Israel, o meu povo exilado, eles reconstruirão as cidades em ruínas e nelas viverão. Plantarão vinhas e beberão do seu vinho; cultivarão pomares e comerão do seu fruto. Plantarei Israel em sua própria terra, para nunca mais ser desarraigado da terra que lhe dei", diz o* SENHOR, *o seu Deus.*

## OSEIAS

### ...O AMOR NA ALIANÇA

| | |
|---|---|
| **Quem?** | O profeta Oseias |
| **O quê?** | comparou a ingratidão de Israel com o amor de Deus na aliança |
| **Onde?** | em Israel |
| **Quando?** | durante os últimos trinta anos de existência do reino de Israel |
| **Por quê?** | para explicar a razão para a destruição iminente de Israel pela Assíria |

## Continue a amar

### Visão geral

Oseias

O livro tem duas histórias para contar: a história de Oseias e sua esposa, Gômer, e a história do Senhor e seu povo, Israel.

1. A esposa infiel: capítulos 1-3
2. A nação infiel: capítulos 4-14
   A. Os pecados de Israel são denunciados: 4-8
   B. A destruição de Israel é anunciada: 9-10
   C. O amor de Deus é afirmado: 11
   D. Primeiro, disciplina: 12-13
   E. Em seguida, a bênção: 14

O profeta Oseias casou-se com uma mulher infiel. No entanto, ele continuou a amá-la profundamente. Mesmo ela tendo abandonado a ele e aos filhos por causa dos amantes, Oseias a

poderoso amor
Romanos 5:5-11

sustentou e, por fim, a trouxe de volta para casa. A experiência pessoal do profeta refletia a de Deus com Israel. Embora Deus amasse seu povo como um marido ama sua esposa, Israel havia tomado as muitas dádivas de Deus e se voltado para a idolatria.

Oseias compartilha sua história pessoal primeiro. Em seguida, ele relata a queixa de Deus contra a impenitente Israel e expressa o amor profundo e contínuo de Deus por seu povo infiel.

## O que há de especial em Oseias?

1. **O compromisso de Oseias com sua esposa (Oseias 3:1-4).** O compromisso que Oseias mostrou para com seu casamento é notável, especialmente em nossos dias, quando o divórcio é tão comum. A disposição em continuar a amar, apesar de sua profunda mágoa, faz-nos lembrar de que o casamento é um compromisso que não deve ser deixado rapidamente de lado.
2. **A acusação de Deus contra a pecaminosa Israel (Oseias 4:1-19).** Assim como os outros profetas que Deus enviou ao seu povo, Oseias falou abertamente sobre os pecados que exigiam o juízo divino. Em termos claros, Oseias anunciou: "O SENHOR tem uma acusação contra vocês que vivem nesta terra", e continuou a explicar essa acusação:

OSEIAS **4:1-2** *A fidelidade e o amor desapareceram desta terra, como também o conhecimento de Deus. Só se veem maldição, mentira e assassinatos, roubo e mais roubo, adultério e mais adultério; ultrapassam todos os limites! E o derramamento de sangue é constante.*

3. **O amor de Deus é inabalável (Oseias 11).** Em uma das passagens mais eloquentes das Escrituras, Deus expressa seu imenso amor por Israel. Desde o início, Deus cuidou de seu povo como um pai, ensinando-o a andar, protegendo-o e cuidando dele. O amor de Deus é tão profundo que, seja qual for a provocação, ele simplesmente não abandonará seu povo.

É importante lembrar que o amor de Deus não falha. O livro de Oseias faz-nos lembrar de que, no final, Deus traz o peregrino de volta para si. À frente restou para Israel um dia em que Deus curaria a infidelidade deles e os amaria de todo o coração, e Israel floresceria como o lírio (ver Oseias 14:4-5). Este poderoso amor pode amansar os pecadores hoje também, curando-nos e capacitando-nos para florescer.

## Resumo do capítulo

- Após a morte de Salomão, o reino hebreu unido foi dividido: o reino do sul chamava-se Judá, e o reino do norte, Israel.
- O reino do norte, Israel, foi governado por uma sucessão de reis maus.
- Embora Deus tenha enviado profetas para advertir Israel e trazer a nação de volta para ele, o povo não ouviu, e reino caiu nas mãos dos assírios em 722 a.C.
- Entre os profetas que Deus enviou a Israel estavam Elias e Eliseu, os profetas que falavam.
- O ministério de Elias e Eliseu é notável porque ocorreu durante um dos três períodos nos quais milagres eram comuns.
- Jonas foi um profeta israelita, cuja missão para com Nínive deu provas de que Deus evitaria o juízo se o povo se arrependesse de seus pecados.
- Amós foi um dos profetas que escreveram. O seu livro contém sermões que advertem a Israel que Deus iria julgá-lo por causa da idolatria e da injustiça social.
- Oseias foi outro dos profetas que escreveram. O compromisso dele com sua esposa infiel refletia o amor e o compromisso de Deus para com a infiel Israel.

## Questões para estudo

1. Que pecado determinou o destino de Israel quando o reino do norte foi o primeiro a ser estabelecido?
2. De que forma os reis de Israel foram iguais?
3. Quais os dois profetas que falaram que estão associados à segunda era de milagres da Bíblia?
4. Quais foram os dois profetas que ministraram a Israel durante o reinado de Jeroboão II? Qual foi a mensagem de cada um para Israel?
5. O que é o Dia do Senhor?
6. Que pecados em Israel exigiam o juízo de Deus? Em que sentido nosso país é, hoje, como o antigo Israel?

# Capítulo 9

*Em destaque no capítulo:*

- Vozes proféticas
- Obadias
- Joel
- Miqueias
- Isaías

# O reino do sul
# 1 e 2Reis • 2Crônicas • Obadias • Joel • Miqueias • Isaías

## Vamos começar

Salomão morreu em 930 a.C. (veja **Linha do tempo nº 6** na página 137). Quando ele morreu, as dez tribos hebreias do norte separaram-se para estabelecer um reino independente, Israel (veja capítulo 8), cuja capital seria Samaria. No reino sul, ou Judá, os descendentes de Davi continuaram a governar de Jerusalém. Muitos no norte, descontentes com a decisão de Jeroboão de estabelecer uma falsa religião, mudaram-se para o sul a fim de continuarem a adorar a Deus no templo que Salomão havia construído.

Os dois reinos hebreus rivais existiram lado a lado por mais de duzentos anos — por vezes em guerra; por outras, cooperando contra inimigos comuns. Quando o reino hebreu do norte caiu nas mãos da Assíria, em 722 a.C., Judá sobreviveu. Judá continuou a ser governado por descendentes de Davi até 586 a.C., quando a nação caiu nas mãos dos babilônios e seus cidadãos também foram enviados para o exílio.

### 1 e 2Reis

#### ...um relato histórico

| | |
|---|---|
| **Quem?** | Autores desconhecidos |
| **O quê?** | avaliaram os reis |
| **Onde?** | de Israel e Judá |
| **Quando?** | de 970 a.C. a 586 a.C. |
| **Por quê?** | para demonstrar o valor da obediência a Deus e o perigo da desobediência a ele |

## 2Crônicas

### ...um comentário sobre a história

| | |
|---|---|
| **Quem?** | Autores desconhecidos |
| **O quê?** | enfatizaram reis piedosos |
| **Onde?** | de Judá |
| **Quando?** | de 970 a.C. a 586 a.C. |
| **Por quê?** | para mostrar quando Deus foi honrado e adorado |

## Um olhar geral

A tabela a seguir identifica os reis e os profetas escritores do reino hebreu do sul, Judá, desde a divisão do reino, em 930 a.C., até a queda de Israel, em 722 a.C. Observe que grande parte de 2Crônicas dedica-se ao governo dos reis piedosos de Judá.

### Reis e profetas do reino do sul

| Reis | Avaliação | Livros proféticos | Anos de reinado | Referências |
|---|---|---|---|---|
| Roboão | Mau | — | 17 | 1Reis 12-14; 2Crônicas 11-12 |
| Abias | Mau | — | — | 1Reis 15; 2Crônicas 13 |
| Asa | Piedoso | — | 41 | 1Reis 15; 2Crônicas14-16 |
| Josafá | Piedoso | — | 25 | 1Reis 22; 2Crônicas 17-20 |
| Jorão | Mau | Obadias | 8 | 2Reis 8; 2Crônicas 21 |
| Acazias | Mau | — | 1 | 2Reis 8; 2Crônicas 22 |
| Rainha Atalia | Má | — | 6 | 2Reis 11; 2Crônicas 22-23 |
| Joás | Piedoso | Joel | 40 | 2Reis 12; 2Crônicas 24 |
| Amazias | Piedoso | — | 29 | 2Reis 14; 2Crônicas 25 |
| Uzias | Piedoso | — | 52 | 2Reis 15; 2Crônicas 26 |
| Jotão | Piedoso | Miqueias e Isaías | 16 | 2Reis 15; 2Crônicas 27 |
| Acaz | Mau | Miqueias e Isaías | 16 | 2Reis 16; 2Crônicas 28 |
| Ezequias | Piedoso | Miqueias e Isaías | 29 | 2Reis 18-20; 2Crônicas 29-32 |

## Enquanto Israel e Judá lutavam para sobreviver...

| | |
|---|---|
| Na Índia | Escolas médicas usavam modelos anatômicos. |
| Na Europa | Rodas com raios começavam a ser usadas. |
| Na Grécia | Ocorriam os primeiros Jogos Olímpicos já registrados. |
| Na Inglaterra | Povos celtas começavam a chegar. |

**avivamento**
volta sincera e compromisso com Deus

**montes**
onde eram adoradas divindades pagãs

**postes sagrados**
símbolos de madeira de uma deusa pagã

## Liderança moral

Os reis de Judá eram mais do que líderes políticos. Ofereciam liderança moral e espiritual também. O bem-estar espiritual e o bem-estar político da nação estavam intimamente ligados. Em geral, a nação prosperou durante o governo de reis piedosos e sofreu durante o governo de reis ímpios.

Se observar as passagens em 2Crônicas, que descrevem o governo de dois dos reis piedosos de Judá (Asa e Josafá), você terá uma imagem clara do que os governantes fizeram para incentivar o **avivamento** espiritual de cada pessoa e da nação.

| Como Asa liderou... (2Crônicas) | Como Josafá liderou... (2Crônicas) |
|---|---|
| Fez o que era certo e bom (14:2) | Procurou a Deus pessoalmente (17:4) |
| Retirou altares de deuses estrangeiros dos **montes** (14:3) | Obedeceu aos mandamentos de Deus (17:4) |
| Ordenou ao povo que buscasse ao Senhor (14:4) | Retirou altares pagãos e **postes sagrados** (17:6) |
| Ordenou ao povo que obedecesse às leis e aos mandamentos de Deus (14:4) | Enviou levitas a toda Judá para ensinarem a Lei de Deus (17:9) |
| Confiou em Deus quando veio a guerra (14:11) | |
| Reparou o altar e ofereceu sacrifícios (15:8) | |
| Conduziu uma cerimônia de renovação da aliança (15:11) | |
| Depôs a rainha-mãe por causa da idolatria (15:16) | |

Líderes piedosos ainda podem influenciar as nações para o bem delas. Líderes ímpios ainda corroem a fibra moral e espiritual de uma nação.

### O que outros dizem

*Rei Salomão*

A justiça engrandece a nação, mas o pecado é uma vergonha para qualquer povo.[1]

**oráculo**
expressão de um profeta

**entranhas**
órgãos internos

**médiuns**
pessoas possuídas por — ou que consultam — um fantasma ou espírito dos mortos, especialmente para obter informações sobre o futuro

**oculto**
qualquer coisa relacionada às artes místicas, como satanismo, magia negra, feitiçaria etc.

**adivinhação**
tentar prever o futuro por meio de presságios, de magia negra; algo que pareça ser um sinal das coisas que hão de vir

**horóscopos**
diagramas dos céus, revelando as posições relativas dos planetas e os signos do **zodíaco**, usados para prever acontecimentos na vida das pessoas

**zodíaco**
os 12 signos imaginários no céu

## Aqueles profetas novamente

Um dos papéis mais importantes do Antigo Testamento era o do profeta. Vários profetas que falaram são mencionados nos livros históricos do Antigo Testamento. Nada menos que 17 dos 39 livros do Antigo Testamento são compostos completamente das mensagens dadas por profetas que escreveram.

Qual era a missão dos profetas e por que eles eram tão importantes? A resposta é encontrada no modo como os povos antigos buscavam a orientação sobrenatural.

## Fique longe do oculto

Os gregos iam a Delfos para consultar o **oráculo**. Os romanos procuravam sinais nas **entranhas** de um porco abatido ou na direção tomada pelo voo dos pássaros. Os povos do antigo Oriente Médio consultavam **médiuns** que alegavam entrar em contato com os mortos ou algum espírito. As religiões de todos os povos antigos envolviam algum aspecto do **oculto**, alguma busca de direção sobrenatural.

Quando os israelitas estavam prestes a entrar em Canaã, Deus os advertiu contra todas as práticas ocultas. A Bíblia proíbe qualquer tipo de prática oculta, classificando todas elas como abominações ao Senhor.

> DEUTERONÔMIO **18:9-12** *Quando entrarem na terra que o SENHOR, o seu Deus, lhes dá, não procurem imitar as coisas repugnantes que as nações de lá praticam. Não permitam que se ache alguém entre vocês que queime em sacrifício o seu filho ou a sua filha; que pratique* ***adivinhação****, ou dedique-se à magia, ou faça presságios, ou pratique feitiçaria ou faça encantamentos; que seja médium ou espírita ou que consulte os mortos. O SENHOR tem repugnância por quem pratica essas coisas, e é por causa dessas abominações que o SENHOR, o seu Deus, vai expulsar aquelas nações da presença de vocês.*

A resposta de Deus para seu povo do Antigo Testamento foi o profeta: uma pessoa encarregada de falar em nome de Deus e transmitir a sua vontade para os seus. O próprio Deus daria toda a direção de que seu povo precisasse para conhecer e fazer a sua vontade.

Hoje, as pessoas buscam direção em **horóscopos**, procuram redes de paranormais e consultam médiuns. Essas práticas ainda são abominações ao Senhor. Deus quer que confiemos nele, não no oculto.

## A necessidade de uma orientação especial

Deus deu ao seu povo uma Lei escrita para guiá-lo. Mas houve situações em que a nação ou os indivíduos se viram diante de escolhas incertas e precisaram conhecer a vontade de Deus. Houve momentos em que o povo de Deus se desviou e precisou ser advertido e chamado de volta aos seus caminhos.

## Profetas verdadeiros *versus* falsos profetas

Mas como o povo de Deus no Antigo Testamento poderia distinguir um verdadeiro mensageiro de Deus de um impostor?

O livro do Deuteronômio identifica quatro testes, e o verdadeiro profeta conseguia passar em todos eles.

1. O verdadeiro profeta exortava o povo a seguir o Senhor (13:1-4).
2. O verdadeiro profeta era um israelita, não um estrangeiro (18:15).
3. O verdadeiro profeta falava a Palavra de Deus em nome de Deus (18:19).
4. O verdadeiro profeta fazia prenúncios que se cumpriam (18:21-22).

Hoje, podemos ter certeza de que os profetas da Bíblia foram, verdadeiramente, mensageiros de Deus, pois temos centenas de seus prenúncios nas Escrituras que se cumpriram. Mas quando um profeta entregava uma mensagem em sua própria geração, todos os quatro testes eram necessários para autenticá-lo como mensageiro de Deus.

## Um exemplo das Escrituras

Deus enviou o profeta Jeremias para exortar o povo de Jerusalém a submeter-se aos babilônios. Certa manhã, no templo de Jerusalém, um profeta chamado Hananias contradisse Jeremias. Hananias anunciou em voz alta, em nome do Senhor, que dentro de dois anos o poder da Babilônia seria quebrado e o rei e os nobres cativos de Judá seriam devolvidos a Jerusalém. Hananias passou em alguns dos testes: ele era judeu e havia falado em nome do Senhor.

Jeremias, um patriota, ficou encantado. Mas, logo depois, Deus o enviou de volta, para enfrentar Hananias. Este havia inventado a mensagem que entregou em nome de Deus. Corajosamente, Jeremias disse: "Escute, Hananias! O SENHOR não o enviou, mas assim mesmo você persuadiu esta nação a confiar em mentiras" (Jeremias 28:15). Então, Jeremias anunciou a sentença de Deus: "Este ano você morrerá, porque pregou rebelião contra o SENHOR" (Jeremias 28:16).

Dois meses depois, Hananias estava morto. As palavras de Jeremias cumpriram-se. Jeremias, não Hananias, era profeta de Deus. O povo de Judá foi responsável por ouvir as palavras de Deus, dadas por meio de Jeremias, e obedecê-las.

Vá para

Esaú
Gênesis 36:8-9

Quando lemos os textos dos profetas, registrados na Bíblia, precisamos nos lembrar de que cada um tinha uma mensagem para sua própria geração. No entanto, esta mensagem contém verdades que podemos aplicar, hoje, à nossa vida diária. Com isso em mente, podemos observar os livros da Bíblia escritos pelos profetas, que levaram a Palavra de Deus ao povo do reino hebreu do sul, Judá.

### Obadias

#### ...a destruição de Edom

| | |
|---|---|
| **Quem?** | O profeta Obadias |
| **O quê?** | anunciou isso porque |
| **Onde?** | Jerusalém |
| **Quando?** | foi saqueada pelos edomitas |
| **Por quê?** | Deus destruiria Edom por atacar seu povo |

## Tudo bem, já basta

Pelo menos quatro vezes na história, os edomitas, uma nação vizinha, atacaram Judá e saquearam Jerusalém. Depois de uma dessas invasões, o profeta Obadias anunciou que Deus destruiria Edom. Em sua aliança com Abraão, Deus havia prometido: "Abençoarei os que o abençoarem e amaldiçoarei os que o amaldiçoarem" (Gênesis 12:3).

O livro de Obadias, breve e com apenas um capítulo, contém o anúncio de Deus de que ele cumpriria essa promessa. Os edomitas passaram marchando pelas portas do povo de Deus, tomaram suas riquezas e esperaram nas encruzilhadas para matar os que haviam conseguido fugir (Obadias 1:13-14). Portanto, Deus cuidaria para que a descendência de Esaú (um sinônimo de Edom, que foi fundada por Esaú) fosse consumida. "Não haverá sobreviventes da descendência de Esaú" (Obadias 1:18).

### Joel

#### ...o Juízo Final que há de vir

| | |
|---|---|
| **Quem?** | O profeta Joel |
| **O quê?** | compartilhou sua visão do Juízo Final que era iminente |
| **Onde?** | em Judá |
| **Quando?** | possivelmente em torno de 825 a.C. |
| **Por quê?** | como uma advertência e um chamado ao arrependimento |

## Buzzzzzz...

**Visão geral**

*Joel*

Este livro de três capítulos é dividido em duas seções. A primeira seção (Joel 1:1-2:27) diz respeito aos enxames de gafanhotos do norte que enchiam Judá, o que era incomum, porque a maioria dos enxames de gafanhotos era impelida pelo vento do sul para a Terra Santa. A segunda seção (Joel 2:28-3:21) é uma visão do Dia do Senhor que haveria de vir, uma descrição dos eventos que estão distantes no futuro.

Joel escreve pouco depois de um grande enxame de gafanhotos acabar com toda a vegetação de Judá. Ele anunciou que Deus os enviara para chamar Judá ao arrependimento. Mas, enquanto Joel contemplava os gafanhotos, Deus lhe deu uma visão de outra invasão da Terra Prometida no final da história. Esse ajuntamento é um vasto exército humano, que também devastaria a terra e seu povo. Naquele tempo, o próprio Deus interviria. Ele puniria as nações e resgataria os seus.

Como o povo de Judá deveria responder a essa mensagem de Deus? As pessoas deveriam voltar para o Senhor de todo o coração, pois, quem sabe, ele poderia voltar atrás, ter piedade e deixar uma bênção (Joel 2:14) para a geração de Joel.

*Vá para*

**um grande enxame de gafanhotos**
Apocalipse 9:3-11

**arrependimento**
2Coríntios 7:8-11

**cinzas**
Jó 2:7-8

## O que há de especial em Joel?

1. **O chamado ao arrependimento (Joel 1:13-15).** Joel interpreta a invasão de gafanhotos como castigo pelos pecados de Judá. Ele pede ao povo de Deus que se volte para o Senhor rapidamente, para que algo pior não aconteça.
2. **O verdadeiro arrependimento (Joel 2:12-14).** Nos tempos bíblicos, as pessoas demonstravam abertamente dor e tristeza. Para mostrarem arrependimento, elas rasgavam suas vestes, passavam lama no rosto e choravam em voz alta enquanto ficavam sentadas sobre cinzas. Joel faz Judá se lembrar de que Deus exige o verdadeiro arrependimento quando diz: "Rasguem o coração, e não as vestes" (Joel 2:13).
3. **A resposta de Deus ao verdadeiro arrependimento (Joel 2:18-27).** Por meio de Joel, Deus promete abençoar e proteger seu povo quando este se arrepende e se volta para ele. "Vou compensá-los pelos anos de colheitas que os gafanhotos destruíram", diz Deus (Joel 2:25).

Jesus Cristo
João 3:16-18

4. **O fim da história (Joel 2:28-3:21).** Ao ver a praga de gafanhotos, Joel tem um vislumbre de um exército de opressores humanos que invadirá a Terra Santa em um futuro distante. Deus usaria essa ocasião para abençoar seu povo, pois ele julgaria as nações que a invadiram. "Judá será habitada para sempre e Jerusalém por todas as gerações" (Joel 3:20).

## A mensagem de Joel

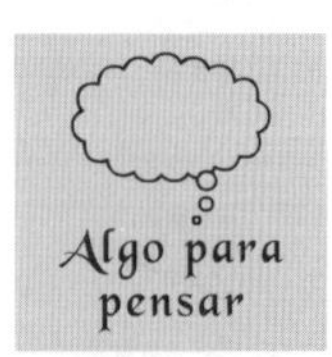


Joel tinha uma mensagem importante para a sua geração. Deus é soberano e fala por meio de eventos. O profeta interpretou corretamente a praga de gafanhotos como um chamado de Judá ao arrependimento.

Como Judá, devemos nos lembrar de que Deus está no controle dos eventos de nossas vidas. Quantas vezes nossos problemas são convites para que nos aproximemos de Deus, para que ele possa nos abençoar?

### O que outros dizem

John Alexander

Negar o pecado é uma notícia ruim, de fato. A única notícia boa é o próprio pecado. O pecado é a melhor notícia que existe, a melhor notícia que poderia existir em nossa situação difícil, porque, com o pecado, há uma saída. Há a possibilidade de arrependimento. Você não pode se arrepender da confusão ou das falhas psicológicas infligidas por seus pais — você está preso a elas. Mas você pode se arrepender do pecado. Pecado e arrependimento são as únicas razões para a esperança e para a alegria. As razões para relacionamentos reconciliados e felizes. Você pode nascer de novo.[2]

Tanto a vida física quanto a vida espiritual têm início. Uma começou quando nossa mãe nos deu à luz. A outra começa quando a pessoa confia em Jesus Cristo como Salvador. Deus dá a essas pessoas uma vida espiritual que dura para sempre, garantindo que o cristão viverá eternamente no céu com ele. É isso que chamamos de nascer de novo — nascer uma segunda vez, espiritualmente.

## MIQUEIAS

### ...O JUÍZO VINDOURO

| | |
|---|---|
| **Quem?** | O profeta Miqueias, profetizando, |
| **O quê?** | advertiu sobre a destruição de Samaria e Jerusalém |
| **Onde?** | em Israel e Judá |
| **Quando?** | pouco antes da invasão pela Assíria |
| **Por quê?** | por causa dos pecados dos dois reinos hebreus |

Vá para

**Nasceria um governante em Belém**
Miqueias 5:2; Isaías 9:2-7; Lucas 1:39-55

## Arrependa-se ou você se arrependerá

### Visão geral

*Miqueias*

Deus estava prestes a entrar na história para julgar seu povo idólatra. Miqueias retrata a angústia que suas ações poderiam causar. Enquanto o povo pecaminoso de Deus estava desperto, planejando maldades, Deus havia colocado em ação seu próprio plano. A civilização daquele momento seria destruída, mas um remanescente do povo seria preservado. Líderes e profetas, de igual modo, haviam desviado o povo de Deus; a nação deveria cair. Contudo, por mais devastador que fosse, esse juízo não seria o fim.

Um dia, Deus traria de volta os exilados e levantaria um novo templo em Jerusalém. Nasceria um governante em Belém que pastorearia o rebanho de Deus e traria paz a toda a terra.

Miqueias foi um profeta que ministrou em Judá durante os reinados de Jotão, Acaz e Ezequias. Esses foram anos decisivos para ambos os reinos hebreus, uma vez que uma Assíria agressiva despontava no horizonte, ameaçando sua independência. Miqueias tinha uma mensagem similar para Israel e Judá, a qual entregou à capital de cada uma, Samaria e Jerusalém. Essa mensagem dizia respeito a uma destruição iminente, pois ambas as sociedades eram corruptas. Falando claramente, Miqueias apresentou a **acusação** de Deus, explicando os pecados que exigiam julgamento.

**acusação**
uma denúncia oficial de mau procedimento

As advertências de Miqueias a Israel não foram ouvidas. Ele viveu para ver Israel cair nas mãos da Assíria e para ver a sua população ser levada. Contudo, também viu o piedoso rei Ezequias tomar o lugar do perverso Acaz, no sul.

Por meio da influência de Ezequias e dos profetas Miqueias e Isaías, Judá voltou para o Senhor. Enquanto os assírios invadiam Judá, Jerusalém e o reino do sul sobreviveram.

Por um tempo, no entanto, Israel deveria perder sua identidade nacional por causa dos muitos pecados do povo. Mas, no fim da história, Deus restauraria Israel e perdoaria os pecados de seu povo, como havia prometido a Abraão muito tempo atrás.

## O que há de especial em Miqueias?

1. **Os pecados exigem juízo (Miqueias 3:1-7; 6:7-16).** Deus é um Juiz moral que é responsável por punir o pecado. Miqueias retrata um quadro de líderes políticos que exploram os cidadãos e de líderes religiosos que fingem que nada está errado. Ele descreve uma sociedade materialista em que a pessoa comum é desonesta e enganosa, praticando a "religião", mas sem interesse pela justiça.

Por meio de Miqueias, Deus deixa visivelmente claro que ele julgará:

> MIQUEIAS 5:12-15 *"Acabarei com a sua feitiçaria, e vocês não farão mais adivinhações. Destruirei as suas imagens esculpidas e as suas colunas sagradas; vocês não se curvarão mais diante da obra de suas mãos. Desarraigarei do meio de vocês os seus postes sagrados e derrubarei os seus ídolos. Com ira e indignação me vingarei das nações que não me obedeceram."*

2. **A salvação depende de um Salvador (Miqueias 5:2-5; 7:19-20).** Como outros profetas que advertiram sobre o juízo vindouro, Miqueias olhou além do iminente desastre e viu o dia em que Deus salvaria seu povo. Neste livro, escrito mais de setecentos anos antes de Cristo, Miqueias identificou a cidade onde nasceria o Salvador prometido!

**profecias messiânicas**
informações sobre Cristo reveladas no Antigo Testamento

Em uma das **profecias messiânicas** mais claras do Antigo Testamento, Miqueias escreveu:

> MIQUEIAS 5:2-5 *Tu, Belém-Efrata, embora pequena entre os clãs de Judá, de ti virá para mim aquele que será o governante sobre Israel. Suas origens estão no passado distante, em tempos antigos. [...] Ele se estabelecerá e os pastoreará na força do* SENHOR, *na majestade do nome do* SENHOR, *o seu Deus. E eles viverão em segurança, pois a grandeza dele alcançará os confins da terra. Ele será a sua paz.*

O nascimento de Jesus há 2 mil anos culminou em sua morte e sua ressurreição, alcançando a paz com Deus para aqueles que nele confiam. Mas a Bíblia também fala de uma Segunda Vinda de Jesus; não para ser morto novamente, mas para governar.

Essa profecia de Miqueias descreve uma das consequências da volta de Jesus à Terra. Ele vem para governar, e resgatará seu povo e trará a paz universal.

## Isaías

### ...o Evangelho do Antigo Testamento

| | |
|---|---|
| **Quem?** | O profeta Isaías |
| **O quê?** | advertiu sobre o juízo |
| **Onde?** | o povo de Judá |
| **Quando?** | entre 740 a.C. e 690 a.C. |
| **Por quê?** | para transmitir a esperança associada à vinda do Messias, que conquistará a salvação para os indivíduos e todo o mundo |

## O Messias que haveria de vir

### Visão geral

*Isaías*

O nome do profeta significa "Deus é salvação". Nenhum outro profeta do Antigo Testamento descreve tão claramente a intenção firme de Deus de salvar seu povo nem descreve mais distintamente o Salvador que haveria de vir. Os 66 capítulos de Isaías podem ser divididos em três seções principais, com subseções desenvolvendo seus temas.

1. Palavras de condenação — Isaías 1-35
   A. O caso de Deus contra Judá e Israel (1-12)
   B. O caso de Deus contra as nações vizinhas (13-23)
   C. O caso de Deus contra todas as nações (24-35)
2. Agentes da ira de Deus — Isaías 36-39
   A. Lembrando os assírios (36-37)
   B. Lembrando os babilônios (38-39)
3. Palavras de conforto e esperança — Isaías 40-66
   A. O Deus Soberano libertará (40-48)
   B. O Servo-Salvador de Deus será o libertador (49-57)
   C. O libertador divino salvará de forma completa (58-66)

**soberano**
Deus está no controle de tudo o que acontece

**Salvador**
aquele que livra do perigo e da morte

Isaías também viveu sob a ameaça da Assíria e testemunhou a queda de Israel. Como Miqueias, advertiu com urgência que Judá se voltasse para Deus. Ele apoiou o piedoso rei Ezequias na decisão de suscitar um avivamento espiritual. Deus honrou a fé do rei, fazendo os assírios invasores retrocederem. No entanto, o ministério inicial de Isaías foi dedicado a expor continuamente os pecados do povo de Deus e alertar que ele deveria e iria julgá-lo.

O tema da mensagem mudou radicalmente na última parte de seu ministério, como refletem os capítulos 40-66. Suas visões levam-no para além do tempo da derrota futura de Judá por outro inimigo do norte, a Babilônia, para descrever um Deus **soberano** que tem o compromisso de libertar seu povo e abençoar toda a humanidade.

Isaías promete que, no tempo certo, Deus enviará seu Messias. Por meio desse **Salvador** prometido, ele libertará os indivíduos que confiarem nele e limpará todo o mundo da corrupção do pecado.

## O que há de especial em Isaías?

1. **Deus se cansa do pecado (Isaías 1).** O Senhor tolerou o comportamento pecaminoso de Israel e de Judá por muito tempo. Nem os avivamentos liderados por reis piedosos no sul tocaram o coração do povo de Deus. Qualquer sociedade que esteja satisfeita com uma "religião", mas não consegue produzir uma sociedade justa, está condenada.
2. **O uso de agentes humanos por Deus (Isaías 10:1-12).** Isaías identifica a Assíria como a vara da ira de Deus. A invasão assíria não foi um acontecimento aleatório, mas algo que Deus permitiu para castigar os pecados de Israel e de Judá. O Senhor está no controle da história, e a ascensão e a queda das nações cumpriram seus propósitos.
3. **A esperança brilha por meio da profecia mais sombria de Isaías.** Embora Isaías 1-35 contenha imagens frequentes de juízo e da condenação vindoura, o profeta muitas vezes assegura aos seus ouvintes que Deus está comprometido com eles, e cumprirá as promessas de sua aliança que fez a Abraão e a Davi. Isaías revela que as promessas de Deus se cumpririam por meio da dádiva do Filho de Deus, que nasceria como uma criança humana.

Isaías 9:6-7 *Um menino nos nasceu, um filho nos foi dado, e o governo está sobre os seus ombros. E ele será chamado Maravilhoso Conselheiro, Deus Poderoso, Pai Eterno, Príncipe da Paz. Ele estenderá o seu domínio, e haverá paz sem fim sobre o trono de Davi e sobre o seu reino, estabelecido e mantido com justiça e retidão, desde agora e para sempre. O zelo do* Senhor *dos Exércitos fará isso.*

Esta é apenas uma das muitas profecias de Isaías sobre o Salvador que haveria de vir. Como veremos mais tarde, essas profecias do Antigo Testamento claramente se referem a Jesus Cristo!

4. **Isaías enfatiza o poder soberano de Deus (Isaías 40-48).** O conforto e a esperança que Isaías oferece a Judá estão baseados em sua compreensão da natureza de Deus. O Deus de Israel e de Judá é o Criador, que fez e governa o universo. Deus é aquele que fez as promessas da aliança e que, certamente, irá cumpri-las. Ele é aquele que conhece o futuro e que o revela, pois ele o controla. Os ídolos que os homens adoram não são nada. O Deus de Israel e de Judá é o Senhor onipotente e soberano.
5. **Há um futuro glorioso para o povo de Deus (Isaías 58-66).** A história de Israel e de Judá foi marcada por períodos alternados de bênçãos e de tragédias devastadoras. Isaías olhou além da história e descreveu um futuro de bênçãos sem fim, depois que o Salvador punisse o pecado e estabelecesse o governo de Deus no coração dos seres humanos.

**promessas da aliança**
Gênesis 12:1-3,7

**futuro**
Isaías 60:15-22; 65:17-25

**controle soberano**
Isaías 46:9-11

## A mensagem de Isaías

A mensagem de Isaías ao povo de Judá foi oportuna e eterna. Ele advertiu seus contemporâneos sobre o juízo vindouro, mas lembrou que, no final, Deus livraria o universo do pecado e prenunciaria um tempo de bênção sem fim para todos os que nele confiassem.

A mensagem eterna de Isaías reflete-se na ênfase dada pelo profeta ao controle soberano de Deus da história e em seus muitos prenúncios descrevendo o ministério do Salvador que Deus enviaria para libertar seu povo. O Salvador, Jesus Cristo, descrito de forma tão poderosa por Isaías, apareceu com a oferta de salvação para todos. Por fim, Jesus voltará à Terra, e então todas as coisas realmente serão corrigidas.

## Resumo do capítulo

- Quando Salomão morreu, em 930 a.C., seu reino foi dividido, com o reino do sul passando a se chamar Judá.
- Judá foi governada por descendentes de Davi desde seu início até a sua queda nas mãos dos babilônios, em 586 a.C.

- Muitos dos reis de Judá foram piedosos e ajudaram a começar avivamentos religiosos.
- Deus também enviou aos reis e ao povo do sul profetas que falavam e escreviam como seus porta-vozes.
- O profeta Obadias prenunciou a destruição dos edomitas, que haviam saqueado o povo de Deus.
- Foi dada ao profeta Joel uma visão sobre um terrível juízo que haveria de vir no final da história, antes que Deus restaurasse totalmente seu povo para si.
- O profeta Miqueias ministrou durante os anos da queda de Israel. Ele não somente advertiu Judá sobre o juízo futuro, mas também prenunciou a aparição do Rei messiânico prometido.
- O livro do profeta Isaías contém advertências e promessas. Muitas passagens prenunciam a vinda de um rei que também seria o Salvador.

## Questões para estudo

1. Que livros da Bíblia registram a história de Judá depois que o reino de Salomão foi dividido?
2. Por que era importante que Judá fosse governada por reis piedosos, e não maus?
3. Por que todos os povos pagãos adotam práticas ocultas? Qual foi a alternativa dada por Deus ao seu povo para o ocultismo?
4. Quais eram os quatro testes pelos quais um verdadeiro profeta deveria passar?
5. Associe cada um destes quatro profetas a uma das seguintes opções:

| | |
|---|---|
| Obadias | O Salvador nasceria em Belém |
| Joel | O governo soberano de Deus |
| Miqueias | O juízo sobre Edom |
| Isaías | Uma praga de gafanhotos |

# Capítulo 10

*Em destaque no capítulo:*

- ✦ Naum
- ✦ Sofonias
- ✦ Habacuque
- ✦ Jeremias
- ✦ Ezequiel

# O reino que subsiste 2Reis 15-25 • 2Crônicas 29-36 • Naum • Sofonias • Habacuque • Jeremias • Ezequiel

## Vamos começar

O reino hebreu do sul, Judá, sobreviveu à invasão assíria que destruiu Israel, em 722 a.C. Deus respondeu às orações do piedoso rei Ezequias e deteve os invasores. Mas os pecados que levaram à derrota de Israel estavam profundamente enraizados em Judá também. Apesar dos avivamentos durante o governo do rei Ezequias e, mais tarde, do rei Josias, Judá passou por uma decadência espiritual e moral que exigiu o juízo divino.

**Linha do tempo nº 6**
O reino dividido

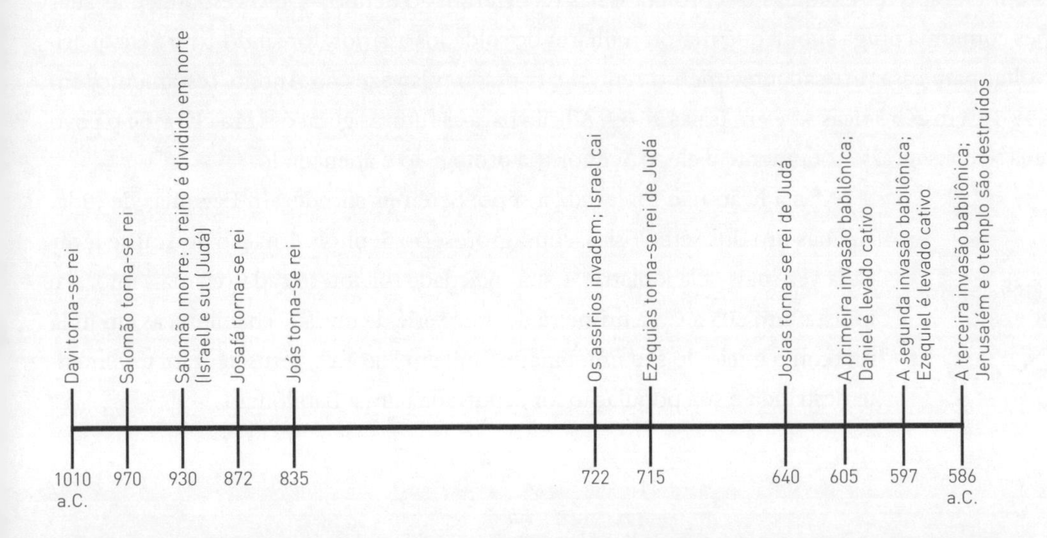

## 2Reis

### ...UM RELATO HISTÓRICO

| | |
|---|---|
| **Quem?** | Autores desconhecidos |
| **O quê?** | avaliaram os reis |
| **Onde?** | de Israel e Judá |
| **Quando?** | de 970 a.C. a 586 a.C. |
| **Por quê?** | para demonstrar o valor da obediência a Deus e o perigo da desobediência a ele |

## 2Crônicas

### ...UM COMENTÁRIO SOBRE A HISTÓRIA

| | |
|---|---|
| **Quem?** | Autores desconhecidos |
| **O quê?** | enfatizaram reis piedosos |
| **Onde?** | de Judá |
| **Quando?** | de 970 a.C. a 586 a.C. |
| **Por quê?** | para mostrar que quando Deus foi honrado e adorado, Judá foi abençoada |

## E permanece um reino

Se o povo de Deus se consagrar totalmente a ele, o Senhor irá protegê-lo e abençoá-lo.

Quando os exércitos assírios esmagaram Israel, Judá era governado por Ezequias. Tão logo tornou-se rei, ele começou a avivar a fé de Judá no Senhor. Isso provou ser a chave para a sobrevivência do reino do sul. Os exércitos assírios que esmagaram Israel também invadiram Judá. Eles destruíram as cidades fortificadas que guardavam as fronteiras e ameaçavam a própria Jerusalém.

Quando um mensageiro assírio apareceu do lado de fora da capital e escarneceu a ideia da confiança em Deus, o rei Ezequias e o profeta Isaías recorreram ao Senhor. Deus respondeu às suas orações com uma praga súbita que matou milhares de soldados assírios, forçando o rei Senaqueribe a voltar para casa. Este acontecimento central é contado três vezes no Antigo Testamento, em 2Reis 18-19, em 2Crônicas 32 e em Isaías 36-39. A lição para as futuras gerações era clara: Se o povo de Deus se consagrasse totalmente a ele, o Senhor iria protegê-lo e abençoá-lo.

Mas a lição não foi levada a sério. Sete reis sucederam Ezequias de Judá. Apenas um dos sete, Josias, consagrou-se ao Senhor. A nação deixou-se levar cada vez mais pela idolatria, e sua sociedade tornou-se cada vez mais imoral e injusta. Em 605 a.C., a primeira de uma série de invasões babilônicas em Judá marcou o início do seu fim. Finalmente, em 586 a.C., Jerusalém foi totalmente destruída e sua população foi deportada para a Babilônia.

## Um olhar geral

A tabela a seguir identifica os reis e os profetas do reino sobrevivente que escreveram, desde a queda de Israel, em 722 a.C., à queda de Judá, em 586 a.C.

**OS REIS E PROFETAS DO REINO DO SUL**

| REIS | AVALIAÇÃO | TEMPO DE REINADO | PROFETAS QUE ESCREVERAM | REFERÊNCIAS |
|---|---|---|---|---|
| Ezequias | Piedoso | 29 anos | Isaías, Miqueias | 2Reis 18-20; 2Crônicas 20-32 |
| Manassés | Mau | 55 anos | Naum | 2Reis 21; 2Crônicas 33 |
| Amom | Mau | 2 anos | — | 2Reis 21; 2Crônicas 33 |
| Josias | Piedoso | 31 anos | Sofonias, Habacuque, Jeremias | 2Reis 22-23; 2Crônicas 34-35 |
| Jeoacaz | Mau | 3 meses | Jeremias | 2Reis 23; 2Crônicas 36 |
| Jeoaquim | Mau | 11 anos | Jeremias; Ezequiel | 2Reis 24; 2Crônicas 36 |
| Joaquim | Mau | 3 meses | Jeremias; Ezequiel | 2Reis 24, 2Crônicas 36 |
| Zedequias | Mau | 11 anos | Jeremias; Ezequiel | 2Reis 24-25; 2Crônicas 36 |

## Faça como você quiser

Quando lemos os relatos de reis piedosos como Ezequias e Josias, não podemos entender por que Judá caiu. Mas os avivamentos que eles lideraram foram superficiais e não criaram nenhuma mudança de atitude permanente. Ezequiel, que foi levado para a Babilônia como cativo em 597 a.C. e profetizou à comunidade judaica, teve uma visão dos pecados de Judá. Em sua visão, Ezequiel viu o povo de Deus adorando divindades pagãs. Enquanto Ezequiel observava, a glória de Deus (sua presença visível) subiu do santuário interno (o Santo dos Santos) do templo e retirou-se da Cidade Santa. O povo de Deus a havia abandonado. Deus não mais iria protegê-los de seus inimigos.

Vá para

**visão**
Ezequiel 8-11

## O que Ezequiel viu

- ✦ Um ídolo perto do altar de sacrifício (Ezequiel 8:3-5).
- ✦ Os anciãos de Judá adorando divindades egípcias (Ezequiel 8:9-13).
- ✦ As mulheres adorando uma deusa da natureza (Ezequiel 8:14,15).
- ✦ Os homens orando para o Sol, de costas para o templo de Deus, e não de frente para ele (Ezequiel 8:16).

## O que Deus disse

EZEQUIEL 8:17,18 *"Será algo corriqueiro para a nação de Judá essas práticas repugnantes? Deverão também encher a terra de violência e continuamente me provocar a ira? E veja! Eles estão pondo o ramo perto do nariz! Por isso com ira eu os tratarei; não olharei com piedade para eles nem os pouparei. Mesmo que gritem aos meus ouvidos, não os ouvirei."*

Vá para

paciência de Deus
Romanos 2: 2-6

Deus é extremamente paciente. Não confunda essa paciência com indiferença ao pecado. Até a paciência de Deus tem limites. Chega um momento em que o convite a responder ao seu amor e à sua oferta de perdão é retirado e segue-se o juízo. Esse tempo havia chegado para as pessoas da época de Ezequiel. Os exércitos babilônicos reuniram-se no horizonte, e logo Judá e Jerusalém estariam em ruínas, e os sobreviventes seriam deportados para a terra de seus conquistadores.

## Vozes, vozes, vozes

Deus prometeu enviar profetas para guiar seu povo, e Deus cumpriu sua promessa. Em cada momento decisivo na história do reino sobrevivente do sul, profetas insistiram e advertiram o povo de Deus para que se voltasse para ele. Mas suas palavras não foram ouvidas. Ao estudarmos as mensagens dos profetas, só podemos nos surpreender com sua paciência e com o que parece ser a busca determinada de Judá pelo juízo de Deus.

### NAUM

#### ...CONSOLAÇÃO E ADVERTÊNCIA

| | |
|---|---|
| **Quem?** | O profeta Naum |
| **O quê?** | descreveu a queda de Nínive |
| **Onde?** | no Oriente Médio |
| **Quando?** | enquanto a Assíria ainda dominava |
| **Por quê?** | para afirmar a intenção de Deus de julgar a maldade |

## Deus não tem favoritos

**Visão geral**

*Naum*

O profeta ensina que o juízo divino dos ímpios é certo. Seu breve livro está dividido em três partes:

✦ A ira de Deus contra Nínive é expressa (Naum 1:1-15).
✦ A queda iminente de Nínive é descrita (Naum 2:1-13).
✦ A carnificina é explicitamente retratada (Naum 3:1-19).

Nínive, a capital da Assíria, havia se arrependido na época de Jonas. Mas, muito antes, o sucesso dos exércitos assírios substituiu a humildade por um orgulho arrogante. Os ataques assírios subsequentes contra Israel e Judá foram impiedosos, marcados por uma brutalidade incomum. O profeta Naum, cujo período de vida é incerto, apareceu para anunciar que Nínive estava prestes a ser julgada por Deus. Sem rodeios, Naum proclamou: "O SENHOR é Deus zeloso e vingador! O SENHOR é vingador! Seu furor é terrível! O SENHOR executa vingança contra os seus adversários, e manifesta o seu furor contra os seus inimigos" (Naum 1:2).

## O que há de especial em Naum?

1. **Um princípio básico é afirmado (Naum 1:1-15).** Naum afirma sua proposição de forma sucinta: "O SENHOR [...] não deixará impune o culpado" (Naum 1:3). Em vista dessa realidade, Naum exorta o povo de Judá: "Comemore as suas festas, ó Judá, e cumpra os seus votos" (Naum 1:15). O Deus que está prestes a julgar Nínive não hesitará em julgar a culpa de Judá.
2. **Detalhes da queda de Nínive são prenunciados (Naum 2:6; 3:8-15).** O profeta descreve um dilúvio que fará palácios e portões fluviais abertos para o inimigo virem abaixo. Naum prenuncia detalhes sobre a queda da cidade décadas antes do acontecimento real.
3. **Consolação.** O nome Naum significa "consolação". Deus queria que o povo soubesse que ele ainda estava no comando do universo e que ele, certamente, puniria seus opressores.

Mas o livro de Naum também pode ser lido como uma advertência. Deus não tem favoritos. Ele punirá os seus se eles também se mostrarem maus.

## Sofonias

### ...juízo contra Judá

| | |
|---|---|
| **Quem?** | Sofonias |
| **O quê?** | profetizou o juízo |
| **Onde?** | em Judá e Jerusalém |
| **Quando?** | durante o reinado de Josias |
| **Por quê?** | a fim de instigar o arrependimento |

## Ouça a Palavra!

### Visão geral

Sofonias

Sua missão era advertir Judá acerca de um juízo vindouro que acabaria com Judá e seus vizinhos. Contudo, Sofonias concluiu com uma palavra de esperança. Após o juízo, Deus levaria seu povo para casa. O livro tem três partes:

- ✦ O anúncio do juízo contra Judá (Sofonias 1:1-2:3).
- ✦ O anúncio do juízo contra as nações (Sofonias 2:4-15).
- ✦ A promessa de um futuro para Jerusalém (Sofonias 3:1-20).

Josias
2Reis 22-23

ouvir as leituras da Palavra de Deus
1Crônicas 34:29-31

Josias foi o último governante piedoso de Judá. Ele se tornou rei quando tinha apenas oito anos de idade, sucedendo seu avô, Manassés, e seu pai, Amom. Estes dois reis, cujo tempo de governo somado estendeu-se por mais de 57 anos, corromperam completamente a religião bíblica, e Judá encheu-se de idolatria e injustiça. No 18° ano de Josias, um livro perdido da Lei, provavelmente Deuteronômio, foi recuperado. Ao lê-lo, Josias percebeu o quanto a nação estava distante dos caminhos de Deus e começou a reavivar a verdadeira fé. Ele restaurou a adoração no templo, derrubou e queimou os ídolos que infestavam a terra e livrou-se dos que praticavam o ocultismo. Ele reuniu todo o povo para ouvir as leituras da Palavra de Deus e pediu que ela fosse seguida.

Apesar da piedade e do zelo do rei, já era muito tarde para inverter o declínio espiritual da nação. Embora ela fosse preservada enquanto Josias vivesse, seus pecados exigiam o juízo divino, e o juízo certamente viria.

## O que há de especial em Sofonias?

1. **O juízo contra Judá (1:1-2:3).** Sofonias descreve o grande Dia do Senhor que haveria de vir rapidamente sobre Judá. Deus julgará seu próprio povo, como também as nações que o oprimem.
2. **Esperança para o futuro (Sofonias 3:11-20).** Enquanto os profetas do Antigo Testamento advertem sem rodeios seus ouvintes a esperarem o juízo, eles também reafirmam o amor eterno de Deus pelos seus. Os pecados serão punidos, mas Deus está empenhado em salvar seu povo no final.

Como diz Deus por meio de seu profeta...

SOFONIAS 3:17 *O SENHOR, o seu Deus, está em seu meio, poderoso para salvar. Ele se regozijará em você; com o seu amor a renovará, ele se regozijará em você com brados de alegria.*

### HABACUQUE

**...VIVENDO PELA FÉ**

| | |
|---|---|
| **Quem?** | Habacuque |
| **O quê?** | dialoga com Deus sobre como a justiça dele pode ser entendida |
| **Onde?** | em Jerusalém |
| **Quando?** | durante o reinado de Josias |
| **Por quê?** | por causa da invasão babilônica iminente |

## Por que, Deus, por quê?

### Visão geral

*Habacuque*

O profeta levanta questões vitais sobre a justiça de Deus. Como ele pode permitir os pecados terríveis que desfiguram toda sociedade humana? Ele realmente está em silêncio e se retirou? O livro de Habacuque explora essa questão por meio das perguntas do profeta e das respostas surpreendentes de Deus. O livro pode ser resumido da seguinte forma:

- ✦ A primeira queixa de Habacuque (Habacuque 1:1-11).
- ✦ A segunda queixa de Habacuque (Habacuque 1:12-17).
- ✦ Princípios do juízo presente (Habacuque 2:1-20).
- ✦ A oração de Habacuque (Habacuque 3:1-19).

Habacuque estava incomodado. A despeito dos melhores esforços de Josias para estimular o avivamento, a sociedade de Judá é marcada por violência e injustiça. Quando Habacuque pergunta a Deus como ele pode permitir isso, o Senhor revela que está prestes a enviar os babilônios para punir seu povo pecaminoso. Mas Habacuque contesta. Os babilônios são mais perversos do que o povo de Judá! Deus assegura a seu profeta que os babilônios não sairão impunes. Então, Deus compartilha os princípios ocultos do juízo divino com Habacuque, deixando claro que, até quando se dão muito bem, os ímpios ainda estão sendo punidos. Satisfeito, o profeta pede a Deus para julgar e purificar seu povo rapidamente, ainda que ele mesmo sofra com a invasão.

## O que há de especial em Habacuque?

1. **A sociedade pecaminosa de Judá (Habacuque 1:1-11).** Apesar da aparência externa de um avivamento religioso, a sociedade de Judá é marcada por violência, conflito e injustiça. Habacuque não consegue acreditar que um Deus santo possa permitir que isso continue impune. Quando ele ora, Deus lhe fala sobre a invasão babilônica que haveria de vir. Deus punirá o pecado.
2. **Como Deus usa os "ímpios" (Habacuque 1:12-17).** A resposta de Deus perturba Habacuque. "Por que toleras esses perversos? Por que ficas calado enquanto os ímpios engolem os que são mais justos que eles?" (Habacuque 1:13). O povo de Judá é mau, mas os babilônios sem Deus são piores! O sucesso dos ímpios faz parecer que Deus não está envolvido nas questões humanas.
3. **Deus não está em silêncio (Habacuque 2:1-20).** Deus revela a Habacuque que, enquanto os ímpios devoram os mais justos, eles não está em silêncio. Na verdade, está julgando até quando os ímpios parecem desfrutar de seu maior sucesso! Veja como:

| | |
|---|---|
| Habacuque 2:2-4 | O sucesso nunca traz aos ímpios satisfação ou paz. |
| Habacuque 2:5-8 | O tratamento que eles dão aos outros cria inimigos que se voltarão contra eles. Eles lutam por segurança. |
| Habacuque 2:12-14 | O futuro deles é vazio, pois Deus reinará sobre a terra. |
| Habacuque 2:15-17 | A desgraça deles é certa: violência leva à violência. |
| Habacuque 2:18-20 | Eles não têm Deus para livrá-los quando a vez deles chegar. |

Não tenha inveja dos ímpios. Eles podem parecer ter sucesso. Mas, mesmo quando parecem ser bem-sucedidos, por dentro eles estão insatisfeitos e inseguros.

**inveja dos ímpios**
Salmos 73

4. **Em tempos de aflição, o cristão viverá pela fé (Habacuque 3:1-19).** Deus dá a Habacuque uma série de visões do juízo divino em momentos anteriores. Habacuque percebe que, ao julgar sua sociedade, Deus também sofrerá. Mas, então, Habacuque esforça-se para ter fé.

HABACUQUE **3:18,19** *Eu exultarei no Senhor e me alegrarei no Deus da minha salvação. O Senhor Soberano, é a minha força; ele faz os meus pés como os do cervo; ele me habilita a andar em lugares altos.*

### O que outros dizem

**Norman L. Geisler**

Embora muitas vezes negligenciada, a profecia de Habacuque é uma das mais influentes na Bíblia. Habacuque 2:4 é citado três vezes no Novo Testamento (Romanos 1:17; Gálatas 3:11; Hebreus 10:38), mais do que quase qualquer outro versículo. Serviu como base para a **Reforma Protestante** e, por meio do Comentário sobre Gálatas, de **Lutero**, para a conversão de **John Wesley**. Habacuque é um livro de fé.[1]

**Reforma Protestante**
um movimento enfatizando a salvação mediante a fé, que levou à fundação de igrejas protestantes

**Lutero**
Martinho Lutero, monge alemão cujo ensinamento deu início à Reforma Protestante

**John Wesley**
um pregador britânico que fundou o movimento metodista

## JEREMIAS

### ...O PROFETA CHORÃO

| | |
|---|---|
| **Quem?** | Jeremias |
| **O quê?** | escreveu este livro |
| **Onde?** | exortando Judá |
| **Quando?** | durante os últimos quarenta anos da existência do reino do sul |
| **Por quê?** | para submeter-se à Babilônia |

## Sozinho

### Visão geral

*Jeremias*

O livro contém uma série de **oráculos**. Estas mensagens estão organizadas por tema, embora tenham sido pregadas em diferentes momentos durante o ministério de quarenta anos de Jeremias. Um esboço do livro reflete estes temas.

- ✦ A missão de Jeremias é explicada (Jeremias 1-10).
- ✦ A aliança quebrada (Jeremias 11-20).
- ✦ O juízo aproxima-se (Jeremias 21-29).
- ✦ Promessas da nova aliança (Jeremias 30-39).
- ✦ Jerusalém, a caída (Jeremias 40-51).
- ✦ Apêndice da história (Jeremias 52).

**oráculos**
mensagens de Deus entregues por um profeta

Jeremias foi um patriota comissionado por Deus para exortar o povo de Judá a submeter-se aos babilônios. Foi isso que ele fez fielmente durante o reinado dos últimos cinco reis de Judá. Contudo, sua mensagem impopular foi rejeitada por seus compatriotas, e o próprio Jeremias foi perseguido como traidor. Por longos quarenta anos, Jeremias fielmente advertiu a nação, dizendo que Deus estava determinado a punir os pecados de seu povo. Insistiu na rendição como a única forma de evitar a extinção da nação. Jeremias viveu para ver o cumprimento de suas profecias, para testemunhar a destruição de Jerusalém e do templo de Salomão, e para ver o povo de Judá levado cativo para a Babilônia.

## O que há de especial em Jeremias?

O livro de Jeremias é longo e forte, cheio de profunda emoção e de imagens vívidas. Aqui estão algumas das muitas características especiais deste grande livro do Antigo Testamento.

1. **A angústia pessoal de Jeremias (Jeremias 15:12-18; 20:7-18).** É quase impossível imaginar como Jeremias se sentiu isolado como um porta-voz solitário de Deus. Ele era um homem sensível, que sofreu profundamente com o escárnio e hostilidade que sempre enfrentou. Seu único recurso era dividir seus sentimentos com o Senhor, os quais ele registra em várias passagens.

## CONTEXTO HISTÓRICO DOS ORÁCULOS DE JEREMIAS

*o jugo de ferro de Deus*
seu propósito imutável

| O REINADO DE JOSIAS | |
|---|---|
| Jeremias 2-3 | O coração pecaminoso de Judá |
| Jeremias 3-6 | Jerusalém seria destruída |
| Jeremias 7-10 | Ruína e exílio |
| Jeremias 11-13 | A aliança quebrada |
| Jeremias 18-20 | O oleiro |

| O REINADO DE JEOAQUIM | |
|---|---|
| Jeremias 14-15 | As orações são inúteis |
| Jeremias 16-17 | O celibato de Jeremias |
| Jeremias 22 | O rei rejeitado |
| Jeremias 23 | Os falsos profetas são acusados |
| Jeremias 25 | Nabucodonosor |
| Jeremias 26 | Jeremias é ameaçado |
| Jeremias 35 | O exemplo dos recabitas |
| Jeremias 36 | O rolo queimado |
| Jeremias 45 | Promessas feitas a Baruque |
| Jeremias 46-48 | Contra nações estrangeiras |

| O REINADO DE ZEDEQUIAS | |
|---|---|
| Jeremias 21 | Conselho para o rei |
| Jeremias 24 | Zedequias é abandonado |
| Jeremias 27 | Judá deve se submeter |
| Jeremias 28 | **O jugo de ferro de Deus** |
| Jeremias 29 | Para os exilados |
| Jeremias 30-33 | A nova aliança |
| Jeremias 34 | A aliança de Judá é quebrada |
| Jeremias 37-39 | A queda de Jerusalém |
| Jeremias 49 | A nação é advertida |

**indignação**
frustração e raiva

**apologistas**
pessoas que defendem uma ideia, fé, causa ou instituição

| O governo de Gedalias | |
|---|---|
| Jeremias 40-43 | A fuga para o Egito |
| Jeremias 44 | No Egito |

| Mais tarde | |
|---|---|
| Jeremias 50-51 | O juízo contra a Babilônia |
| Jeremias 52 | Jerusalém |

**Jeremias 15:15,17-18** *Tu me conheces, Senhor; lembra-te de mim, vem em meu auxílio [...] Jamais me sentei na companhia dos que se divertem, nunca festejei com eles. Sentei-me sozinho, porque a tua mão estava sobre mim e me encheste de* ***indignação****. Por que é permanente a minha dor, e a minha ferida é grave e incurável? Por que te tornaste para mim como um riacho seco, cujos mananciais falham?*

2. **Os pecados de Judá (Jeremias 5:7-25; 10:1-16).** Jeremias corajosamente confrontou as pessoas de sua época sobre os pecados que exigiam o juízo. Mas, como os homens e as mulheres de hoje, que consideram a imoralidade um assunto particular, o povo de Judá recusou-se a se arrepender. Compare o que lemos com um profeta como Jeremias com as histórias em destaque nos jornais e na televisão... e com a reação dos culpados e seus **apologistas**.

| Os pecados são descritos... | A reação do homem... |
|---|---|
| "Embora eu tenha suprido as suas necessidades, eles cometeram adultério e frequentaram as casas de prostituição. Eles são garanhões bem-alimentados e excitados, cada um relinchando para a mulher do próximo. Não devo eu castigá-los por isso?", pergunta o Senhor. (Jeremias 5:7-9) | Mentiram acerca do Senhor, dizendo: "Ele não vai fazer nada! Nenhum mal nos acontecerá; jamais veremos espada ou fome. Os profetas não passam de vento, e a palavra não está neles; por isso aconteça com eles o que dizem." (Jeremias 5:12,13). |

Mas Deus viu, e ele vê hoje. Deus não deixará o culpado impune.

3. **A punição é decretada (Jeremias 25:1-14).** Moisés advertiu o povo de Deus acerca do que deve acontecer se ele se recusar a honrar e obedecer a Deus. Nesse momento, Jeremias faz o povo se lembrar de que, várias vezes, os profetas exortaram: "Converta-se cada um do seu caminho mau e de suas más obras" (Jeremias 25:5). Mas Judá não ouvia nem prestava atenção. Por meio de Jeremias, Deus diz: "Convocarei todos os povos do norte e o meu servo Nabucodonosor, rei da Babilônia [...] e os trarei para atacar esta terra [...] Toda esta terra se tornará uma ruína desolada, e essas nações estarão sujeitas ao rei da Babilônia durante setenta anos" (Jeremias 25:9,11).

Moisés advertiu
Deuteronômio 28:49-68

Nova Aliança
Hebreus 8:6-13; 2Coríntios 3:7-18

4. **A promessa de uma nova aliança (Jeremias 30-31).** Gênesis 12 registra as promessas que Deus fez a Abraão na aliança. Essas promessas declaravam o que Deus faria pelos descendentes de Abraão e por meio deles. A promessa fundamental era que todo o mundo seria abençoado por meio de Abraão. Mais tarde, Deus acrescentou uma promessa a Davi na aliança: aquele que cumpriria a promessa de Deus feita a Abraão seria da linhagem de Davi. Nesse momento, Jeremias revela ainda mais do plano de Deus para abençoar a humanidade.

Foi dado a Jeremias, cuja missão era anunciar a queda iminente de sua nação, o privilégio de transmitir a promessa de que, um dia, Deus faria uma Nova Aliança com seu povo. Os versículos seguintes descrevem esta Nova Aliança:

> **Jeremias 31:31-34** *"Estão chegando os dias", declara o Senhor, "quando farei uma nova aliança com a comunidade de Israel e com a comunidade de Judá. Não será como a aliança que fiz com os seus antepassados quando os tomei pela mão para tirá-los do Egito; porque quebraram a minha aliança, apesar de eu ser o Senhor deles", diz o Senhor. "Esta é a aliança que farei com a comunidade de Israel depois daqueles dias", declara o Senhor: "Porei a minha lei no íntimo deles e a escreverei nos seus corações. Serei o Deus deles, e eles serão o meu povo. Ninguém mais ensinará ao seu próximo nem ao seu irmão, dizendo: 'Conheça ao Senhor', porque todos eles me conhecerão, desde o menor até o maior", diz o Senhor. "Porque eu lhes perdoarei a maldade e não me lembrarei mais dos seus pecados."*

### Segredos para entender a Nova Aliança

Ponto importante

| 1. | 2. | 3. | 4. |
|---|---|---|---|
| Ela substitui a Aliança da Lei | Atua no coração humano | Oferece total perdão | A Nova Aliança foi instituída quando Jesus morreu na cruz |

Aprenderemos mais sobre a Nova Aliança quando chegarmos ao Novo Testamento. Na verdade, Novo Testamento significa "Nova Aliança". Mas o importante a ser observado aqui é que, no mais sombrio dos momentos, por meio de Jeremias, Deus deu ao seu povo o que é, sem dúvida, a promessa mais clara e mais maravilhosa na Palavra de Deus.

### O que outros dizem

*Kay Arthur*

Você pode se identificar com o infiel Israel porque não ama a Deus como deveria ou porque não vive para ele como deveria. Meu amigo, saiba que Deus ainda está ao seu lado com misericórdia, esperando que você clame com fé: "Cura-me, Senhor, e serei curado; salva-me, e serei salvo" (Jeremias 17:14).[2]

5. **A fuga para o Egito (Jeremias 40-44).** Após a destruição de Jerusalém, grande parte da população judaica foi deportada para a Babilônia. Alguns judeus permaneceram submissos a um governador designado por Nabucodonosor. Quando esse governador foi assassinado, os judeus remanescentes ficaram aterrorizados e planejaram uma fuga para o Egito, mas, primeiro, pediram a Jeremias que perguntasse ao Senhor o que eles deveriam fazer. Jeremias orou e anunciou a Palavra de Deus. Os judeus remanescentes deveriam ficar em sua terra natal. Deus iria mantê-los em segurança. Contudo, se eles se recusassem a ouvir e fossem para o Egito, Nabucodonosor atacaria o Egito e eles seriam destruídos.

*Rainha dos Céus*
uma deusa adorada por povos pagãos

Em vez de ouvir Jeremias, o povo rejeitou furiosamente a direção de Deus. Eles disseram: "Nós não daremos atenção à mensagem que você nos apresenta em nome do Senhor! É certo que faremos tudo o que dissemos que faríamos: queimaremos incenso à **Rainha dos Céus** e derramaremos ofertas de bebidas para ela, tal como fazíamos, nós e nossos antepassados, nossos reis e nossos líderes, nas cidades de Judá e nas ruas de Jerusalém" (Jeremias 44:16-17).

Os últimos remanescentes de Judá, então, partiram para o Egito... e desapareceram da história.

### EZEQUIEL

**...PROFETA PARA OS EXILADOS**

| | |
|---|---|
| **Quem?** | Ezequiel |
| **O quê?** | alertou os cativos |
| **Onde?** | na Babilônia |
| **Quando?** | seis anos antes da queda de Jerusalém |
| **Por quê?** | para preparar o povo de Deus para um longo cativeiro |

## Ossos não molhados, mas secos

**Visão geral**

*Ezequiel*

O livro contém uma série de mensagens colocadas em prática e pregadas pelo profeta. A maior parte do livro data de antes da queda de Jerusalém e fala sobre sua destruição iminente. Depois que Jerusalém foi destruída, Ezequiel falou de uma Jerusalém restaurada e de um novo templo que seria construído no mesmo local, como o que havia sido destruído.

- Profecias contra Judá (Ezequiel 1-24).
- Profecia contra nações estrangeiras (Ezequiel 25-32).
- Profecias de restauração (Ezequiel 33-39).
- Profecia do templo reconstruído (Ezequiel 40-48).

Os babilônios invadiram Judá três vezes e, em cada ocasião, levaram muitos cativos. Em 597 a.C., Ezequiel foi levado para a Babilônia após a segunda invasão. Em 592 a.C., aos trinta anos de idade, ele foi chamado para ser profeta. Suas mensagens para os exilados na Babilônia fazem um paralelo com a advertência de certa derrota que Jeremias estava revelando ao mesmo tempo em Judá. Por meio de uma série de visões, Ezequiel pôde descrever para os cativos eventos que estavam ocorrendo em Judá muito antes que a notícia da terra natal pudesse chegar a eles.

Vá para

**responsabilidade pessoal**
Ezequiel 18

**sopro de vida**
Gênesis 2:7

**alma**
aqui, a própria pessoa

## O que há de especial em Ezequiel?

1. **O templo esvaziado (Ezequiel 8-11).** O povo de Jerusalém cria que a cidade não cairia devido à existência do templo de Deus. É certo que Deus não permitiria que sua morada fosse destruída por pagãos. Mas, em uma visão, Ezequiel viu Deus retirando sua presença do templo e da Cidade Santa. Mais tarde, o templo passou a ser uma concha vazia. Deus não permaneceria com um povo cujos pecados lhe mostravam total desrespeito.
2. **Responsabilidade pessoal (Ezequiel 18).** Muitos em Jerusalém ignoraram as advertências de Ezequiel e de Jeremias. Se seus antepassados desagradaram a Deus, e ele tinha a intenção de puni-los, não havia nada que pudessem fazer a respeito. Ezequiel confrontou esta atitude fatalista, anunciando que a **alma** que pecasse era a que morreria (Ezequiel 18:4).

O anúncio que Ezequiel faz é de responsabilidade pessoal. Na invasão iminente, Deus faria a distinção entre os justos e os ímpios. Os maus seriam mortos enquanto os justos sobreviveriam para ir para o cativeiro. Em Ezequiel 18, o profeta dá quatro exemplos para mostrar que Deus lida com os seres humanos de forma individual.

### O que acontecerá...

| | | |
|---|---|---|
| 1. Se um justo tiver um filho violento | o filho morrerá. | Ezequiel 18:5-13 |
| 2. Se o filho violento tiver um filho justo | o filho justo viverá. | Ezequiel 18:14-18 |
| 3. Se o ímpio converter-se de seus caminhos | ele viverá. | Ezequiel 18:19-23 |
| 4. Se um justo voltar-se para o mal | ele morrerá. | Ezequiel 18:24-29 |

**Ezequiel 18:30-32** *"Portanto, ó nação de Israel, eu os julgarei, a cada um de acordo com os seus caminhos; palavra do Soberano Senhor. Arrependam-se! Desviem-se de todos os seus males [...] e busquem um coração novo e um espírito novo. Por que deveriam morrer, ó nação de Israel? Pois não me agrada a morte de ninguém. Palavra do Soberano Senhor. Arrependam-se e vivam!"*

3. **A restauração de Israel é descrita (Ezequiel 37).** É mostrado a Ezequiel um vale repleto de ossos espalhados e secos. Ele é ordenado a profetizar, e os ossos se juntam novamente e são cobertos de carne. Mas eles só vivem quando recebem o sopro de vida (Ezequiel 37:1-10).

Deus explica a visão. Os ossos representavam o povo judeu espalhado por todas as nações. Seu reagrupamento simbolizava os judeus se juntando novamente na Terra Prometida. Mas somente quando as pessoas estiverem cheias do Espírito de Deus é que elas terão vida (Ezequiel 37:11-14).

Muitos acreditam que essa profecia esteja se cumprindo em nosso tempo. Por milhares de anos, o povo judeu esteve espalhado por todo o mundo, sem pátria. Então, em 1948, Israel tornou-se uma nação, mas um estado secular sem vitalidade e vida espiritual. Quando Jesus, o Messias do Antigo Testamento, voltar para governar, o povo de Deus do Antigo Testamento irá reconhecê-lo e ser salvo (Ezequiel 37:15-28).

4. **O templo reconstruído (Ezequiel 40-48).** Assim como os outros profetas, a mensagem de Ezequiel foi concluída com uma forte nota de esperança. O profeta aguarda ansiosamente um tempo de bênção no final da história, quando o povo de Deus viverá em sua terra e adorará o Senhor em um templo que será construído naquele tempo.

## Resumo do capítulo

- A dependência sábia que o rei Ezequias tinha de Deus salvou Judá das forças assírias que destruíram Israel (2Reis 18-19).
- O profeta Naum descreveu a iminente queda de Nínive como o juízo divino contra os assírios (Naum).
- O profeta Sofonias advertiu o povo de Judá, dizendo que Deus iria julgá-lo também (Sofonias 1:1-2:3).
- O profeta Habacuque prenunciou a invasão babilônica como um castigo pelos pecados de Judá (Habacuque 1).
- O profeta Jeremias esforçou-se por quarenta anos para alcançar o povo de Judá. Sua mensagem foi rejeitada, e ele viveu para ver suas profecias de desastre se cumprirem (Jeremias 37-39).
- O profeta Ezequiel teve visões nas quais testemunhou os pecados do povo em sua terra natal e Deus retirando sua presença do templo de Jerusalém (Ezequiel 8-11).
- A despeito dos pecados de Judá, que exigiam o juízo, Deus livraria os justos (Ezequiel 18) e cumpriria suas promessas a Abraão. Ele salvaria seu povo no final da história (Jeremias 30-31).

## Questões para estudo

1. Durante o governo de qual rei piedoso o avivamento salvou Judá quando os assírios destruíram Israel?
2. Que pecados de Judá os profetas apontaram como a causa da vitória babilônica?
3. Cite três dos quatro profetas que pregaram em Judá, o reino sobrevivente.
4. Cite o profeta que pregou para os exilados na Babilônia antes da destruição de Jerusalém.

# Capítulo 11

*Em destaque no capítulo:*

- Lamentações
- Daniel e Ester
- Esdras e Neemias
- Ageu e Zacarias
- Malaquias

# Exílio e retorno
# Lamentações • Daniel • Ester • Esdras • Neemias • Ageu • Zacarias • Malaquias

## Vamos começar

Em uma série de três invasões devastadoras, os babilônios, sob a liderança do rei Nabucodonosor, despiram Judá de sua riqueza e população. Em 586 a.C., os judeus remanescentes de Judá voltaram a estabelecer-se na Babilônia, muitos na própria capital. Cerca de setenta anos mais tarde, o Império Babilônico caiu nas mãos dos medos (habitantes da antiga Média, atual Irã) e dos persas. Ciro, o novo governante, inverteu a política babilônica de reassentamento e permitiu que os povos cativos voltassem para sua terra natal. Mas, a princípio, o cativeiro forçou o povo de Deus a rever seus pecados e fazer uma pergunta assustadora: Deus havia rejeitado totalmente seu povo?

Três respostas para essa pergunta são dadas nos três livros que refletem as condições durante o cativeiro.

### Enquanto os judeus eram cativos na Babilônia...

| | |
|---|---|
| Na Grécia | O legislador Sólon introduzia um código de leis em Atenas, e Esopo contava suas fábulas pela primeira vez. |
| Na Pérsia | Zoroastro fundava uma nova religião. |
| Na Assíria | Relógios de água eram desenvolvidos. |
| Na Lídia | Moedas feitas de ouro e de prata começavam a circular. |
| Na África | A África foi circunavegava por marinheiros fenícios. |

## Lamentações

### ...A AGONIA DA DERROTA

| | |
|---|---|
| **Quem?** | Segundo a tradição, Jeremias |
| **O quê?** | escreveu estes poemas de lamento |
| **Onde?** | na Babilônia |
| **Quando?** | depois da queda de Jerusalém |
| **Por quê?** | para expressar a angústia sentida pelos cativos judeus |

## Oh, ai de mim!

### Visão geral

*Lamentações*

Os poemas de lamento que expressam angústia e tristeza eram uma forma literária comum no antigo Oriente Próximo. Os poemas de Lamentações expressam o sentimento de perda experimentado pelos cativos na Babilônia, que, por fim, percebem como são tolos por terem se afastado de Deus. Os cinco poemas retratam:

- Jerusalém em pranto (Lamentações 1:1-22).
- Jerusalém em ruínas (Lamentações 2:1-22).
- Um chamado à renovação (Lamentações 3:1-66).
- A restauração iminente (Lamentações 3:1-22).
- Um clamor por alívio (Lamentações 4:1-22).

**acrósticos**
poemas em que cada verso se inicia com uma letra, na sequência de 22 letras do alfabeto hebraico

O povo de Judá, que havia desprezado as advertências de Jeremias, finalmente sofreu as consequências por ter abandonado a Deus. Seu desespero e sua angústia são capturados em cinco poemas **acrósticos** que compõem o livro de Lamentações.

### O que há de especial em Lamentações?

1. **Lamentações dá uma ideia da dúvida e desespero dos judeus.** Esses poemas expressam o sofrimento e o arrependimento sentidos pelos exilados. Trata-se do reconhecimento tardio de que seus próprios pecados os levaram àquele estado lamentável. No entanto, até em meio ao desespero mais sombrio havia um vislumbre de esperança.

## O que outros dizem

**Samuel Schultz**

O autor vividamente retrata a situação difícil do povo de Deus como pessoas exiladas em terras estrangeiras. É possível que o Senhor tenha se esquecido de seu povo? **Sião** está em ruínas e Israel parece estar abandonada. Por causa do coração partido, esmagado e oprimido pela tristeza, o autor faz seu apelo lamentoso a Deus, que reina para sempre, implorando-lhe para restaurar seus filhos. Na confissão do pecado e em uma implícita fé em Deus está o apelo final à restauração.[1]

### Três sentimentos de Lamentações

| Sofrimento | Confissão | Esperança |
|---|---|---|
| Vocês não se comovem, todos vocês que passam por aqui? Olhem ao redor e vejam se há sofrimento maior do que o que me foi imposto e que o Senhor trouxe sobre mim no dia em que se acendeu a sua ira. (Lamentações 1:12) | Examinemos e submetamos à prova os nossos caminhos, e depois voltemos ao Senhor.Levantemos o coração e as mãos para Deus, que está nos céus, e digamos: "Pecamos e nos rebelamos, e tu não nos perdoaste." (Lamentações 3:40-42) | Tu, Senhor, reinas para sempre; teu trono permanece de geração a geração. Restaura-nos para ti, Senhor, para que voltemos; renova os nossos dias como os de antigamente, a não ser que já nos tenhas rejeitado completamente e a tua ira contra nós não tenha limite! (Lamentações 5:19,21-22) |

2. **O livro das Lamentações nos faz lembrar de permanecermos confiantes.** Para os exilados, o cativeiro babilônico parecia ser uma tragédia. No entanto, o povo de Deus beneficiou-se com o cativeiro em muitos sentidos. Depois de serem enviados para a Babilônia, os israelitas nunca mais foram tentados pela idolatria. Lá, a **sinagoga** foi inventada, uma vez que pequenos grupos de judeus começaram a se reunir para adorar e estudar as Escrituras. No final, o cativeiro provou ser uma bênção, purificando o povo de Deus de muitos dos pecados que exigiram o castigo divino.

**Sião**
um nome poético para Jerusalém

**sinagoga**
o local de encontro e assembleia do povo judeu durante os tempos do Novo Testamento

Somente Deus é capaz de transformar o que sentimos como uma tragédia em uma bênção disfarçada.

## Daniel

### ...O CATIVO INFLUENTE

| | |
|---|---|
| **Quem?** | Daniel, um jovem cativo |
| **O quê?** | entrega profecias |
| **Onde?** | como um aluno na escola do rei na Babilônia |
| **Quando?** | por volta de 605 a.C. |
| **Por quê?** | para falar ao povo sobre a história futura do mundo |

## Ouse ser um Daniel

### Visão geral

*Daniel*

O livro de Daniel está dividido em duas partes. A primeira metade do livro relata suas histórias e seus relacionamentos com os governantes mundiais. A segunda metade do livro contém visões que Deus lhe deu para assegurar ao seu povo que, apesar de os poderes gentios governarem a Terra Santa por séculos, Deus ainda estava no controle total da história humana.

- A vida e a obra de Daniel (Daniel 1-6).
- As visões e as profecias de Daniel (Daniel 7-12).

*Vá para*

**estabeleceu-se**
Jeremias 29:4-7

A maioria dos cativos levados para a Babilônia estabeleceu-se em bons bairros da capital, onde tinham sua própria casa e suas plantações. Registros recuperados por arqueólogos indicam que muitos judeus negociaram e prosperaram. Daniel, levado cativo na invasão de 605 a.C., foi matriculado em uma escola que preparava administradores para o Império Babilônico. Ele cresceu e tornou-se um alto oficial dos impérios da Babilônia e da Pérsia, mostrando o constante cuidado que Deus tinha com os fiéis, mesmo em terras estrangeiras. Contudo, Daniel também foi um profeta, cujas visões do futuro revelavam aos cativos que Deus permanecia no controle da história e que, um dia, ele traria seu povo de volta à sua terra.

## O que há de especial em Daniel?

1. **As experiências pessoais de Daniel (Daniel 1-6).** Daniel desenvolveu um relacionamento íntimo com Nabucodonosor e os governantes mundiais subsequentes. Muitos acreditam que, por meio da sua influência, o rei babilônio passou a crer em Deus. Várias aventuras de Daniel e de seus amigos estão registradas para nós.

### As aventuras de Daniel

| Aventura | Referência |
|---|---|
| A determinação de Daniel de seguir as leis de Deus | Daniel 1:1-21 |
| Daniel interpreta o sonho de Nabucodonosor | Daniel 2:1-49 |
| Os companheiros de Daniel na fornalha em chamas | Daniel 3:1-30 |
| Daniel e a conversão de Nabucodonosor | Daniel 4:1-37 |
| Daniel e a escrita na parede | Daniel 5:1-31 |
| Daniel na cova dos leões | Daniel 6:1-28 |

2. **As visões de Daniel da história futura (Daniel 7-12).** O livro de Daniel relata visões do futuro. Elas mostravam que, nos séculos que haveriam de vir, a Terra Prometida seria governada por potências mundiais gentias. No entanto, as visões eram reconfortantes. Um Deus que podia prever o futuro estava claramente no controle da história! Um dia, as promessas feitas a Abraão e repetidas pelos profetas, sem dúvida, seriam cumpridas. O cativeiro, com certeza, não significava que Deus havia abandonado seu povo. Ele ainda estava cuidando dos seus!

**bode**
na profecia, símbolo de poder político

### As visões de Daniel

| Reino gentio | A estátua (Daniel 2) | Os quatro animais (Daniel 7) | Os dois animais (Daniel 8) |
|---|---|---|---|
| Babilônio | Cabeça de ouro | Leão | — |
| Medo-persa | Peito/braços de prata | Urso | Carneiro com dois chifres |
| Grego | barriga/coxas de bronze | Leopardo | **Bode** com um chifre |
| Romano | Pernas de ferro/pés de ferro e barro | Animal forte | — |

**semana**
sete anos

Essas visões retratam de forma tão precisa a história que alguns afirmam que o livro de Daniel deve ter sido escrito por volta de 100 a.C., após os acontecimentos, e não em 540 a.C., a data real de sua composição. Assim como Daniel descreveu anteriormente, o Império Persa foi vencido por Alexandre, o Grande (o bode com um chifre), e, na morte de Alexandre, seu império foi dividido em quatro partes entre seus quatro generais (os quatro chifres que substituem o único chifre)!

3. **A profecia das setenta semanas (Daniel 9:20-27).** Estes versículos contêm a profecia mais espetacular de Daniel. A profecia dá uma data específica para a aparição do Messias de Israel em Jerusalém, contando a partir de um futuro decreto para reconstruir Cidade Santa. Em um livro intitulado *O príncipe que há de vir*, Sir Robert Anderson calculou que o Messias, o Cristo, entraria em Jerusalém e seria aclamado como rei no final da 69ª **semana**, em 6 de abril de 32 d.C. Mas, de acordo com Daniel, o Messias então seria morto! E foi exatamente isso que aconteceu. Jesus fez uma entrada triunfal em Jerusalém, mas, então, no fim daquela mesma semana, ele foi crucificado!

Os prenúncios de Daniel elucidam o debate quanto ao modo como a profecia do Antigo Testamento deve ser vista: se como imagens (cujo simples objetivo é expressar verdades espirituais) ou como descrição de eventos futuros reais. Ninguém duvida que Daniel descreve com precisão a sucessão dos reinos no mundo mediterrâneo. De igual modo, o prenúncio de que o Messias sofreria e morreria, e de que existiria um intervalo de tempo entre a primeira e a segunda vindas de Jesus, cumpriu-se literalmente. Talvez não sejamos capazes de dizer exatamente o que envolve uma profecia antes de o evento prenunciado acontecer. Mas, olhando para trás, a profecia cumprida nos ensina que podemos esperar que as demais da Bíblia se cumpram literalmente no mundo real.

## Ester

### ...NASCIDA PARA SER RAINHA

| | |
|---|---|
| **Quem?** | Um autor não identificado |
| **O quê?** | escreveu este livro |
| **Onde?** | na Pérsia |
| **Quando?** | entre 460 a.C. e 350 a.C. |
| **Por quê?** | para demonstrar por meio de uma série de circunstâncias incomuns que Deus estava cuidando de seu povo cativo |

## Deus cuida de todos

**Visão geral**

*Ester*

Quando o rei Assuero se divorciou de sua rainha, ele escolheu uma jovem, Ester, para assumir a coroa. Quase na mesma época, um alto oficial da corte de Assuero, Hamã, sentiu que havia sido insultado por um oficial inferior, um homem chamado Mardoqueu, que, por acaso, era judeu. Hamã decidiu acabar com toda a raça judaica como vingança e teve permissão de Assuero para fazer isso! Mas, então, por meio de uma série de "coincidências" surpreendentes, Assuero decidiu honrar Mardoqueu; Ester revelou que era judia, Hamã irritou-se com o rei e foi executado. E assim os judeus foram salvos.

Ester é um dos livros mais extraordinários da Bíblia. Conta a história de uma jovem judia que se tornou rainha da Pérsia a tempo de salvar o povo de Deus do extermínio. Embora Deus não seja mencionado no livro, coincidência após coincidência, o texto deixa claro que Deus está trabalhando no que parece ser um tipo normal de causa e efeito para garantir a segurança de seu povo. Mesmo quando o povo de Deus estava exilado de sua terra natal, ele não o abandonou. Ele o guarda e protege.

## O que há de especial em Ester?

1. **O livro ilustra a doutrina da *providência* divina.** Deus não precisa realizar milagres para proteger seu povo. Ele é capaz de moldar o que parece ser o curso normal de causa e efeito para que sua vontade se cumpra.

**providência**
Deus ajustando os eventos para cumprir seus próprios propósitos

2. **O livro encanta leitores de todas as idades.** Ester é um livro que se lê melhor de uma só vez, como um conto. Adultos e crianças acham a história fascinante e ficam encantados com a rainha jovem e corajosa que arrisca a própria vida por seu povo.

A história de Ester nos faz lembrar de que o controle das circunstâncias por Deus está oculto para o incrédulo, mas óbvio para a pessoa de fé. Deus está sempre trabalhando nos bastidores em nosso favor. Até aqueles incidentes que sofremos como tragédias podem ser transformados em coisas boas por nosso Pai amoroso.

## O regresso ao lar

Em 538 a.C., um primeiro grupo de 42.360 judeus partiu para Judá, decidido a reconstruir um templo em Jerusalém. Um segundo grupo, liderado por Esdras, voltou oitenta anos mais tarde, em 458 a.C., e um terceiro grupo, liderado por Neemias, em 444 a.C. Mais uma vez, havia uma presença judaica na Terra Prometida. No entanto, ao longo dos últimos quinhentos anos da era do Antigo Testamento, um número muito maior de judeus vivia espalhado pela Pérsia e pelos subsequentes impérios orientais em relação à quantidade de judeus que ocupava a terra que Deus havia prometido a Abraão.

### Esdras

**...OS EXILADOS RETORNAM**

| | |
|---|---|
| **Quem?** | Esdras |
| **O quê?** | escreveu a maior parte deste livro |
| **Onde?** | em Judá |
| **Quando?** | por volta de 430 a.C. |
| **Por quê?** | para relatar o retorno dos judeus a Jerusalém |

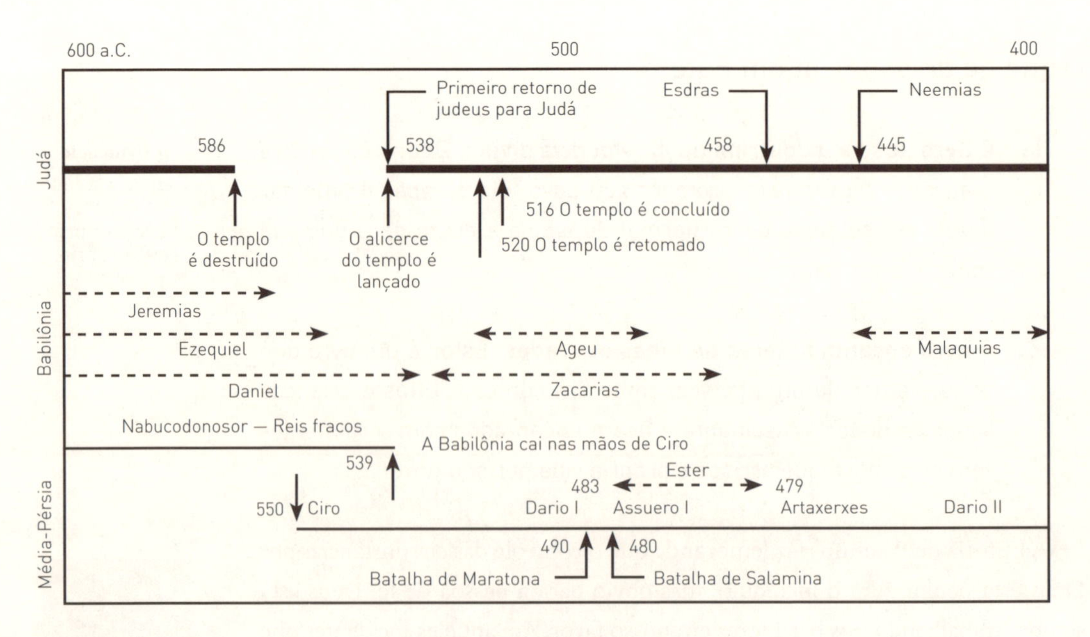


**Linha do tempo nº 7**
O cativeiro e o retorno dos judeus

Esdras: Esdras foi um escriba, uma pessoa altamente treinada que era bem instruída nas Escrituras. Seu encargo dado pelo governante persa era o de administrar a Lei de Deus em Judá. Ele levou um segundo grupo de peregrinos da Babilônia para Judá oitenta anos depois do retorno do primeiro grupo.

## Visão geral

*Esdras*

O primeiro retorno de judeus ocorreu logo depois que Ciro, o persa, conquistou a Babilônia. Quarenta e três mil judeus retornaram decididos a reconstruir o templo de Jerusalém. Enquanto o alicerce do templo era lançado de imediato, a oposição dos povos semipagãos, naquela época na terra, atrasou a conclusão por 18 anos. Então, estimulados pelos profetas Ageu e Zacarias, o templo foi concluído em quatro anos. O próprio Esdras levou outro grupo de volta a Judá, com autoridade para nomear **magistrados** e administrar tanto a lei persa como a de Deus. O livro é organizado pelos dois retornos que ele descreve.

- ✦ O primeiro retorno (Esdras 1-6).
- ✦ O segundo retorno (Esdras 7-10).

## O que há de especial em Esdras

1. **O decreto de Ciro permitindo o retorno (Esdras 1).** Cerca de 150 anos antes da vitória dos persas contra a Babilônia, Deus, por meio do profeta Isaías, identificou Ciro como o governante que se levantaria para levar os exilados judeus para casa. No primeiro ano de seu reinado, Ciro, o persa, cumpriu essa profecia. Ele emitiu um decreto que permitiu aos judeus voltarem à Terra Santa e levarem consigo os tesouros do templo! Ao mesmo tempo, Ciro permitiu que outros desalojados também voltassem para a sua terra natal. Muitos acreditam que Daniel influenciou essa inversão da política.

*Vá para*

Ciro
Isaías 44:24-45:7; Esdras 1

**magistrados**
oficiais do governo com responsabilidades administrativas e judiciais

2. **A oposição local (Esdras 4-6).** Quando os assírios deportaram o povo de Israel, em 722 a.C., eles se estabeleceram novamente na terra com povos pagãos. Os descendentes desses povos, naquele momento, ofereceram-se para ajudar a reconstruir o templo de Deus para que pudessem adorar ali. Os judeus não aceitaram. Os habitantes locais não eram membros da comunidade da aliança; eles eram pagãos.

Irritados, os habitantes locais começaram uma campanha de mentiras, boatos e acusações falsas que fizeram a obra no templo parar por 18 anos. O problema foi, finalmente, resolvido quando o rei Dario fez seus oficiais localizarem o decreto original de Ciro nos arquivos. A vitória dos judeus foi completa, pois Dario até desviou os impostos de seus adversários para pagar a construção do templo!

3. **As reformas de Esdras em Judá (Esdras 7-10).** Esdras chegou a Judá 58 anos depois da conclusão do templo. Ele ficou chocado ao descobrir que os sacerdotes e o povo haviam se casado com mulheres pagãs, violando diretamente a Lei de Deus. Sua oração, confessando esse pecado, levou o povo de Judá a arrepender-se. As mulheres estrangeiras foram repudiadas, e o povo prometeu observar fielmente a Lei de Deus.

## Neemias

### ...os muros de Jerusalém são restaurados

| | |
|---|---|
| **Quem?** | Neemias |
| **O quê?** | escreveu a maior parte deste livro |
| **Onde?** | em Judá |
| **Quando?** | por volta de 430 a.C. |
| **Por quê?** | para relatar a reconstrução dos muros da cidade, os quais redefiniram Jerusalém como uma cidade digna de respeito |

## Reconstrua esses muros

### Visão geral

*Neemias*

Neemias renunciou a sua posição na corte persa para tornar-se governador de Judá, em 444 a.C. Reuniu os judeus para reconstruir os muros de Jerusalém e repovoar a cidade. Neemias também estava profundamente preocupado com o estado espiritual dos judeus. Trabalhou de perto com Esdras para ensinar e aplicar a Lei divina, sempre dando um exemplo pessoal como um líder piedoso. O livro pode ser dividido em três partes.

- Os muros são reconstruídos (Neemias 1-6).
- A aliança é renovada (Neemias 7-12).
- Os pecados de Judá são perdoados (Neemias 13).

Esdras e Neemias contam as dificuldades e desafios enfrentados pelos poucos judeus que optaram por deixar o conforto na Babilônia para voltarem à pátria judaica. Aqueles que retornaram foram movidos por um fervor religioso, primeiro, a reconstruir o templo, depois a ensinar a Lei de Deus e, por fim, a restaurar a posição de Jerusalém como uma cidade importante, mediante a reconstrução de seus muros.

Neemias: Neemias era um alto oficial da corte do governante persa, Artaxerxes, em 444 a.C. Quando soube que os muros de Jerusalém estavam destruídos, ele pediu e recebeu o encargo de ser governador de Judá. Lá, a despeito da oposição de povos vizinhos, conseguiu reconstruir os muros da cidade e restabelecer, assim, a posição de Jerusalém como uma cidade importante.

## O que há de especial em Neemias?

1. **A coragem moral de Neemias (Neemias 5-6).** O próprio Neemias foi fundamental para a reconstrução bem-sucedida dos muros da cidade. Ele deu um exemplo em seu serviço altruísta e com a coragem que mostrou quando sua vida foi ameaçada pelos inimigos dos judeus.
2. **Os líderes influenciam toda a sociedade (Neemias 10).** O exemplo de Neemias e o ensino de Esdras levaram o povo de Judá a assumir um novo compromisso com o Senhor. Como é importante termos líderes que possamos admirar, que deem exemplo para a sociedade!
3. **As últimas reformas de Neemias (Neemias 13).** Depois de um mandato bem-sucedido como governador de Judá, Neemias voltou para a corte persa por um tempo. Quando retornou a Judá, em 431 a.C., ele descobriu que o povo havia voltado para seus velhos caminhos pecaminosos. Mais uma vez, Neemias conseguiu introduzir reformas. Contudo, estava claro que, sem líderes fortes e piedosos, o povo simplesmente não permaneceria fiel ao Senhor.

### O que outros dizem

*William Sanford La Sor*

Por meio da obra de Esdras e de Neemias, a nova identidade de Israel passou a girar em torno da Lei e do Templo. Nesse momento fundamental, por meio da providência dos atos redentores de Deus, a identidade do seu povo foi criada pelas formas muito religiosas e pelo contentamento que, antes do exílio, nunca conseguiu se tornar o centro de sua vida.[2]

## Vozes proféticas

Três profetas ministraram ao pequeno grupo de judeus que havia voltado para sua terra natal. A influência de dois deles foi fundamental para levar o povo a concluir o templo, que ficou inacabado por 18 anos. O terceiro profeta ministrou depois do tempo de Neemias e oferece um quadro sombrio de um povo que perdeu novamente qualquer interesse em adorar e obedecer a Deus.

### AGEU

**...RECONSTRUINDO O TEMPLO!**

| | |
|---|---|
| **Quem?** | O profeta Ageu |
| **O quê?** | pregou quatro sermões |
| **Onde?** | ao povo em Judá |
| **Quando?** | em 520 a.C. |
| **Por quê?** | para exortá-lo a concluir a reconstrução do templo |

## Deus tem uma nova casa

### Visão geral

*Ageu*

Por meio de uma série de quatro mensagens datadas, o profeta levou a pequena comunidade judaica a concluir a reconstrução do templo de Jerusalém. As mensagens e seus temas são:

- ✦ Coloquem Deus em primeiro lugar. Terminem o templo. Dia 29 de agosto de 520 a.C.
- ✦ Deus proverá os recursos financeiros necessários. Dia 17 de outubro de 520 a.C.
- ✦ A partir desse dia, eu o abençoarei. Dia 18 de dezembro de 520 a.C.
- ✦ O trono de Davi será estabelecido. Dia 18 de dezembro de 520 a.C.

***arrancar***
tomar, apesar de grandes dificuldades

Os alicerces do templo foram lançados, mas nenhum trabalho foi feito nele durante anos. Em parte, isso aconteceu porque os judeus estavam lutando para **arrancar** a vida de uma terra que havia sido abandonada havia décadas. Então, no dia 29 de agosto de 520 a.C., o profeta Ageu anunciou que as bênçãos materiais haviam sido retidas porque o povo de Deus não havia colocado o Senhor em primeiro lugar. A pequena comunidade judaica levou a sério as palavras de Ageu e, incentivada por outras de suas mensagens, pôs-se a concluir a construção do templo.

## O que há de especial em Ageu?

1. **A glória do novo templo (Ageu 2:1-15).** A pequena comunidade judaica estava quase destruída. Como eles poderiam reconstruir o templo ou ornamentá-lo? Por meio de Ageu, Deus fez os judeus se lembrarem destas palavras: "Tanto a prata quanto o ouro me pertencem" (Ageu 2:8). Então, os judeus começaram pela fé a reconstruir o templo. Esdras diz-nos como foi a provisão de Deus. O governante persa ordenou aos inimigos dos judeus que desviassem o dinheiro de seus impostos para pagar a construção do templo!

Na época de Cristo, o templo construído no ano de 520 a.C. foi ampliado e ornamentado para se tornar uma das maravilhas do mundo antigo.

### O que outros dizem

*Martinho Lutero*

A fé é uma confiança viva e ousada na graça de Deus. É tão segura e certa que o homem pode arriscar a vida por ela milhares de vezes.[3]

## Zacarias

### ...o futuro de Israel

| | |
|---|---|
| **Quem?** | Zacarias |
| **O quê?** | profetizou |
| **Onde?** | aos colonizadores de Judá |
| **Quando?** | ao mesmo tempo que Ageu |
| **Por quê?** | para encorajá-los a reconstruírem o templo e esperarem a aparição do Messias prometido |

## Montado em um jumento

**Visão geral**

*Zacarias*

Este livro está dividido em duas partes principais. A primeira parte do livro contém uma série de visões sobre o futuro do povo judeu e uma resposta às perguntas sobre **jejum,** feitas pelos exilados que haviam retornado. A segunda parte do livro descreve a intervenção de Deus no final da história.

✦ 1ª parte

Oito visões • Zacarias 1:1-6:15

Perguntas sobre jejum • Zacarias 7:1-8:23

✦ 2ª parte

O pastor de Deus é rejeitado • Zacarias 9:1-11:17

A intervenção final de Deus • Zacarias 12:1-14

**jejum**
não comer; nos tempos bíblicos, as pessoas jejuavam para mostrar tristeza pelo pecado ou fervor na oração

O profeta Zacarias pregou seu primeiro sermão no mesmo dia em que Ageu pregou sua segunda mensagem, em 17 de outubro de 520 a.C. Embora se junte a Ageu para exortar os judeus a concluírem o templo, a maior parte de seu livro está repleta de visões. Elas incorporam imagens poderosas que se concentram no final da história. Muitas das imagens de Zacarias estão incorporadas no último livro da Bíblia, Apocalipse.

Enquanto Zacarias encorajava sua própria geração a reconstruir o templo, ele queria que cada geração do povo de Deus soubesse que ele cumpriria as visões do futuro, que foram dadas aos profetas anteriores. O Messias de Deus virá, e seu governo será estabelecido na Terra.

Ponto importante

## O que há de especial em Zacarias

1. **As oito visões (Zacarias 1:1-8:19).** Em 15 de fevereiro de 519 a.C., foi dada a Zacarias uma série de visões. Cada visão tem a ver com o futuro do povo judeu. Embora as potências mundiais gentias controlassem a Terra Santa, Deus cumpriria suas antigas promessas. Segue uma lista do que significavam as visões de Zacarias e onde elas podem ser encontradas:

1. Deus está cuidando de Jerusalém (Zacarias 1:7-17).
2. As nações que dominam Jerusalém cairão (Zacarias 1:18-21).
3. Deus protegerá e prosperará Jerusalém (Zacarias 2:1-13).
4. O Messias virá e levará embora os pecados (Zacarias 3:1-10).
5. Deus proverá os recursos necessários (Zacarias 4:1-14).
6. Deus castigará os malfeitores (Zacarias 5:1-4).
7. Deus purificará a terra da maldade (Zacarias 5:5-11).
8. O Messias de Deus será sacerdote e rei (Zacarias 6:1-15).

Compare apenas duas dessas profecias e seus cumprimentos.

| A PROFECIA DE ZACARIAS | O CUMPRIMENTO NO NOVO TESTAMENTO |
|---|---|
| Eis que o seu rei vem a você, justo e vitorioso, humilde e montado num jumento, um jumentinho, cria de jumenta. (Zacarias 9:9) | Trouxeram a jumenta e o jumentinho, colocaram sobre eles os seus mantos, e sobre estes Jesus montou [...] A multidão que ia adiante dele e os que o seguiam gritavam: "Hosana ao Filho de Davi! Bendito é o que vem em nome do Senhor! Hosana nas alturas!" (Mateus 21:7-9) |
| E o SENHOR me disse: "Lance isto ao oleiro", o ótimo preço pelo qual me avaliaram! Por isso tomei as trinta moedas de prata e as atirei no templo do SENHOR, para o oleiro. (Zacarias 11:13) | Quando Judas, que o havia traído, viu que Jesus fora condenado, foi tomado de remorso e devolveu aos chefes dos sacerdotes e aos líderes religiosos as trinta moedas de prata [...] Então Judas jogou o dinheiro dentro do templo e, saindo, foi e enforcou-se [...] Então decidiram usar aquele dinheiro para comprar o campo do Oleiro, para cemitério de estrangeiros. (Mateus 27:3,5,7) |

2. **Perguntas sobre jejum (Zacarias 7-8).** Durante o cativeiro, os judeus observaram dois feriados solenes que celebravam a queda da cidade e a destruição do templo. Perguntaram a Zacarias se, naquele momento que o templo estava quase concluído, o povo deveria continuar a observar esses feriados, durante os quais eles jejuavam. A resposta de Deus?

jejum
Mateus 9:14-15; Atos 13:3

ZACARIAS 7:9-10 *Assim diz o* SENHOR *dos Exércitos: "Administrem a verdadeira justiça, mostrem misericórdia e compaixão uns para com os outros. Não oprimam a viúva e o órfão, nem o estrangeiro e o necessitado. Nem tramem maldades uns contra os outros."*

3. **A intervenção de Deus no final da história (Zacarias 9:1-14:20).** Estes capítulos são notáveis, porque contêm uma série de profecias claras sobre o Messias, que foram cumpridas por Jesus Cristo.

Mais uma vez, a história revela como as profecias do Antigo Testamento se cumprem com precisão no mundo real. Uma série de profecias em Zacarias corresponde a eventos que ocorreram quase no fim da vida de Jesus. No primeiro "Domingo de Ramos", Jesus entrou em Jerusalém montado no animal prenunciado em Zacarias 9:9 (compare Mateus 21:4,5; João 12:12-16). Zacarias prenunciou sua prisão (Zacarias 13:7; compare Mateus 26:31) e que ele seria vendido pelo preço de um escravo (Zacarias 11:12; compare Mateus 27:3-10). Até suas feridas na "casa de [seus] amigos" (Zacarias 13:6) e os furos em seu corpo na cruz (Zacarias 12:10) foram previstos. E aconteceram exatamente como prenunciados quase quinhentos anos antes!

## Malaquias

### ...cai a escuridão

| | |
|---|---|
| **Quem?** | O profeta Malaquias |
| **O quê?** | escreveu este último livro do Antigo Testamento |
| **Onde?** | ao povo de Jerusalém |
| **Quando?** | por volta de 400 a.C. |
| **Por quê?** | para examinar suas ações e responder ao amor constante de Deus |

## Não fizemos nada de errado

### Visão geral

*Malaquias*

O profeta desafia o povo de Deus a honrar o Senhor, mas eles insistem que já fizeram as pazes com ele. Malaquias expõe o autoengano deles, dando respostas de Deus às objeções que eles levantaram, negando as acusações divinas. Malaquias deixa claro que o povo escolhido de Deus:

- ✦ Negligencia a Deus (Malaquias 1:6-2:9).
- ✦ Quebra compromissos (Malaquias 2:10-16).
- ✦ Nega a importância de Deus (Malaquias 3:4-4:2).

Neemias 13 dá detalhes sobre os repetidos pecados daqueles que haviam voltado a se estabelecer em Jerusalém. Escrevendo cerca de trinta anos mais tarde, o profeta Malaquias deixa claro que, dentro de algumas décadas, o povo de Deus estaria novamente indiferente a ele. Este último livro do Antigo Testamento serve como um lembrete de que, ao longo da história, Deus foi generoso com seu povo; mas, repetidas vezes, eles se desviaram dele. É certo que Deus teria de fazer algo drasticamente diferente se quisesse cumprir suas antigas promessas e redimir a humanidade.

O Antigo Testamento termina com esta nota sombria. Cerca de quatrocentos anos se passariam antes que uma nova esperança irrompesse no mundo, quando Deus enviou seu próprio Filho para se tornar um ser humano e trazer homens e mulheres perdidos de volta para ele.

O livro termina com uma promessa e um desafio. Deus enviará ao seu povo um Elias para trazer o coração deles de volta... "Do contrário, eu virei e castigarei a terra com maldição" (Malaquias 4:6).

## O que há de especial em Malaquias?

1. **Deus afirma seu amor contínuo por seu povo (Malaquias 1:2-5).** Nos tempos antigos, Deus escolheu os descendentes de Abraão, Isaque e Jacó para serem seu próprio povo, enquanto rejeitava qualquer reivindicação dos descendentes de Esaú para um relacionamento especial com ele. Deus nunca vacilou nessa escolha e nunca vacilará.

**Deus escolheu os descendentes**
Romanos 9:10-13

**Esaú**
Gênesis 36:1-9

2. **O povo de Deus tornou-se indiferente e insensível (Malaquias 1:6-2:16).** Malaquias mostra as ações que respaldam a acusação de Deus. O povo lhe oferece animais imperfeitos como sacrifícios, os sacerdotes veem o serviço no templo como um fardo e as pessoas são infiéis aos seus cônjuges. Se o povo de Judá realmente honrasse a Deus em seu coração, suas atitudes e ações, de fato, seriam muito diferentes.

As pessoas que se preocupam profundamente em agradar a Deus são reconhecidas pela vida que vivem, e não pelas palavras que falam.

3. **Deus marca as pessoas que o amam e se lembra delas (Malaquias 3:14-18).** Por mais corrupta que seja a sociedade em que vivemos, as pessoas que amam a Deus devem se reunir e honrá-lo. Malaquias contém estas palavras especiais de promessa com relação aos verdadeiros cristãos.

MALAQUIAS **3:16-18** *Depois, aqueles que temiam o* SENHOR *conversaram uns com os outros, e o* SENHOR *os ouviu com atenção. Foi escrito um livro como memorial na sua presença acerca dos que temiam o* SENHOR *e honravam o seu nome. "No dia em que eu agir", diz o* SENHOR *dos Exércitos, "eles serão o meu tesouro pessoal. Eu terei compaixão deles como um pai tem compaixão do filho que lhe obedece." Então vocês verão novamente a diferença entre o justo e o ímpio, entre os que servem a Deus e os que não o servem.*

## Resumo do capítulo

- ✦ As experiências de Daniel e de Ester mostraram que Deus continuou a cuidar de seu povo apesar de esse povo ter sido expulso da Terra Prometida.
- ✦ Ciro, o persa, cumpriu o prenúncio de Isaías ao permitir que os judeus voltassem à sua terra natal e reconstruíssem o templo de Jerusalém.
- ✦ Os profetas Ageu e Zacarias levaram os judeus a concluir o templo depois que a construção ficou interrompida por 18 anos.
- ✦ Esdras foi nomeado pelo rei persa para supervisionar a administração da lei daquele império e da Lei de Deus em Judá.
- ✦ Neemias serviu como governador de Judá. Ele reconstruiu os muros de Jerusalém e manteve o povo de Judá focado em cumprir as Leis de Deus.
- ✦ O último livro do Antigo Testamento, Malaquias, mostra como era difícil para o povo de Deus no Antigo Testamento manter seu zelo pelo Senhor. Para lidar efetivamente com o pecado, Deus teria de fazer algo realmente novo.

## Questões para estudo

1. Que livro do Antigo Testamento expressa o desespero dos judeus que foram levados cativos para a Babilônia?
2. Que livro contém um prenúncio específico sobre a data na qual o Messias prometido entraria em Jerusalém como o Rei anunciado por Deus?
3. Quem eram os dois líderes cujos livros falam do retorno dos exilados para Judá?
4. Que livro da Bíblia ensina, pelo exemplo, que Deus está no controle dos detalhes de nossa vida?
5. Qual é o nome do governante que, segundo prenúncio de Isaías, permitiria que os judeus voltassem para Jerusalém?
6. Quais são os dois profetas que incentivaram o povo que retornou a concluir a construção do templo de Deus?
7. Quando, aproximadamente, foi escrito o último livro do Antigo Testamento?

2ª Parte

# O Novo Testamento

# O Novo Testamento

## O que é o Novo Testamento?

O Novo Testamento é uma coletânea de 27 livros, todos escritos no século I d.C. Eles contam a história de Jesus de Nazaré, o Salvador prometido no Antigo Testamento.

## Por que se chama "Novo" Testamento?

Essa coletânea de 27 livros é "nova" comparada ao "Antigo" Testamento. O nome também se justifica pelo fato de que, quando Jesus morreu na cruz e ressuscitou dos mortos, ele tornou possível um novo relacionamento com Deus para todo aquele que crê nele.

## Conheça Deus pessoalmente por meio da leitura do Novo Testamento

O Antigo Testamento ajuda-nos a entender como é Deus. O Novo Testamento mostra-nos como podemos ter um relacionamento pessoal com Deus neste momento. Quando temos um relacionamento pessoal com Jesus, podemos ter satisfação ao amar a Deus e a outras pessoas.

## O que está no Novo Testamento?

Os livros do Novo Testamento estão divididos em quatro tipos diferentes de textos. Todos estes livros falam sobre Jesus Cristo e o que significa ser um seguidor dele. As perguntas mais importantes que qualquer pessoa pode levantar são feitas e respondidas nestes textos do Novo Testamento.

## As perguntas levantadas e respondidas pela Bíblia

### Os Evangelhos

|  |  |
| --- | --- |
| Mateus, Marcos, Lucas, João | Quem é Jesus?<br>O que os milagres de Jesus provam?<br>O que Jesus ensinou sobre Deus?<br>Por que Jesus teve de morrer?<br>Jesus realmente ressuscitou dos mortos? |

### Atos dos Apóstolos

|  |  |
| --- | --- |
| Atos | O que aconteceu com os seguidores de Jesus depois que ele ressuscitou dos mortos?<br>Como o movimento cristão se espalhou?<br>Quem os primeiros cristãos acreditavam que Jesus era? |

### Cartas escritas pelo apóstolo Paulo

|  |  |
| --- | --- |
| Romanos, 1 e 2Coríntios, Gálatas, Efésios, Filipenses, Colossenses, 1 e 2Tessalonicenses, 1 e 2Timóteo, Tito, Filemom | O que significa ser "salvo"?<br>Que poderes especiais Deus deu aos cristãos?<br>O que acontecerá quando Jesus voltar? |

### Cartas escritas por outros apóstolos

|  |  |
| --- | --- |
| Hebreus, Tiago, 1 e 2Pedro, 1, 2 e 3João, Judas | Como os seguidores de Jesus são diferentes? Deus conversa com os cristãos hoje?<br>Onde está Jesus e o que ele está fazendo neste momento? |

### Apocalipse

|  |  |
| --- | --- |
| Apocalipse | Como será o fim do mundo?<br>O que acontecerá com as pessoas que não confiaram em Jesus como Salvador?<br>Como será o céu? |

# Capítulo 12

# Jesus, o Salvador prometido

**Em destaque no capítulo:**

- Quem é Jesus?
- Jesus no Antigo Testamento
- Jesus no Novo Testamento
- Por que Jesus veio

## Vamos começar

Todos sabem que a figura central do Novo Testamento é Jesus Cristo. A maioria das pessoas já ouviu falar da história de seu nascimento em Belém e sabe que celebramos o Natal como seu aniversário. Na verdade, toda vez que observamos um calendário ou escrevemos a data, reconhecemos o fato de que Jesus é a pessoa mais importante que já existiu. O modo como contamos o tempo se dá por dias, meses e anos antes e depois de seu nascimento! Então, só faz sentido descobrirmos quem era este Jesus quando começamos a explorar a segunda metade da Bíblia, o Novo Testamento. O Novo Testamento fala sobre Jesus. Mas por quê? Quem é Jesus, afinal?

## Quem é este Jesus, afinal?

Todos admitem que Jesus foi uma pessoa real. Ele não foi apenas um mito ou um herói fictício. Ele realmente existiu. Contudo, as pessoas têm ideias diferentes sobre ele. Algumas dizem que foi uma pessoa comum, mas especialmente boa. Outras dizem que foi uma pessoa extraordinária que esteve perto de Deus, assim como outros grandes líderes religiosos. Algumas até afirmam que Jesus foi um pouco louco e descrevem-no como algum tipo de mensageiro divino até ser morto por ir longe demais.

**realmente existiu**
Atos 2:22-24

**realmente Deus**
Hebreus 1:1-4

Os cristãos, porém, têm uma ideia muito diferente sobre Jesus. Por quase dois mil anos, os cristãos têm certeza de que Jesus é realmente Deus. Eles acreditam que Deus optou por tornar-se um ser humano e viver entre nós. Uma das primeiras expressões dessa noção a respeito de Jesus é encontrada no Credo Apostólico — uma declaração que resume as crenças dos primeiros cristãos.

**Credo Apostólico**
uma antiga declaração cristã das crenças e dos ensinos dos seguidores de Jesus

**credo**
do latim *credo*, "creio"

**Espírito Santo**
Deus; a terceira pessoa da Santíssima Trindade

O **Credo Apostólico**:

Creio em Deus Pai Todo-poderoso,
Criador do céu e da terra.
E em Jesus Cristo, seu único Filho, nosso Senhor,
o qual foi concebido por obra do **Espírito Santo**,
nasceu da virgem Maria,
padeceu sob o poder de Pôncio Pilatos, foi crucificado, morto, e sepultado,
desceu ao Hades; ressuscitou ao terceiro dia,
subiu ao Céu, e está sentado à direita de Deus Pai Todo-poderoso,
donde há de vir a julgar os vivos e os mortos.
Creio no Espírito Santo,
na santa Igreja universal,
na comunhão dos santos,
na remissão dos pecados,
na ressurreição do corpo,
e na vida eterna. Amém.

Portanto, está claro que, para os cristãos, Jesus, que era uma pessoa real, está longe de ser um homem "comum" ou mesmo "extraordinário". Os cristãos afirmam que Jesus foi único. Somente ele pode ser chamado de Filho de Deus, porque ele era Deus, o Filho. Somente Jesus ressuscitou dos mortos e está no céu hoje. Somente Jesus voltará para julgar os vivos e os mortos no final da história.

Mas por que os cristãos olham para Jesus desta forma? A resposta é que toda a Bíblia, não somente o Novo Testamento, ensina que Jesus é Deus.

## Ele está no Antigo Testamento

Existem centenas de profecias no Antigo Testamento que falam de um Ungido que Deus enviará para libertar seu povo. Em hebraico, "Ungido" é *Messias*. Em grego, "Ungido" é *Cristo*. Assim, o verdadeiro significado do nome Jesus Cristo é "Jesus, o Ungido" ou "Jesus, o Messias".

Muitas das profecias do Antigo Testamento descrevem o que o Messias esperado fará. Mas algumas das profecias afirmam muito claramente quem será o Ungido. Quando observamos essas profecias, descobrimos que o Antigo Testamento realmente ensina que o Cristo seria o próprio Deus! Aqui estão algumas dessas profecias.

SALMOS 2:7 *Proclamarei o decreto do SENHOR: Ele me disse: "Tu és meu filho; eu hoje te gerei."*

1. **O salmo 2 retrata a revolta dos homens contra Deus (Salmos 2:1-3).** Ele descreve a resposta de Deus para a revolta (Salmo 2:4-6) e fala sobre o reino futuro de Cristo, o Messias (Salmos 2:7-9). Esses últimos versículos expressam a intenção de Deus de estabelecer seu Messias como o governante de todo o mundo. Em Salmos 2:7, o Senhor chama o Messias de "meu filho". A expressão "eu hoje te gerei" refere-se a um dia em que o Messias provará ser o Filho de Deus, não ao dia em que ele nasceu. Então, temos de perguntar: em que dia o Messias provou ser o Filho de Deus?

O Novo Testamento diz que, ao ressuscitar dos mortos, Jesus Cristo foi declarado como o Filho de Deus com poder (ver Romanos 1:3). Em Atos 13:32-33, o apóstolo Paulo aplica Salmos 2:7 à ressurreição, e o mesmo faz Hebreus 1:5, em que o escritor cita esse versículo de Salmos para mostrar que, como Deus, Jesus é maior que os anjos. O prenúncio no salmo 2 estava certo! Deus deu prova de que Jesus Cristo é o Filho de Deus.

**SALMOS 45:6,7** *O teu trono, ó Deus, subsiste para todo o sempre; cetro de justiça é o cetro do teu reino. Amas a justiça e odeias a iniquidade; por isso Deus, o teu Deus, escolheu-te dentre os teus companheiros ungindo-te com óleo de alegria.*

2. **Este salmo celebra a reunião final de Deus com os seres humanos, usando a metáfora de um casamento.** Neste salmo, o noivo é o Messias, que não só é mencionado como Deus, mas que, por ser Deus, reinará para todo o sempre.

### O que outros dizem

**James Smith**

É óbvio que o único trono que poderia legitimamente ser considerado eterno teria de ser ocupado pela divindade. O oráculo de Natã que prometeu a Davi um trono eterno tem seu cumprimento neste Governante. Ele reinará sobre a casa de Jacó para sempre, e seu Reino não terá fim (Lucas 1:33). Por essa razão, Pedro fala do Reino eterno de nosso Senhor e Salvador Jesus Cristo (2Pedro 1:11).[1]

**Isaías 7:14** *O SENHOR mesmo lhes dará um sinal: a virgem ficará grávida e dará à luz um filho, e o chamará Emanuel.*

**oráculo**
2Samuel 7:12

3. **Três coisas são impressionantes sobre esta profecia.** A primeira é que ela fala do filho de uma virgem, que nasceu sem um pai

humano. A segunda é que a criança se chamaria Emanuel. O nome em hebraico significa Deus conosco. E a terceira é que Isaías fez esta profecia setecentos anos antes do nascimento de Jesus!

O que Deus prometeu por meio de Isaías foi que Deus viria para estar conosco, nascendo como um bebê de uma virgem. E é exatamente isso que celebramos no Natal: o nascimento do menino Jesus pela virgem Maria!

**O que outros dizem**

*John F. MacArthur Jr.*

O nascimento virginal é uma suposição fundamental de tudo o que a Bíblia diz sobre Jesus. Rejeitar o nascimento virginal é rejeitar a divindade de Cristo, a precisão e a autoridade das Escrituras e uma série de outras doutrinas relacionadas que são a essência da fé cristã. Nenhuma questão é mais importante do que o nascimento virginal para nossa compreensão de quem é Jesus. Se negarmos que Jesus é Deus, negamos a essência do cristianismo.[2]

*ISAÍAS 9:6,7 Um menino nos nasceu, um filho nos foi dado, e o governo está sobre os seus ombros. E ele será chamado Maravilhoso Conselheiro, Deus Poderoso, Pai Eterno, Príncipe da Paz. Ele estenderá o seu domínio, e haverá paz sem fim sobre o trono de Davi e sobre o seu reino, estabelecido e mantido com justiça e retidão, desde agora e para sempre. O zelo do SENHOR dos Exércitos fará isso.*

4. **Esta profecia de Isaías deixa muito claro que o Messias é Deus como também homem.** Isaías diz que o menino que nasceu já é o Filho quando é dado. Foi Deus Filho, não Deus Pai, que nasceu em Belém. Em se tratando de sua família humana, ele era descendente de Davi, pois sua mãe e seu padrasto, José, eram descendentes do rei Davi. Mas o que Isaías diz sobre ele como o Filho? Observe os nomes que Isaías lhe atribui.

- Ele é Deus Poderoso.
- Ele é Pai Eterno, uma expressão que em hebraico significa o pai, ou a fonte, da eternidade!
- Como o Messias, ele reinará no trono de Davi para sempre.

Claramente, o Antigo Testamento ensina que a criança que está para nascer seria o próprio Deus!

## O que outros dizem

**Edward J. Young**

Com esta verdade revelada, nosso coração pode se alegrar, pois aquele que nasceu como o Deus poderoso é, portanto, capaz de salvar todos aqueles que nele depositam sua confiança.[3]

*Miqueias 5:2 Tu, Belém-Efrata, embora pequena entre os clãs de Judá, de ti virá para mim aquele que será o governante sobre Israel. Suas origens estão no passado distante, em* ***tempos antigos****.*

5. **Esta famosa profecia identifica Belém (veja Ilustração nº 13 na página 203) como o local do nascimento do Messias.** Cerca de setecentos anos depois de Miqueias ter feito esse prenúncio, Jesus nasceu — em Belém. Como o Messias prometido, ele seria o governante de Israel. Mas essa profecia acrescenta que, mesmo tendo nascido como um bebê, suas origens estão no passado distante, em tempos antigos (na eternidade). E quem existe desde a eternidade? Somente Deus.

Vá para

**governante**
Lucas 1:34-35; Mateus 1:20-21

**tempos antigos**
antes de o tempo começar ou de qualquer coisa ser criada

Mais uma vez, vemos que o Antigo Testamento indica que o Messias prometido, ou Cristo, seria tanto Deus quanto um ser humano.

## O que outros dizem

**C. F. Keil**

O anúncio de que este governante surgiria antes de todos os mundos inquestionavelmente pressupõe sua natureza divina; contudo, esse pensamento não era estranho para a mente profética na época de Miqueias; ele é expresso sem ambiguidade por Isaías ao dar ao Messias o nome de Deus Poderoso.[4]

Está claro que o Antigo Testamento ensinava que o Cristo prometido seria tanto Deus quanto homem. Alguns, no entanto, dizem que Jesus nunca declarou ser Deus. Mas, quando lemos os Evangelhos, que descrevem a vida de Jesus na terra, descobrimos que ele realmente disse que era Deus — e que seus ouvintes entenderam suas declarações!

*JOÃO 5:17,18 Disse Jesus: "Meu Pai continua trabalhando até hoje, e eu também estou trabalhando." Por essa razão, os **judeus** mais ainda queriam matá-lo, pois não somente estava violando o sábado, mas também estava dizendo que Deus era seu próprio Pai, igualando-se a Deus.*

*JOÃO 8:58,59 Disse Jesus: "Eu lhes afirmo que antes de Abraão nascer, Eu Sou!" Então eles apanharam pedras para apedrejá-lo, mas Jesus escondeu-se e saiu do templo.*

*MALAQUIAS 3:1 "Vejam, eu enviarei o meu mensageiro, que preparará o caminho diante de mim. E então, de repente, o Senhor que vocês buscam virá para o seu templo; o mensageiro da aliança, aquele que vocês desejam, virá."*

6. **As pessoas na época de Malaquias perguntavam: "Onde está o Deus da justiça?"** Deus, por meio do profeta, as advertiu dizendo que "o Senhor que vocês buscam virá para o seu templo". Nesta profecia sobre o Messias, ele é identificado no hebraico como o Senhor — o próprio Deus — que vem para seu próprio templo.

## Como ele pôde alegar isso?

EU SOU
Êxodo 3:14

**judeus**
não se refere ao povo judeu, mas aos líderes religiosos

1. **Os ouvintes de Jesus entenderam o que talvez ignoramos.** Ao comparar o que estava fazendo com a obra de Deus neste mundo e ao referir-se a Deus como seu Pai, Jesus estava, na verdade, declarando igualdade com Deus! Os líderes religiosos tinham de aceitar a alegação de Jesus e adorá-lo como Deus ou rejeitar a sua alegação. Eles se recusaram a crer que Jesus era o Filho de Deus, e, em vez disso, tentaram matá-lo!
2. **Ao revelar seu nome pessoal a Moisés, Deus se identificou como EU SOU.** João 8 registra uma discussão que Jesus teve com alguns dos líderes religiosos judeus. Cristo não apenas afirmou que Deus era seu pai, mas lhes disse: "Abraão, pai de vocês, regozijou-se porque veria o meu dia; ele o viu e alegrou-se" (João 8:56). Os líderes contestaram, dizendo que Jesus, nem mesmo com cinquenta anos de idade, deveria alegar ter conhecido o pensamento de Abraão. A resposta de Jesus foi declarar que ele já existia muito antes de Abraão nascer — porque Jesus era o próprio EU SOU, o SENHOR, do Antigo Testamento!

Novamente, os contemporâneos de Cristo entenderam sua alegação de divindade. Eles reagiram, tentando apedrejá-lo até a morte, porque não acreditavam que ele fosse quem dizia ser.

**O que outros dizem**

**Craig S. Keener**

EU SOU era um título para Deus. Jesus está declarando mais do que a ideia de que ele simplesmente existia antes de Abraão.[5]

Mateus **16:16-17** *Simão Pedro disse: "Tu és o Cristo, o Filho do Deus vivo." Respondeu Jesus: "Feliz é você, Simão, filho de Jonas! Porque isto não lhe foi revelado por carne ou sangue, mas por meu Pai que está nos céus."*

3. **Jesus enviou seus discípulos para circularem entre a multidão e ouvirem o que as pessoas estavam falando sobre ele.** Os discípulos relataram que todos sabiam que ele era alguém especial, tão grande como os profetas dos tempos antigos. Jesus, em seguida, perguntou aos discípulos quem eles diziam que ele era. Pedro respondeu por eles. Jesus não era simplesmente um profeta, mas o Messias, o Filho de Deus.

A resposta de Jesus para Pedro deixa bem claro que ele confirmou a impressão dos discípulos. Jesus era muito maior que qualquer profeta do passado, pois, como o Cristo prometido, Jesus era Deus Filho.

Mateus **26:63-64** *O sumo sacerdote lhe disse: "Exijo que você jure pelo Deus vivo: se você é o Cristo, o Filho de Deus, diga-nos." "Tu mesmo o disseste", respondeu Jesus.*

4. **Jesus foi preso e arrastado perante o *Sinédrio*.** Finalmente, o sumo sacerdote ordenou que Jesus lhes dissesse se ele era o Cristo. Observe que, ao fazê-lo, acrescentou a expressão "o Filho de Deus". O sumo sacerdote, que conhecia o Antigo Testamento, sabia muito bem que o Cristo deveria ser o próprio Deus! Jesus lhes disse que sim, que ele era o Cristo e que ele era Deus Filho. Jesus sabia quem ele era. Os líderes religiosos simplesmente se recusaram a crer nele.

**Sinédrio**
a suprema corte judaica

**O que outros dizem**

**C. S. Lewis**

Os cristãos acreditam que Jesus Cristo é o Filho de Deus porque ele disse isso. A outra evidência sobre ele os convenceu de que ele não era um lunático nem um impostor.[6]

## Prova definitiva

Depois que Jesus foi crucificado e ressuscitou dos mortos, o apóstolo Pedro pregou um sermão poderoso em Jerusalém. Esse sermão está registrado no capítulo 2 do livro de Atos dos Apóstolos. Pedro falou sobre Jesus, cujos milagres seus ouvintes testemunharam e de cuja crucificação, que havia ocorrido apenas dois meses antes, eles estavam bem cientes.

Pedro citou as profecias do Antigo Testamento que prenunciavam que o Messias morreria e se ergueria para a vida novamente, e que isso provava que ele era o próprio Deus. Apontando para a ressurreição de Jesus como a prova final, Pedro anunciou:

**ressuscitou dos mortos**
1Coríntios 15:3-8

**profecias**
Salmos 16:9-10; Isaías 53:9,11

Atos **2:36** *Que todo o Israel fique certo disto: Este Jesus, a quem vocês crucificaram, Deus o fez Senhor e Cristo.*

A ressurreição de Jesus foi uma prova definitiva. Jesus era tanto Senhor (Deus) como Cristo (o Messias prometido).

## Ele está no Novo Testamento também?

Após a ressurreição de Jesus, não havia espaço para dúvidas sobre quem era e é Jesus. O Novo Testamento faz uma série de declarações absolutamente claras sobre ele.

João **1:1-3,10,14** *No princípio era aquele que é a Palavra. Ele estava com Deus, e era Deus. Ele estava com Deus no princípio. Todas as coisas foram feitas por intermédio dele; sem ele, nada do que existe teria sido feito. [...] Aquele que é a Palavra estava no mundo, e o mundo foi feito por intermédio dele, mas o mundo não o reconheceu. [...] Aquele que é a Palavra tornou-se carne e viveu entre nós. Vimos a sua glória, glória como do Unigênito vindo do Pai, cheio de graça e de verdade.*

1. **O apóstolo João foi um dos seguidores de Jesus.** Ele escreveu seu Evangelho cerca de cinquenta anos depois que Jesus foi crucificado e ressuscitou dos mortos. O nome especial empregado por aqui para se referir ao Deus Filho é "a Palavra". O que João está dizendo é que Deus Filho sempre esteve associado com a missão de expressar Deus aos seres humanos. Como a Palavra, ele falou com Abraão e com Moisés. Como a Palavra, ele falou por meio dos profetas. E, nesse momento, Deus Filho, a Palavra eterna, fez-se carne. Ele nasceu como um ser humano e viveu por um tempo entre nós. Jesus Cristo é e sempre foi Deus.

ROMANOS 1:1-4 *O evangelho de Deus, o qual foi prometido por ele de antemão por meio dos seus profetas nas Escrituras Sagradas, acerca de seu Filho, que, como homem, era descendente de Davi, e que mediante o Espírito de santidade foi declarado Filho de Deus com poder, pela sua ressurreição dentre os mortos: Jesus Cristo, nosso Senhor.*

2. **O apóstolo Paulo faz-nos lembrar de que não havia segredos reais sobre o Messias esperado.** Deus já havia falado anteriormente ao seu povo sobre o Cristo. Tudo o que uma pessoa precisava fazer era ler os profetas do Antigo Testamento para saber que o Cristo seria um descendente de Davi e para saber que o Cristo também seria Deus! A ressurreição de Jesus foi a prova final de que era sobre Jesus que os profetas falaram.

Jesus foi e é o Filho de Deus. Na Carta aos Filipenses, o apóstolo Paulo exorta os cristãos a seguirem o exemplo de Jesus quando pensava nos outros. Em seguida, ele descreve o quanto Deus Filho se sacrificou para chegar à terra como ser humano.

FILIPENSES 2:5-11 *Seja a atitude de vocês a mesma de Cristo Jesus, que, embora sendo Deus não considerou que o ser igual a Deus era algo a que devia apegar-se; mas esvaziou-se a si mesmo, vindo a ser servo tornando-se semelhante aos homens. E, sendo encontrado em forma humana, humilhou-se a si mesmo e foi obediente até a morte, e morte de cruz! Por isso Deus o exaltou à mais alta posição e lhe deu o nome que está acima de todo nome, para que ao nome de Jesus se dobre todo joelho, nos céus, na terra e debaixo da terra, e toda língua confesse que Jesus Cristo é o Senhor, para a glória de Deus Pai.*

3. **Enquanto esteve na terra, Cristo nunca deixou de ser Deus, mas renunciou às prerrogativas da Divindade.** Jesus permitiu-se ser tratado como um escravo e até ser morto por criaturas que ele mesmo havia criado!

Mesmo que os profetas do Antigo Testamento tenham dito que o Cristo seria Deus, alguns no século I ficaram confusos. Jesus era um anjo e não o próprio Deus? Para deixar bem claro quem Jesus era e é, o apóstolo Paulo escreveu estas palavras na Carta aos Colossenses:

COLOSSENSES 1:15-17 *Ele [Jesus] é a imagem do Deus invisível, o primogênito de toda a criação, pois nele foram criadas todas as coisas nos céus e na terra, as visíveis e as invisíveis, sejam tronos ou soberanias, poderes ou autoridades; todas as coisas foram criadas por ele e para ele. Ele é antes de todas as coisas, e nele tudo subsiste.*

4. **Muitas expressões neste parágrafo são importantes...**.a imagem do Deus invisível... Jesus é a expressão visível do Deus invisível... o primogênito de toda a criação... Nos tempos bíblicos, "primogênito" era um termo legal que identificava uma pessoa como herdeira com o direito de herdar uma propriedade. Paulo não está sugerindo que o Filho de Deus tenha sido criado. Paulo está dizendo que, como Deus Filho, Jesus é o herdeiro legítimo do universo, pois, por ele, todas as coisas foram criadas. Para ter certeza de que sua referência ao primogênito não seja mal-interpretada, Paulo passa a declarar que Jesus é o Criador de tudo o que existe. Na Bíblia, soberanias ou poderes ou autoridades são anjos. Jesus não pode ser um anjo, porque ele criou todo ser que existe na esfera invisível e também visível.

Quem é Jesus? É aquele que o Antigo Testamento disse que seria o Cristo: o Messias prometido, o próprio Deus! Como Deus, Cristo não somente criou o universo, mas, ainda agora, seu poder é tudo o que une o universo.

> HEBREUS 1:1-3 *Há muito tempo Deus falou muitas vezes e de várias maneiras aos nossos antepassados por meio dos profetas, mas nestes últimos dias falou-nos por meio do Filho, a quem constituiu herdeiro de todas as coisas e por meio de quem fez o universo. O Filho é o resplendor da glória de Deus e a expressão exata do seu ser, sustentando todas as coisas por sua palavra poderosa.*

5. **O escritor da Carta aos Hebreus começa recapitulando como Deus se comunicava com os seres humanos no passado.** Aquelas formas mais antigas de falar conosco agora foram substituídas. Estes versículos expressam uma série de pontos importantes.

- Deus falou conosco por meio de seu Filho.
- Jesus é o Filho de Deus.
- O Filho é aquele que criou os mundos.
- O Filho é o resplendor da glória de Deus.
- O Filho é a expressão exata de seu ser.
- O Filho ainda agora sustenta todas as coisas.

**manifestou-se**
revelou-se, foi claramente visto

### O que outros dizem

**F. F. Bruce**

Ele é a imagem da essência de Deus — a marca de seu ser. Assim como a imagem e a inscrição em uma moeda correspondem exatamente ao modelo no cunho, o Filho de Deus tem a mesma marca de sua natureza [...] O que Deus é, em essência, **manifestou-se** em Cristo. Ver Cristo é ver como é o Pai.[7]

## Então, por que ele veio?

Quando observamos a evidência, é claro que o Antigo e o Novo Testamentos estão de acordo sobre quem é Jesus. Jesus é Deus Filho. No Antigo Testamento, o Messias prometido pelos profetas seria o próprio Deus. O próprio Jesus afirmou ser o Filho de Deus, e a sua ressurreição é prova de que ele estava dizendo a verdade. Os escritores do Novo Testamento, de modo inequívoco, identificam Jesus como o mesmo Deus que criou o universo. Assim, o testemunho da Bíblia é consistente e claro.

Mas por que Deus optou por vir ao nosso mundo e viver aqui como ser humano? Por que Deus permitiu que seu Filho fosse crucificado, e por que Jesus foi para a cruz por livre e espontânea vontade?

Isso é algo que descobriremos quando examinarmos mais atentamente o Novo Testamento e virmos como ele explica a morte e a ressurreição de Jesus. Por enquanto, porém, podemos considerar algo que Jesus disse:

> João **3:16** *Deus tanto amou o mundo que deu o seu Filho Unigênito para que todo o que nele crer não pereça, mas tenha a vida eterna.*

Jesus veio porque Deus nos ama. E, uma vez que Jesus veio, todos os que nele crerem poderão ter a vida eterna.

## Resumo do capítulo

- ✦ O Credo Apostólico é uma antiga declaração da fé cristã de que Jesus é Deus.
- ✦ O profeta Isaías prenunciou que uma virgem teria um filho, e que esse filho seria Deus conosco (Isaías 7:14).
- ✦ O profeta Miqueias prenunciou que o Cristo nasceria em Belém, mas que suas origens seriam desde a eternidade (Miqueias 5:2).
- ✦ Jesus afirmou ser o EU SOU — o Deus — do Antigo Testamento (João 8:58).
- ✦ A ressurreição de Jesus provou que ele era realmente o Filho de Deus (Romanos 1:3).
- ✦ Hebreus diz que Jesus é a expressão exata do ser de Deus (Hebreus 1:3).
- ✦ Jesus disse que o amor motivou Deus a enviar seu Filho ao mundo para dar vida eterna aos que cressem em Jesus (João 3:16).

## Questões para estudo

1. Quem é a figura central no Novo Testamento?
2. Identifique duas das quatro passagens do Antigo Testamento que indicam que o Messias é o próprio Deus.
3. Identifique duas das quatro passagens que relatam a própria declaração de Jesus em que ele diz ser Deus.
4. Que passagem do Novo Testamento ensina especificamente que, mesmo sendo Deus, Jesus se tornou um ser humano real?
5. Que evento provou que Jesus realmente era e é Deus?

# Capítulo 13

Em destaque no capítulo:

- Os quatro Evangelhos
- O nascimento milagroso de Jesus
- João Batista
- O batismo e a tentação de Jesus

# O nascimento e a preparação de Jesus

# Mateus • Marcos • Lucas • João

## Vamos começar

O Novo Testamento começa com os quatro Evangelhos. Cada **Evangelho** é um relato da vida de Jesus na Terra. Os três primeiros são chamados **sinóticos**, porque cada um está organizado cronologicamente. Neste capítulo, observaremos rapidamente cada um dos quatro Evangelhos e começaremos a traçar a história da vida de Jesus na Terra.

**evangelho**
"Boas-novas"

**sinóticos**
um resumo contando a história da vida de Jesus em ordem cronológica

**Império Romano**
no século I, a Europa, a Inglaterra, o Egito, a Ásia Menor e todo o Oriente Médio faziam parte do império de Roma

## Tudo sobre Jesus

Cada Evangelho conta a mesma história, muitas vezes descrevendo os mesmos eventos com quase as mesmas palavras. Por que, então, são deles os quatro relatos sobre a vida de Jesus no Novo Testamento? A razão é que cada um dos escritores dos Evangelhos molda seu relato sobre a vida de Cristo para um grupo diferente de pessoas no **Império Romano** do século I. Mateus moldou seu relato para o leitor judeu, enfatizando como Jesus cumpriu as profecias do Antigo Testamento sobre o Messias. Marcos moldou seu relato para os romanos, a fim de mostrar que Jesus era um homem de ação. Lucas moldou seu relato para os gregos, a fim de mostrar que Cristo era o ser humano ideal. O Evangelho de João enfatiza a divindade de Cristo, e foi escrito para estimular a fé salvadora em Jesus, o Filho de Deus.

## Mateus

### ...BOA NOTÍCIA PARA OS JUDEUS

| | |
|---|---|
| **Quem?** | O discípulo Mateus |
| **O quê?** | escreveu este relato sobre a vida de Jesus |
| **Onde?** | na **Terra Santa** |
| **Quando?** | em torno de 60 d.C. |
| **Por quê?** | para provar aos judeus que Jesus é o Messias prometido do Antigo Testamento |

*Terra Santa*
atual região de Israel e Palestina

Mateus: Mateus era um cobrador de impostos — alguém que colaborava com os romanos na exploração de seu próprio povo. Quando Jesus o chamou para ser um discípulo, imediatamente deixou sua desprezível ocupação e assumiu o compromisso de seguir a Cristo.

## O que há de especial no Evangelho de Mateus?

Muitas vezes, Mateus cita o Antigo Testamento ou se refere a ele para mostrar como Jesus cumpriu suas profecias sobre o Messias. Os pontos importantes no Evangelho de Mateus, que são enfatizados mais do que nos outros Evangelhos, são:

- ✦ O sermão da montanha (Mateus 5-7).
- ✦ As parábolas de Jesus acerca do Reino (Mateus 11-13).
- ✦ O ensinamento de Jesus sobre o futuro (Mateus 24-25).

## Marcos

### ...BOA NOTÍCIA PARA OS ROMANOS

| | |
|---|---|
| **Quem?** | João Marcos |
| **O quê?** | escreveu este relato sobre a vida de Jesus |
| **Onde?** | em Roma |
| **Quando?** | por volta de 55 d.C. |
| **Por quê?** | para apresentar Jesus aos romanos como um homem de autoridade e ação |

MARCOS: Marcos era jovem quando Jesus morreu. Após a ressurreição de Jesus, Marcos tornou--se um dos apóstolos da equipe missionária de Pedro. Seu Evangelho registra histórias de Pedro como testemunha ocular da vida e do ministério de Jesus.

## O que há de especial no Evangelho de Marcos?

Marcos é o mais curto dos Evangelhos. Concentra-se nas ações de Jesus, e não em seus ensinamentos, a fim de demonstrar sua autoridade, que atraiu o romano **pragmático**. Cerca de um terço do livro fala sobre a última semana de Jesus na Terra, terminando com a morte e a ressurreição de Cristo.

**pragmático**
prático

### LUCAS

**...BOA NOTÍCIA PARA OS GREGOS**

| | |
|---|---|
| **Quem?** | O médico Lucas |
| **O quê?** | escreveu este relato sobre a vida de Jesus |
| **Onde?** | em Cesareia |
| **Quando?** | por volta do ano 58 d.C., enquanto Paulo estava na prisão |
| **Por quê?** | para apresentar Jesus como o ser humano ideal que veio buscar e salvar o perdido |

LUCAS: Lucas foi um médico que se converteu na primeira viagem missionária do apóstolo Paulo e que se tornou um membro de sua equipe missionária. Seu estilo de escrita mostra que ele era um homem muito culto. Lucas viajou com Paulo até o apóstolo ser executado. Ele também escreveu o livro de Atos, um relato sobre a propagação do evangelho após a ressurreição de Jesus.

## O que há de especial no Evangelho de Lucas?

Lucas, o mais longo dos Evangelhos, foi escrito depois que ele cuidadosamente investigou tudo desde o começo (Lucas 1:3), entrevistando testemunhas oculares dos eventos da vida de Jesus. Ele estava particularmente interessado em mostrar a consideração de Jesus pelas mulheres, pelos pobres e pelos oprimidos. Embora siga o mesmo plano cronológico de Mateus e Marcos, inclui seis milagres e 19 parábolas que não são encontrados nos outros Evangelhos.

## João

**...BOA NOTÍCIA PARA TODOS!**

| | |
|---|---|
| **Quem?** | O apóstolo João |
| **O quê?** | escreveu este relato teológico dos atos e ensinamentos de Jesus |
| **Onde?** | em Éfeso, na Ásia Menor |
| **Quando?** | de 80 d.C. a 90 d.C. |
| **Por quê?** | para inspirar a fé salvadora em Jesus Cristo |

JOÃO: João era sócio de um negócio bem-sucedido no ramo da pesca com seus irmãos, Tiago e Pedro, quando os três foram convidados por Jesus a seguirem-no. João viveu bem até seus noventa anos. Ele também escreveu três das cartas do Novo Testamento e o livro de Apocalipse.

## O que há de especial no Evangelho de João?

O Evangelho de João não está organizado cronologicamente. Pelo contrário, João escolhe milagres e ensinamentos de Jesus que enfatizam os principais temas teológicos, tais como novo nascimento (João 3), vida eterna (João 5), verdade (João 8), vida (João 11) e fé e incredulidade (João 4,7,12). Além disso, todos os eventos relatados por João acontecem na Judeia e em Jerusalém. João não relata incidentes que aconteceram na Galileia (veja Ilustração nº 13 na página 203).

Entre os pontos importantes do Evangelho de João, que não são encontrados em nenhum dos outros, estão:

- ✦ A ressurreição de Lázaro por Jesus (João 11).
- ✦ Os últimos ensinamentos de Jesus aos seus discípulos (João 13-16).
- ✦ A oração de Jesus pelos cristãos (João 17).

## Todos fluem em harmonia

Uma maneira de examinar a vida de Cristo dá-se pelo estudo de cada Evangelho separadamente. Outra maneira é seguir a ordem cronológica estabelecida nos três primeiros Evangelhos e basear-se em cada um deles. Adotamos aqui a segunda abordagem, que gerou o seguinte resumo:

## Visão geral da vida de Jesus Cristo

| | |
|---|---|
| Capítulo 13 | O nascimento milagroso de Jesus |
| | João Batista |
| | O batismo de Jesus |
| | A tentação de Jesus |

Capítulo 14 — Jesus demonstra sua autoridade
Os ensinos de Jesus sobre Deus
Jesus envolve-se em controvérsias

Capítulo 15 — As instruções de Jesus para seus discípulos
Jesus diante da oposição

Capítulo 16 — Jesus apresenta-se como rei de Israel
A rejeição e a morte de Jesus
A ressurreição de Jesus

Vá para

*Jesus nasceu*
Mateus 1-2;
Lucas 1-3

## Longe em uma manjedoura

### Visão geral

*O nascimento de Jesus*

Quando Jesus nasceu, o Império Romano (sob o comando do imperador Augusto) dominava o mundo mediterrâneo. A Terra Santa era governada pelo rei Herodes, o Grande, que governava por Roma. O primeiro indício de que a tão esperada era do Messias estava prestes a despontar foi uma série de visitações angelicais a um casal surpreendentemente comum. Contudo, ambos cumpriam um critério vital: os dois eram descendentes do rei Davi, de cuja linhagem, segundo os profetas, viria o Messias.

MARIA: Quando Jesus nasceu, Maria era uma adolescente de poucos recursos, noiva de um carpinteiro chamado José. A fé simples e total de Maria em Deus se revelou quando ela aceitou o papel de ser a mãe de Cristo, mesmo sendo virgem e tendo sua gravidez mal-interpretada.

JOSÉ: José, o carpinteiro que era noivo de Maria. Quando soube que ela estava grávida, ele planejou romper o noivado, mas foi visitado por um anjo que lhe disse que Maria não havia sido infiel aos seus compromissos de noivado.

HERODES, O GRANDE: O poderoso rei dos judeus estava velho e moribundo quando Jesus nasceu. Contudo, quando soube que um Rei dos judeus havia nascido, tentou desesperadamente matar o menino.

## O que há de especial na história do nascimento de Jesus?

Vá para

**Deus Filho**
João 1:1-3

**anunciados por anjos**
Lucas 1:5-25; 1:26-38; 2:8-19; Mateus 1:18-25

1. **Cristo era Deus Filho antes de nascer como homem (João 1:1-14).** João 12 mostra o que o Antigo Testamento, o próprio Jesus e o Novo Testamento ensinam sobre Jesus Cristo ser Deus Filho, que já existia desde a eternidade. Como dissemos, a vida de Cristo não começou quando Jesus nasceu!
2. **As duas genealogias de Jesus provam que ele era descendente de Davi (Mateus 1:2-17; Lucas 3:23-37).** O Antigo Testamento afirma que o Messias prometido seria um descendente de Davi. Tanto Mateus como Lucas traçam a linhagem de Jesus, citando apenas os indivíduos mais importantes. Ambos incluem Davi, mas as duas listas não mencionam exatamente os mesmos antepassados! A Bíblia está errada? A resposta é que uma genealogia é a de Maria, a mãe de Jesus, enquanto a outra é a de José, quem os vizinhos acreditavam ser o pai de Jesus!

### O que outros dizem

**Graham Scroggie**

A descendência davídica de Jesus nunca foi questionada. A alegação de ser o Messias nunca foi contestada com o pretexto de que sua descendência de Davi era duvidosa. Aqueles que não aceitaram o nascimento virginal sabiam que o título de Jesus estava determinado pela linhagem de José, e aqueles que aceitaram o nascimento virginal provavelmente tinham alguma razão para acreditar que Maria era de descendência davídica.[1]

**anjos**
seres espirituais que servem a Deus

**arcanjo**
um líder ou anjo do mais alto nível

3. **Visitações angélicas estão associadas ao nascimento de Jesus.** Embora todos os nascimentos de crianças sejam especiais, eles normalmente não são anunciados por **anjos**. No entanto, os Evangelhos registram nada menos que seis visitações angelicais ligadas ao nascimento e à infância de Jesus! Jesus era, de fato, especial.

1. O anjo Gabriel, um **arcanjo**, um dos anjos mais poderosos, prenunciou o nascimento de João Batista. O Antigo Testamento previu que Deus enviaria um mensageiro como Elias ao seu povo pouco antes do aparecimento do Messias (Malaquias 4:5-6). Gabriel apareceu a um sacerdote chamado Zacarias e anunciou que ele teria um filho chamado João, que cumpriria essa profecia.
2. O anjo Gabriel apareceu a uma jovem virgem chamada Maria e anunciou que ela teria um filho que seria o Messias e também o Filho do Altíssimo.

3. O anjo Gabriel apareceu a José, que estava **noivo** de Maria e disse--lhe que o filho dela era o Filho de Deus, concebido pelo Espírito Santo. O anjo ordenou a José que chamasse o menino de Jesus, porque ele remiria os pecados de seu povo.
4. Na noite em que Jesus nasceu, uma multidão de anjos apareceu aos pastores nos campos próximos a Belém, anunciando: "Hoje, na cidade de Davi, lhes nasceu o Salvador, que é Cristo, o Senhor" (Lucas 2:11).
5. Mais tarde, um anjo avisou José para deixar Belém e levar seu filho para o Egito (veja Mateus 2:13).
6. Pouco depois, outro anjo disse a José que era seguro voltar para sua pátria judaica (veja Mateus 2:19-21).

Deus em ação

**noivo**
prometido para casamento

**4. O nascimento e a infância de Jesus cumpriram as profecias do Antigo Testamento.** Mateus, que estava especialmente preocupado em mostrar que Jesus era o Messias prometido do Antigo Testamento, observa uma série de profecias que se cumpriram com o nascimento de Jesus:

| Profecia | Dada em... | Cumprida em... |
|---|---|---|
| Ele nasceu de uma virgem | Isaías 7:14 | Mateus 1:20 |
| Ele nasceu em Belém | Miqueias 5:2 | Mateus 2:3-6 |
| Herodes assassinou crianças na tentativa de matar Jesus | Jeremias 31:15 | Mateus 2:16-18 |
| Jesus, então, foi levado para o Egito | Oseias 11:1 | Mateus 2:13 |
| Ele cresceu em Nazaré | Isaías 40:3 | Mateus 2:21-23 |

### O que outros dizem

*J.W. Shepherd*

A ligação que Mateus deseja fazer entre a pessoa do Messias e a antiga profecia apresenta o relato independente do escritor. Lucas narra com simplicidade e concisão, com perfeita arte, as circunstâncias do nascimento e acrescenta o depoimento de várias testemunhas escolhidas por Deus, que dão a interpretação e o significado universal do evento. Mateus incrementa esse testemunho de interesse universal, introduzindo a narrativa dos magos, a fuga providencial para o Egito e o retorno para Nazaré em cumprimento do plano de Deus revelado na profecia.[2]

**magos**
estudiosos persas

**evangelista**
que chama as pessoas a responderem à mensagem do evangelho

5. **Testemunhas confirmam a identidade de Jesus (Mateus 2:1-12; Lucas 2:12-38).** Mateus e Lucas relatam outros testemunhos que confirmam a singularidade de Jesus. Duas das testemunhas deram seu depoimento publicamente quando Maria, obedecendo à lei do Antigo Testamento, veio ao templo com Jesus para oferecer um sacrifício para a purificação dela. As outras testemunhas, listadas a seguir, apareceram quando Jesus tinha cerca de dois anos de idade.
   1. Simeão, um judeu devoto que recebeu a promessa de ver o Messias antes de morrer. Deus o levou ao templo e ao menino Jesus.
   2. Ana, uma profetisa que passou a servir a Deus no templo depois que o marido morreu. No dia da morte de seu marido, Ana identificou Jesus como o Messias para todos os que esperavam a redenção de Jerusalém.
   3. Os sábios (Mateus 2:1-12). Eles são chamados de **magos** por Mateus. Viram uma estrela especial que indicava que o "Rei dos judeus" havia nascido e viajaram em direção ao oeste para Jerusalém, vindos da Pérsia.

Embora a história seja contada no Natal, Jesus tinha cerca de dois anos quando os sábios apareceram. Os presentes que eles trouxeram eram valiosos e financiaram a fuga da família para o Egito quando o rei Herodes tentou matar Jesus.

6. **Jesus viveu e cresceu como uma criança comum (Lucas 2:40-51).** O único incidente da infância de Jesus relatado na Bíblia conta como, aos 12 anos de idade, ele mostrou uma compreensão de Deus e de seus caminhos que surpreendeu os mestres adultos.

### O que outros dizem

**Alfred Edersheim**

Dos muitos anos passados em Nazaré, durante os quais Jesus passou dos primeiros anos de vida à infância, da infância à juventude, da juventude à fase adulta, a narrativa **evangelista** deixa-nos apenas breves comentários. De sua infância: o de que ele cresceu e se fortaleceu em espírito, cheio de sabedoria, e a graça de Deus estava sobre ele (Lucas 2:40); de sua juventude: além do relato em que ele questionou os rabinos no templo, um ano antes de atingir a maioridade judaica — o de que ele estava sujeito aos seus pais e de que crescia em sabedoria, em estatura e na graça diante de Deus e dos homens (Lucas 2:52).[3]

## Arrependa-se

### Visão geral

*João Batista*

Primo de Jesus. Seu nascimento e sua missão também foram anunciados por um anjo. Quando Jesus estava com quase trinta anos de idade, João Batista começou a pregar no vale do rio Jordão. Sua mensagem para Israel era "arrependa-se", porque o Messias prometido estava prestes a aparecer.

## O que há de especial na missão de João Batista?

1. **O ministério de João foi prenunciado por profetas do Antigo Testamento (Lucas 3:4-6).** Os escritores dos Evangelhos citam Isaías 40:3-5 para descreverem o papel de João na preparação do caminho para Jesus. Essa profecia diz:

LUCAS 3:4-6 *Voz do que clama no deserto: "Preparem o caminho para o Senhor, façam veredas retas para ele. Todo vale será aterrado e todas as montanhas e colinas, niveladas. As estradas tortuosas serão endireitadas e os caminhos acidentados, aplanados. E toda a humanidade verá a salvação de Deus."*

2. **A mensagem de João era de arrependimento (Lucas 3:7-14; Mateus 3:4-10; Marcos 1:2-6).** João exortou aqueles que vieram ouvi-lo para que se arrependessem, parassem de pecar e buscassem perdão. João **batizou** os que confessaram seus pecados e prometeram mudar.

**batizou** simbolizando a renovação e a mudança completa na vida da pessoa

3. **A promessa de João acerca do Salvador que haveria de vir (Mateus 3:11-12; Marcos 1:7-8; Lucas 3:15-18).** Quando as pessoas perguntaram se João podia ser o Messias, João disse-lhes que Cristo estava vindo. Ele as batizou com água. João disse-lhes que o Messias era muito maior que ele. Ele prometeu que o Messias batizaria com o Espírito Santo e com fogo.

## Ele veio

### Visão geral

**O batismo de Jesus**

Um dia, Jesus aproximou-se da beira do rio e pediu a João que o batizasse. João recusou--se a princípio, sabendo que seu primo era inocente dos pecados contra os quais ele pregava. Jesus insistiu em ser batizado para mostrar sua solidariedade à mensagem de João. Quando Jesus foi batizado, João ouviu Deus falar do céu, identificando Jesus como "meu Filho amado", e o Espírito Santo pôs-se sobre Cristo na forma de uma pomba. João percebeu que Jesus era o Messias que ele havia sido enviado a anunciar, e contou a Boa-nova a alguns de seus próprios seguidores.

## O que há de especial no batismo de Jesus?

Vá para

**batismo, Jesus**
Mateus 3:13-17;
Marcos 1:9-11;
Lucas 3:21-23;
João 1:19-34

1. **No batismo, Jesus foi identificado como o Messias (João 1:29-34).** Deus dissera a João que o Espírito Santo desceria visivelmente sobre o Messias. A voz vinda do céu e a pomba distinguiram Jesus como o Messias prometido.

O batismo de João significava o arrependimento pelos pecados cometidos. Mas Jesus não havia cometido pecado algum. Sabendo disso, João, que era seu primo, a princípio, recusou-se a batizá-lo. Por que Jesus quis ser batizado? Porque era necessário que Jesus mostrasse solidariedade à mensagem de João.

2. **Após o batismo, João apontou Jesus como o Messias (João 1:35).** O anúncio de João de que Jesus era o Filho de Deus foi a apresentação oficial dele à nação como seu Messias prometido. A obra de João como o precursor que prepararia o caminho para o Salvador foi concluída quando ele identificou Jesus como aquele que o Antigo Testamento prometeu.

## Eu o desafio

### Visão geral

**A tentação de Jesus**

Depois de ser batizado, Jesus foi levado pelo Espírito Santo ao deserto. Lá, ele ficou sem comer por quarenta dias. Quando ele estava fisicamente enfraquecido, Satanás apareceu e tentou Jesus, três vezes. Jesus resistiu a cada tentação e, ao fazer isso, provou seu direito moral de ser o Salvador da humanidade. Só uma pessoa sem pecado poderia morrer pelos pecados dos outros. Só depois de demonstrar sua própria capacidade de triunfar sobre a tentação foi que Jesus começou a pregar para os outros.

Jesus: Jesus, que é totalmente humano e verdadeiramente Deus, enfrenta cada tentação valendo-se dos recursos que estão à disposição de todos os que confiam em Deus.

Satanás: Satanás é o anjo mau que enganou Eva, levando-a a pecar no jardim do Éden. Satanás tenta, mas é incapaz de levar Jesus a fazer algo que está fora da vontade de Deus.

Vá para

**tentação de Jesus**
Mateus 4:1-11;
Marcos 1:12-13;
Lucas 4:1-13

**tentou**
Gênesis 3:1-7

## O que há de especial na tentação de Jesus?

1. **A tentação de transformar pedras em pão (Mateus 4:1-4).** Necessidades físicas e desejos são uma fonte de tentação que todos os seres humanos vivenciam. Quando Jesus teve fome, Satanás desafiou-o a transformar pedras em pão. Jesus recusou-se, citando Deuteronômio 8:3, que ensina que os seres humanos não devem viver só de pão, mas de toda palavra que sai da boca de Deus. Nós não somos animais que vivem por instinto. Podemos fazer escolhas, e nossas escolhas devem ser guiadas por Deus.
2. **A tentação de provar que Deus está presente (Mateus 4:5-7).** Satanás levou Jesus ao ponto mais alto do templo e o desafiou a se jogar de lá. Ele citou Salmos 91:11-12 para mostrar que Deus interviria e não deixaria Jesus se ferir. Jesus citou Deuteronômio 6:16, que diz que as pessoas não devem pôr Deus à prova. Os seres humanos devem viver pela fé, não pela tentativa de fazer Deus provar que está ao nosso lado.

**O que outros dizem**

*G. Campbell Morgan*

Ter-se lançado do alto do templo em direção ao **abismo** teria sido tentar a Deus, e, em última análise, não teria demonstrado confiança, mas sim falta dela. É quando duvidamos de uma pessoa que fazemos experimentos para descobrir até onde devemos confiar nela. Fazer qualquer tipo de experimento com Deus é revelar o fato de que não temos muita fé nele.[4]

**abismo**
precipício, profundidades

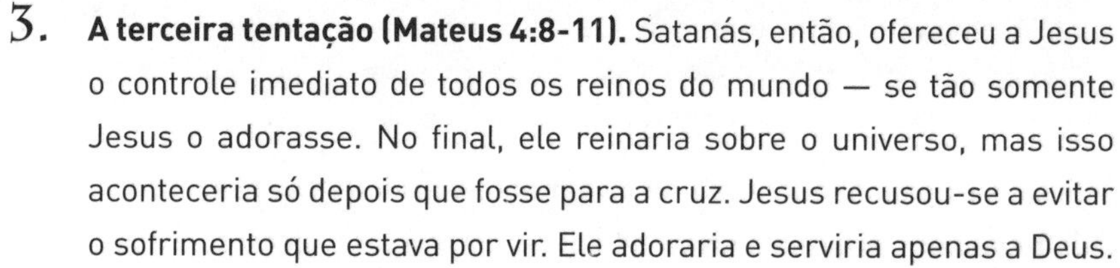

3. **A terceira tentação (Mateus 4:8-11).** Satanás, então, ofereceu a Jesus o controle imediato de todos os reinos do mundo — se tão somente Jesus o adorasse. No final, ele reinaria sobre o universo, mas isso aconteceria só depois que fosse para a cruz. Jesus recusou-se a evitar o sofrimento que estava por vir. Ele adoraria e serviria apenas a Deus.

4. **Jesus usou as Escrituras para enfrentar cada tentação.** Nas Escrituras do Antigo Testamento Jesus encontrou uma resposta para cada uma das tentações de Satanás. A Palavra de Deus pode nos ajudar a vencer nossas tentações também, mas temos de usar a Bíblia da mesma forma como Jesus a usou. Cristo não somente citou um versículo da Bíblia, mas pôs em prática o que aquele versículo ensinava.

Quando nós nos comprometermos a fazer o que a Bíblia ensina, também progrediremos no sentido de vencer nossas tentações.

## Resumo do capítulo

- ✦ Os quatro relatos dos Evangelhos sobre a vida de Jesus na terra foram adaptados de modo a atrair os grandes grupos de pessoas no Império Romano do século I.
- ✦ João é o "Evangelho universal". Ele enfatiza o fato de que Jesus veio e morreu para salvar todos os seres humanos, independentemente de origens étnicas.
- ✦ O nascimento de Jesus foi especial porque: (1) foi anunciado várias vezes por anjos; (2) foi o cumprimento de várias profecias do Antigo Testamento; e (3) Jesus nasceu de uma virgem sem um pai humano (Mateus 1-2; Lucas 1-3).
- ✦ João Batista cumpriu a profecia de Isaías — a de que um profeta anunciaria a aparição do Messias (Isaías 40:1-3).
- ✦ Deus identificou Jesus como o Messias quando ele foi batizado por João (Mateus 3; Lucas 3).
- ✦ Jesus provou seu direito moral de ser o Salvador ao vencer as tentações de Satanás (Mateus 4; Lucas 4).

## Questões para estudo

1. Quem escreveu o Evangelho endereçado aos judeus?
2. Quem escreveu o Evangelho endereçado aos romanos?
3. Que Evangelho não conta a história da vida de Jesus em ordem cronológica?
4. Por que as duas genealogias de Jesus são diferentes?
5. O que distinguiu o nascimento de Jesus como um evento especial e extraordinário?
6. Qual foi a mensagem de João Batista?
7. O que aconteceu no batismo de Jesus que mostrou que ele era o Messias prometido?
8. Por que foi importante que Jesus não se rendesse às tentações de Satanás?

# Capítulo 14

*Em destaque no capítulo:*

- A autoridade de Jesus
- Os ensinos de Jesus
- Controvérsia

# O início do ministério de Jesus
# Mateus • Marcos • Lucas • João

## Vamos começar

Após o batismo e o triunfo de Jesus sobre a tentação, ele começou a ensinar e a pregar na Galileia e na Judeia (veja Ilustração nº 13). Logo foi identificado como alguém diferente dos outros mestres, quando realizava milagres que surpreendiam aqueles que vinham para ouvi-lo. Ele ensinava como se falasse com a autoridade do próprio Deus. Os líderes religiosos sentiam-se ameaçados por esse homem que operava maravilhas, e por isso se opunham a ele, ainda que pessoas comuns se aglomerassem para ouvi-lo. Contudo, todos ainda estavam, no mínimo, um pouco indecisos sobre quem realmente era Jesus.

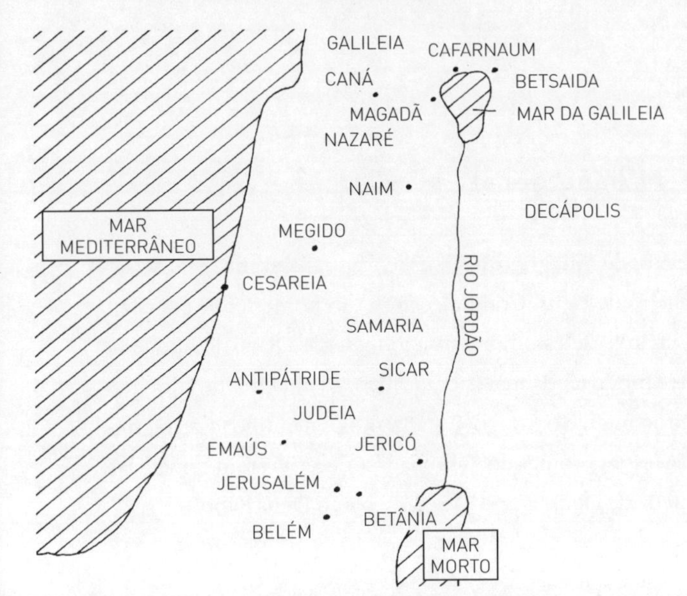


*Palestina*
a Terra Santa

**Ilustração nº 13**
**Palestina** do século I: Jesus ensinou e realizou milagres na Galileia e na Judeia por cerca de três anos.

**Vá para**

**milagres que Jesus realizou**
Mateus 4-12;
Marcos 1-3;
Lucas 4-6;
João 2-5

**discípulo**
uma pessoa que está sendo ensinada por outra

**rabinos**
mestres da Lei do Antigo Testamento

**milagres**
eventos sobrenaturais causados por Deus

Os discípulos: Vários grupos importantes aparecem nas histórias dos Evangelhos sobre Jesus. Os mais importantes são os discípulos de Jesus e os líderes religiosos que se opuseram a ele.

Jesus escolheu 12 homens que viajariam com ele. Ele os estava treinando para continuarem sua obra quando ele se fosse. Embora a palavra "**discípulo**" seja, às vezes, usada para descrever qualquer pessoa que siga a Jesus, a expressão "os discípulos" refere-se precisamente a esses 12. Dos 12, cujos nomes listamos a seguir, Pedro, Tiago e João eram os mais próximos de Jesus.

| | | | |
|---|---|---|---|
| Pedro | André | Mateus | Tadeu |
| Tiago | Filipe | Tomé | Simão |
| João | Bartolomeu | Tiago (o menor) | Judas |

Fariseus: Os fariseus eram um grupo pequeno, mas influente, de homens que afirmavam obedecer a cada minúcia da Lei de Deus. Eles acreditavam que as Escrituras e as interpretações que os **rabinos** faziam delas eram igualmente obrigatórias. Jesus obedeceu às Escrituras, mas ignorou tais interpretações. Os fariseus logo se tornaram inimigos de Jesus.

Saduceus: Os saduceus eram homens ricos que controlavam o sacerdócio. Eram rivais dos fariseus e reconheciam apenas os cinco primeiros livros do Antigo Testamento como Escrituras. Contudo, juntaram-se aos fariseus em sua oposição a Jesus, a quem viam como uma ameaça à riqueza e ao poder deles.

## Milagres do alto

### Visão geral

*Milagres*

Os Evangelhos contêm muitos relatos de **milagres** que Jesus realizou. Esses milagres deixavam claro que ele era um mensageiro de Deus. Como declarou um homem que era cego de nascença (até Jesus lhe dar a visão): "Se esse homem não fosse de Deus, não poderia fazer coisa alguma" (João 9:33). De modo ainda mais significativo, os milagres de cura que ele realizou nunca haviam sido feitos antes, e o Antigo Testamento os identificou como milagres que seriam realizados pelo Messias prometido. Os milagres de Jesus eram evidências de sua autoridade — como porta-voz de Deus, como Messias e como Deus Filho!

**O que outros dizem**

*Charles C. Ryrie*

Algumas características dos milagres de Cristo:

1. Eram realizados para propósitos maiores. Ele não os usou para sua conveniência pessoal (lembre-se da tentação de Jesus), mas para atender às necessidades concretas dos outros.
2. Não estavam limitados a uma única esfera da vida, por isso nunca poderiam ser considerados trapaças. Envolviam a natureza, os seres humanos e os demônios.
3. Eram realizados abertamente diante de espectadores e testemunhas. Quando os Evangelhos foram escritos, havia muitas pessoas vivas que tinham visto seus milagres e que teriam sabido e contestado se os escritores dos Evangelhos não tivessem registrado as histórias com precisão.[1]

## O que há de especial nas histórias de milagres dos Evangelhos?

1. **O primeiro milagre de Jesus produziu fé (João 2:1-11).** Depois de ser batizado, Jesus voltou para a Galileia com cinco dos homens que, mais tarde, tornaram-se seus discípulos. Eles pararam em um casamento em Caná. As festas de casamento, muitas vezes, duravam dias. Quando o vinho acabou, Jesus transformou água em vinho. Os companheiros de Jesus viram-no realizar esse milagre e seus discípulos depositaram nele sua fé.
2. **Os milagres de Jesus mostraram sua autoridade sobre a natureza (Mateus 4:18-22; Marcos 1:16-20; Lucas 5:1-11).** Jesus disse aos vários pescadores (que mais tarde tornaram-se seus discípulos) que saíssem nos barcos e lançassem as redes. A pesca havia acontecido durante a noite, por isso o experiente Pedro, achando que não adiantaria sair para pescar, disse: "Porque és tu quem está dizendo isto, vou lançar as redes" (Lucas 5:5). Um cardume tão grande de peixes deslizou para as suas redes, fazendo com que estas começassem a arrebentar, e com que os barcos começassem a afundar. Jesus controlou o curso dos peixes no mar!

Atônito, Pedro rogou a Jesus: "Afasta-te de mim, Senhor, porque sou um homem pecador!" (Lucas 5:8). Em vez disso, Jesus o convidou para segui-lo. Os milagres de Jesus surpreenderam as pessoas, mas tinham por objetivo atrair os outros a ele, em vez de afastá-los.

## Outros milagres — Autoridade sobre as forças da natureza

| Milagre | Referência |
|---|---|
| Jesus acalma uma tempestade | Mateus 8:23-27; Marcos 4:35-41; Lucas 8:22-25 |
| Jesus alimenta 5 mil | Mateus 14:15-21; Marcos 6:31-44; Lucas 9:10-17; João 6:1-13 |
| Jesus anda sobre as águas | Mateus 14:22-33; Marcos 6:45-52; João 6:14-21 |
| Jesus alimenta 4 mil | Mateus 15:32-39; Marcos 8:1-10 |
| Jesus seca uma figueira | Mateus 21:18-22; Marcos 11:12-26 |
| A moeda na boca do peixe | Mateus 17:24-27 |
| Outra pesca | João 21:1-17 |

**demônios**
espíritos malignos, os anjos caídos que seguem Satanás

3. **Os milagres de Jesus mostraram seu poder sobre os** demônios **(Marcos 1:21-28; Lucas 4:31-37).** Os Evangelhos frequentemente mencionam indivíduos possuídos por **demônios**. Nessa situação, o demônio tinha controle e atormentava a vítima ao simular uma doença dolorosa ou uma deficiência.

Os demônios que vitimavam as pessoas com quem Jesus tinha contato reconheciam-no como o "Santo de Deus" (Lucas 4:34). Inevitavelmente, Jesus ordenava que deixassem suas vítimas, e os demônios eram obrigados a obedecer-lhe.

A autoridade clara de Jesus sobre os demônios surpreendeu aqueles que testemunharam esses milagres. Como observa Lucas, "todos ficaram admirados, e diziam uns aos outros: 'Que palavra é esta? Até aos espíritos imundos ele dá ordens com autoridade e poder, e eles saem!'" (Lucas 4:36).

## Autoridade sobre os demônios

| Incidente | Referência |
|---|---|
| Jesus e um homem surdo/cego | Mateus 12:22-37; Marcos 3:22,30; Lucas 11:14-23 |
| Jesus e os endemoninhados de Gadara | Mateus 8:28-34; Marcos 5:1-20; Lucas 8:26-39 |
| Jesus e um mudo | Mateus 9:32-34 |
| A filha de uma mulher | Mateus 15:21-28; Marcos 7:24-30 |
| Jesus e um menino epiléptico | Mateus 17:14-21; Marcos 9:14-29; Lucas 9:37-43 |
| Jesus e uma mulher encurvada | Lucas 13:10-17 |

4. **Os milagres de Jesus mostraram sua autoridade sobre as doenças (Mateus 8:14-17; Marcos 1:29-34; Lucas 4:42-44).** Muitas passagens mencionam ocasiões em que Jesus curou muitas pessoas. Essas passagens descrevem uma cura que levou a muitas outras. A versão de Marcos diz:

**MARCOS 1:29-34** *Logo que saíram da sinagoga, foram com Tiago e João à casa de Simão e André. A sogra de Simão estava de cama, com febre, e falaram a respeito dela a Jesus. Então ele se aproximou dela, tomou-a pela mão e ajudou-a a levantar-se. A febre a deixou, e ela começou a servi-los. Ao anoitecer, depois do pôr do sol, o povo levou a Jesus todos os doentes e os endemoninhados [...] e Jesus curou muitos que sofriam de várias doenças.*

**O que outros dizem**

Charles C. Ryrie

Por que ela [a sogra de Simão] recebeu o milagre da cura? Para que ela pudesse servir ao Senhor. Aqui está indicada a razão pela qual Deus permitiu que ela adoecesse, assim como muitos outros de seus filhos: para que pudéssemos aprender que a vida, a saúde e a força nos são dadas para que possamos servir. A doença pode ser usada para ensinar-nos o que devemos fazer com nossa saúde.[2]

### OUTROS MILAGRES DE CURA QUE JESUS REALIZOU:

| MILAGRE DE CURA | REFERÊNCIA |
|---|---|
| O filho de um oficial | João 4:43-54 |
| Um leproso | Mateus 8:2-4; Marcos 1:40-45 |
| Um paralítico | João 5:1-23 |
| Um paralítico | Mateus 9:1-8; Marcos 2:1-12; Lucas 5:17-26 |
| A mão atrofiada | Mateus 12:9-14; Marcos 3:1-5; Lucas 6:6-11 |
| O servo de um centurião | Mateus 8:5-13; Lucas 7:1-10 |
| Uma mulher com hemorragia | Mateus 9:20-22; Marcos 5:25-34; Lucas 8:43-48 |
| Dois cegos | Mateus 9:27-31 |
| Um mudo | Marcos 7:31-37 |
| Um cego de nascença | João 9:1-41 |
| Um homem com hidropisia | Lucas 14:1-6 |
| Dez leprosos | Lucas 17:11-19 |
| O cego Bartimeu | Mateus 20:29-34; Marcos 10:46-52; Lucas 18:35-43 |
| A orelha de Malco | Mateus 26:51-54; Marcos 14:46-47; Lucas 22:49-51; João 18:10-11 |

5. **Os milagres de Jesus mostraram sua autoridade sobre a morte biológica (Marcos 5:35-43; Mateus 9:18-26; Lucas 8:41-56).** Jesus foi chamado à casa de um líder religioso cuja filha estava doente. Antes de ele chegar, a menina morreu. Aqueles que se reuniram para o funeral, que no judaísmo do século I acontecia imediatamente, zombaram de Jesus quando ele tranquilizou os pais. Marcos relata:

MARCOS 5:40-42 *Ele, porém, ordenou que eles saíssem, tomou consigo o pai e a mãe da criança e os discípulos que estavam com ele, e entrou onde se encontrava a criança. Tomou-a pela mão e lhe disse: "Talita cumi!", que significa "menina, eu lhe ordeno, levante-se!" Imediatamente a menina, que tinha doze anos de idade, levantou-se e começou a andar. Isso os deixou atônitos.*

Os Evangelhos relatam outras duas pessoas a quem Jesus ressuscitou dos mortos. O mais importante foi Lázaro, que estava morto havia três dias quando Jesus o chamou de volta à vida. Aqui está o lugar onde essas histórias podem ser encontradas:

**A AUTORIDADE DE JESUS SOBRE A MORTE BIOLÓGICA**

| PESSOA | ESCRITURAS |
|---|---|
| O filho de uma viúva | Lucas 7:11-16 |
| Lázaro | João 11:1-44 |

6. **Os milagres de Jesus mostraram sua autoridade para perdoar pecados (Mateus 9:1-8; Marcos 2:1-12; Lucas 5:17-26).** Quando os amigos de um paralítico literalmente abriram caminho pelo telhado de uma casa na qual Jesus estava ensinando, Cristo disse ao paralítico: "'Homem, os seus pecados estão perdoados'. Os fariseus e os mestres da lei começaram a pensar: 'Quem é esse que blasfema? Quem pode perdoar pecados, a não ser somente Deus?'" (Lucas 5:20-21).

Jesus sabia o que eles estavam pensando, e os desafiou. O que era mais fácil: pronunciar o perdão dos pecados ou ordenar a um paralítico que se levantasse e andasse? É claro que é mais fácil dizer: "Os seus pecados estão perdoados." Se uma pessoa diz a um paralítico: "Levante-se e ande", todos saberão com certeza que ela possui o poder de curar! Então, Jesus, para provar que tinha autoridade para perdoar pecados, ordenou ao paralítico que se levantasse e andasse, e foi o que aconteceu!

**O que outros dizem**

*Dwight Pentecost*

Cristo demonstrou por esse milagre de cura que era Deus e tinha a autoridade para perdoar pecados. O milagre silenciou os fariseus e os doutores da Lei, que haviam resistido à declaração de Cristo de que ele era Deus e podia perdoar pecados.[3]

Os milagres de Jesus foram, de fato, únicos e respaldaram totalmente sua declaração de ser o Messias prometido e sua autoridade para ensinar sobre Deus.

## Primeiro, o coração

**Visão geral**

*Sermão da montanha*

Enquanto realizava milagres, Jesus também ensinou as multidões que se reuniram para vê-lo. Dois sermões do início do ministério de Jesus estão registrados para nós. Jesus falou sobre os mesmos temas nesses que são conhecidos como o sermão da montanha, registrado por Mateus, e o sermão da planície, registrado por Lucas. Jesus deve ter pregado esses sermões muitas vezes enquanto viajava e falava às multidões na Galileia e na Judeia. Esse sermão reforça verdades importantes que Cristo enfatizou aos seus ouvintes do século I.

## O que há de especial no sermão da montanha?

1. **Jesus ensinou valores (Mateus 5:3-10).** As **bem-aventuranças** apresentam um conjunto de valores que Jesus espera que seus seguidores adotem, porque são importantes para Deus. Esses não são valores que a maioria das pessoas considera importantes.

*Vá para*

**sermão da montanha**
Mateus 5:1-7:29; Lucas 6:17-42

MATEUS 5:3-10

*Bem-aventurados os pobres em espírito, pois deles é o Reino dos céus.*
*Bem-aventurados os que choram, pois serão consolados.*
*Bem-aventurados os humildes, pois eles receberão a terra por herança.*
*Bem-aventurados os que têm fome e sede de justiça, pois serão satisfeitos.*

**bem-aventuranças**
declarações de bênçãos no sermão da montanha

*Bem-aventurados os misericordiosos, pois obterão misericórdia.*
*Bem-aventurados os puros de coração, pois verão a Deus.*
*Bem-aventurados os pacificadores, pois serão chamados filhos de Deus.*
*Bem-aventurados os perseguidos por causa da justiça, pois deles é o Reino dos céus.*

### O que Deus valoriza e o que as pessoas valorizam

**hedonistas** que buscam prazer

**Lei e os profetas** todo o Antigo Testamento

| Deus valoriza | As pessoas valorizam |
|---|---|
| Os pobres em espírito | Os autoconfiantes, os competentes, os autossuficientes |
| Os que choram | Os **hedonistas** |
| Os humildes | Os orgulhosos, os poderosos |
| Os que têm fome de justiça | Os satisfeitos, os bem-ajustados |
| Os misericordiosos | Os práticos, os bem-sucedidos |
| Os puros de coração | Os "adultos", os sofisticados, os liberais |
| Os pacificadores | Os agressivos, os competitivos |
| Os perseguidos por causa da justiça | Os populares, os tolerantes |

2. **Jesus explicou a verdadeira intenção da Lei do Antigo Testamento (Mateus 5:17-47).** Jesus disse aos seus ouvintes que ele não havia vindo para abolir a **Lei e os profetas**, mas para cumpri-los. No século I, um mestre que cumpria a Lei explicou seu significado mais profundo e verdadeiro. Jesus explicou o que Deus queria que as pessoas entendessem com as leis que ele tinha dado a Israel.

Ao fazer isso, Jesus deixou claro por que pediu uma justiça que fosse "muito superior à dos fariseus e mestres da lei" (Mateus 5:20). Os fariseus concentravam-se no comportamento que a Lei descrevia. Mas Jesus deixou claro que Deus está preocupado com o coração, não apenas com o comportamento.

Em uma série de ilustrações, Jesus comparou os mandamentos das Escrituras e as interpretações rabínicas com a justiça interior que Deus requer.

## O que Jesus ensinou sobre a verdadeira justiça

| Mateus 5 | Comportamento (fariseus) | Fonte | Justiça (Jesus) |
|---|---|---|---|
| vv. 21-26 | Não matem | A Lei do Antigo Testamento | Não fiquem nem sequer com raiva |
| vv. 27-30 | Não adulterem | A Lei do Antigo Testamento | Não tenham nem sequer cobiça |
| vv. 31-32 | Deem o divórcio legal | A Lei do Antigo Testamento | Não se divorciem; sejam fiéis |
| vv. 33-35 | Cumpram juramentos | Rabinos | Não tenham necessidade de juramentos; sejam sempre sinceros |
| vv. 38-48 | Odeiem os inimigos | Rabinos | Façam o bem aos seus inimigos; amem-nos |

**devoção**
reverência a Deus

**hipócrita**
um ator dando um show para impressionar os outros

**esmolas**
doações aos necessitados

3. **Jesus enfatizou a natureza pessoal de um relacionamento com Deus (Mateus 6:1-8).** Jesus comparou aqueles que realmente amam a Deus com os que têm como verdadeiro amor a reputação pela **devoção**. As expressões fundamentais nos exemplos de Jesus são: "para ser vistas" e "em segredo". Na realidade, o relacionamento com Deus é algo secreto e interno. Tanto o **hipócrita** como o verdadeiro cristão darão **esmolas** e orarão, mas o motivo e a natureza de suas ações serão diferentes. Jesus ensinou:

Mateus 6:2-4 *Quando você der esmola, não anuncie isso com trombetas, como fazem os hipócritas nas sinagogas e nas ruas, a fim de serem honrados pelos outros. Eu lhes garanto que eles já receberam sua plena recompensa. Mas quando você der esmola, que a sua mão esquerda não saiba o que está fazendo a direita, de forma que você preste a sua ajuda em segredo. E seu Pai, que vê o que é feito em segredo, o recompensará.*

### O que outros dizem

**John Wesley**

Os puros de coração são aqueles cujo coração Deus purificou mediante a fé no sangue de Cristo.[4]

4. **Jesus ensinou como se aproximar de Deus em oração (Mateus 6:9-13).** O que chamamos de "a Oração do Senhor", o pai-nosso, é encontrado no sermão da montanha. O que é importante não são apenas as palavras, mas as atitudes que as palavras expressam. Jesus disse: "Orem assim:"

MATEUS 6:9-13

*Pai nosso, que estás nos céus!*
*Santificado seja o teu nome.*
*Venha o teu Reino; seja feita a tua vontade, assim na terra como no céu.*
*Dá-nos hoje o nosso pão de cada dia.*
*Perdoa as nossas dívidas, assim como perdoamos aos nossos devedores.*
*E não nos deixes cair em tentação*
*mas livra-nos do mal*
*porque teu é o Reino, o poder e a glória para sempre. Amém.*

### CADA EXPRESSÃO DO PAI-NOSSO É IMPORTANTE

| A ORAÇÃO | O SIGNIFICADO |
|---|---|
| Pai nosso, | Precisamos de um relacionamento pessoal com Deus |
| que está nos céus! | Nós o reconhecemos como Senhor de tudo |
| Santificado seja o teu nome. | Honramos a Deus como alguém real e poderoso |
| Venha o teu Reino; | Aceitamos o direito de Deus de reinar em nossa vida |
| Seja feita a tua vontade... | Nós nos submetemos à vontade de Deus como nosso guia na vida |
| Dá-nos hoje | Reconhecemos nossa dependência de Deus |
| o nosso pão de cada dia. | Confiamos que ele suprirá nossas necessidades diárias básicas |
| Perdoa as nossas dívidas, | Reconhecemos nossas falhas |
| assim como perdoamos aos nossos devedores. | Comprometemo-nos a viver como pessoas perdoadas e capazes de perdoar |

| A ORAÇÃO | O SIGNIFICADO |
|---|---|
| E não nos deixes | Expressamos dependência de Deus para termos direção |
| cair em tentação, | Pedimos auxílio nas tentações |
| mas livra-nos do mal | Expressamos dependência de Deus para termos proteção |

5. **Jesus ensinou prioridades pessoais (Mateus 6:19-24).** Jesus ensinou que, de fato, uma pessoa não pode se concentrar no que se pode ganhar neste mundo e servir a Deus ao mesmo tempo. Sua advertência está resumida em Mateus 6:24: "Ninguém pode servir a dois senhores." A importância deste ensinamento é explicada alguns versículos antes. Os seres humanos estão destinados a existir eternamente, muito depois que a morte física puser fim à nossa vida nesta terra. É razoável dar prioridade ao eterno e duradouro, e não ao passageiro e temporário. Então, Jesus disse...

MATEUS 6:19-21 *Não acumulem para vocês tesouros na terra, onde a traça e a ferrugem destroem, e onde os ladrões arrombam e furtam. Mas acumulem para vocês tesouros nos céus, onde a traça e a ferrugem não destroem, e onde os ladrões não arrombam nem furtam. Pois onde estiver o seu tesouro, aí também estará o seu coração.*

6. **Jesus ensinou a confiança em Deus como um Pai amoroso (Mateus 6:25-34).** Apesar de os rabinos falarem de Deus como o Pai, ou a fonte do povo judeu, eles não pensavam em um relacionamento do indivíduo com Deus como o relacionamento entre uma criança e seu pai. Jesus ensinou que Deus é, por natureza, um Pai celestial e que ele tem o amor de um pai pelos seres humanos. A pessoa que tem um relacionamento pessoal com Deus tem-no como Pai, e isso significa que Deus está comprometido em cuidar dela.

Jesus expressou este ensinamento revolucionário em uma conhecida passagem que sobrepõe a liberdade à ansiedade na vida daqueles que conhecem a Deus como Pai:

MATEUS 6:25-34 *Eu lhes digo: Não se preocupem com sua própria vida, quanto ao que comer ou beber; nem com seu próprio corpo, quanto ao que vestir. Não é a vida mais importante que a comida, e o corpo mais importante que a roupa? Observem as aves do céu: não semeiam nem colhem nem armazenam em celeiros; contudo, o Pai celestial as alimenta. Não têm vocês muito mais valor do que elas? Quem de vocês, por mais que se preocupe, pode acrescentar uma hora que seja à sua vida? Por que vocês se preocupam com roupas? Vejam como crescem os lírios do campo. Eles não trabalham nem tecem. Contudo, eu lhes digo que nem Salomão, em todo o seu esplendor, vestiu-se como um deles. Se Deus veste assim a erva do campo, que hoje existe e amanhã é lançada ao fogo, não vestirá muito mais a vocês, homens de pequena fé? Portanto, não se preocupem, dizendo: "Que vamos comer?" ou "Que vamos beber?" ou "Que vamos vestir?" Pois os pagãos é que correm atrás dessas coisas; mas o Pai celestial sabe que vocês precisam delas. Busquem, pois, em primeiro lugar o Reino de Deus e a sua justiça, e todas essas coisas lhes serão acrescentadas. Portanto, não se preocupem com o amanhã, pois o amanhã trará as suas próprias preocupações. Basta a cada dia o seu próprio mal.*

A chave para entender esse ensinamento é a expressão "busquem, pois, em primeiro lugar o Reino de Deus e a sua justiça" (Mateus 6:33). Confiar em Deus como Pai significa colocar a atitude de agradar-lhe em primeiro lugar. Uma vez que Deus é nosso Pai, ele cuidará de nós quando o colocarmos em primeiro lugar.

7. **Jesus ensinou que devemos nos aproximar de Deus com nossas necessidades (Mateus 7:7-11).** Ele encorajou a dependência consciente de Deus. Uma maneira de expressar a dependência de Deus está na oração. Para incentivar a oração, Jesus fez uma analogia entre o amor de pais humanos e o amor de nosso Pai celestial.

Mateus 7:7-11 *Peçam, e lhes será dado; busquem, e encontrarão; batam, e a porta lhes será aberta. Pois todo o que pede, recebe; o que busca, encontra; e àquele que bate, a porta será aberta. Qual de vocês, se seu filho pedir pão, lhe dará uma pedra? Ou se pedir peixe, lhe dará uma cobra? Se vocês, apesar de serem maus, sabem dar boas coisas aos seus filhos, quanto mais o Pai de vocês, que está nos céus, dará coisas boas aos que lhe pedirem!*

8. **Jesus ensinou como edificar a vida (Mateus 7:24-27).** Quando o sermão de Jesus chegou ao fim, ele resumiu a escolha que cada ouvinte teria de fazer. Como muitas vezes fez, Cristo usou uma história para enfatizar seu ponto de vista. Nesse caso, foi a história de dois homens que estavam construindo casas. Uma estava construída em um alicerce de rocha sólida; a outra estava construída em um alicerce de areia.

Mateus 7:24-27 *Portanto, quem ouve estas minhas palavras e as pratica é como um homem prudente que construiu a sua casa sobre a rocha. Caiu a chuva, transbordaram os rios, sopraram os ventos e deram contra aquela casa, e ela não caiu, porque tinha seus alicerces na rocha. Mas quem ouve estas minhas palavras e não as pratica é como um insensato que construiu a sua casa sobre a areia. Caiu a chuva, transbordaram os rios, sopraram os ventos e deram contra aquela casa, e ela caiu. E foi grande a sua queda.*

Para podermos resistir às tempestades da vida, precisamos ouvir e praticar os ensinamentos de Jesus Cristo.

## Problema no caminho

### Visão geral

*Controvérsia*

Os milagres e ensinos de Jesus colocaram em foco a questão que Israel tinha pela frente. O povo de Deus aceitaria Cristo como o Messias e Filho de Deus? A princípio, parecia possível. Contudo, os líderes religiosos, que não podiam negar e não negavam os milagres de Cristo, começaram a desafiá-lo e a oporem-se publicamente a ele. Essa oposição ferrenha levou a dúvidas e incertezas cada vez maiores. Tanto Mateus como Marcos descrevem um confronto importante.

MATEUS **12:22-24** *Levaram-lhe um endemoninhado que era cego e mudo, e Jesus o curou, de modo que ele pôde falar e ver. Todo o povo ficou atônito e disse: "Não será este o Filho de Davi?" Mas quando os fariseus ouviram isso, disseram: "É somente por Belzebu, o príncipe dos demônios, que ele expulsa demônios."*

Jesus mostrou a insensatez da teoria deles. Se os poderes de Jesus fossem demoníacos, isso significaria que Satanás estava lutando contra si mesmo. Uma guerra civil espiritual como essa levaria à destruição do reino de Satanás. Era muito mais razoável imaginar que Jesus havia expulsado demônios pelo poder de Deus, caso em que Cristo era maior que Satanás, e o Reino de Deus realmente estava perto.

o Reino de Deus realmente estava perto
Mateus 12:26-29

A questão era clara. Mas o povo, acostumado a seguir seus líderes, estava confuso. Enquanto a controvérsia sobre quem era Jesus aumentava, a história do construtor sábio e do tolo se tornava cada vez mais significativa. O povo de Deus no Antigo Testamento edificaria seu futuro no alicerce sólido das palavras de Jesus ou se afastaria dele e edificaria na areia?

## Resumo do capítulo

- ✦ Jesus realizou muitos milagres na Galileia e na Judeia.
- ✦ Os milagres de Jesus demonstraram sua autoridade sobre a natureza, sobre os demônios, sobre a doença, sobre a morte, e sua autoridade para perdoar pecados.
- ✦ Jesus ensinou as pessoas, além de realizar milagres. Ele tentou ajudá-las a entender o significado de um relacionamento pessoal com Deus.
- ✦ Jesus ensinou sobre os valores de Deus, o verdadeiro significado de sua Lei, como orar e como confiar nele como um Pai amoroso.
- ✦ Em tudo o que Jesus fez e disse ele se mostrou como alguém com autoridade. Mas a oposição dos líderes religiosos a Jesus levou à controvérsia e à confusão sobre quem ele realmente era.

## Questões para estudo

1. Quem eram os discípulos de Jesus, quantos deles estavam presentes e o que os tornou especiais?
2. Quem eram os fariseus e os saduceus?
3. Os milagres de Jesus provaram que ele falava com autoridade divina. Que tipos de milagres Jesus realizou?
4. Sobre o que são as bem-aventuranças?
5. Como Jesus cumpriu a Lei e os profetas?
6. Por que a insistência de Jesus de que Deus é um Pai é tão importante?
7. Por que o povo não se convenceu com os milagres e ensinos de Jesus de que ele era realmente o Cristo?

# Capítulo 15

**Em destaque no capítulo:**

- ✦ Jesus diante da oposição
- ✦ As parábolas de Jesus
- ✦ Jesus instrui seus discípulos

# Jesus diante da oposição
# Mateus • Marcos • Lucas • João

## Vamos começar

Enquanto a oposição dos líderes religiosos se tornava cada vez mais evidente, ficava claro que a nação não saudaria Jesus como Messias e Rei. Portanto, ele começou a ensinar em parábolas e a dar instruções particulares para os discípulos, que nele criam.

**oposição a Jesus**
Lucas 11; João 7-9

**festa das cabanas**
a maior das festas hebraicas; durava sete dias

## Teremos você de algum modo

Os fariseus acusaram Jesus de recorrer ao poder de Satanás para realizar milagres. Enquanto sua oposição a Jesus acirrava, os líderes religiosos aproveitavam todas as oportunidades para desafiá-lo e enfraquecer seu poder de atrair as pessoas.

Os capítulos 7 a 9 do Evangelho de João descrevem o que aconteceu em um ano durante a **festa das cabanas**. João apresenta o cenário para nós, descrevendo a tensão enquanto todos esperavam que Jesus aparecesse em Jerusalém.

> **João 7:11-13** *Na festa os judeus o estavam esperando e perguntavam: "Onde está aquele homem?" Entre a multidão havia muitos boatos a respeito dele. Alguns diziam: "É um bom homem." Outros respondiam: "Não, ele está enganando o povo." Mas ninguém falava dele em público, por medo dos judeus [os líderes religiosos].*

## O que aconteceu quando Jesus chegou à festa?

### 1. Os líderes atacaram a autoridade de Jesus (João 7:11-15).

João 7:14-17 *Quando a festa estava na metade, Jesus subiu ao templo e começou a ensinar. Os judeus ficaram admirados e perguntaram: "Como foi que este homem adquiriu tanta instrução, sem ter estudado?" Jesus respondeu: "O meu ensino não é de mim mesmo. Vem daquele que me enviou. Se alguém decidir fazer a vontade de Deus, descobrirá se o meu ensino vem de Deus ou se falo por mim mesmo."*

No século I, o indivíduo tinha de estudar durante anos com um rabino reconhecido para ser aceito como professor de religião. Como Jesus podia ser um mestre sem ter estado na posição de aprendiz? Por esse raciocínio, concluía-se que Jesus não tinha autoridade para ensinar. Jesus respondeu que seu ensino vinha diretamente de Deus. Qualquer pessoa comprometida em fazer a vontade de Deus perceberia que Jesus estava ensinando a verdadeira Palavra de Deus.

### 2. Os líderes atacaram a pessoa de Jesus (João 7:25-29).

João 7:25-29 *Então alguns habitantes de Jerusalém começaram a perguntar: "Não é este o homem que estão procurando matar? Aqui está ele, falando publicamente, e não lhe dizem uma palavra. Será que as autoridades chegaram à conclusão de que ele é realmente o Cristo? Mas nós sabemos de onde é este homem; quando o Cristo vier, ninguém saberá de onde ele é." Enquanto ensinava no pátio do templo, Jesus exclamou: "Sim, vocês me conhecem e sabem de onde sou. Eu não estou aqui por mim mesmo, mas aquele que me enviou é verdadeiro. Vocês não o conhecem, mas eu o conheço porque venho da parte dele, e ele me enviou."*

Belém
Miqueias 5:2

A oposição dos líderes a Jesus, e seu desejo de vê-lo morto, era sabida por todos. As multidões não conseguiam entender por que os líderes simplesmente não o prendiam. Mas, ao mesmo tempo, elas aceitavam o argumento de seus líderes de que Jesus não podia ser o Messias porque era de Nazaré. Se tivessem examinado os registros genealógicos, eles teriam descoberto que ele nasceu em Belém, onde Miqueias disse que o Messias nasceria.

Mas Jesus se concentrou na questão central. Ele havia vindo diretamente de Deus! E esta nação não estava pronta para aceitar esse fato.

## O que outros dizem

**F.F. Bruce**

Jesus afirma mais uma vez seu relacionamento único com o Pai, e os seus ouvintes não podem ignorar a implicação de suas palavras.[1]

### 3. Os líderes tentaram pegar Jesus em uma armadilha (João 8:3-11).

João **8:3-6** *Os mestres da lei e os fariseus trouxeram-lhe uma mulher surpreendida em adultério. Fizeram-na ficar em pé diante de todos e disseram a Jesus: "Mestre, esta mulher foi surpreendida em ato de adultério. Na Lei, Moisés nos ordena apedrejar tais mulheres. E o senhor, que diz?" Eles estavam usando essa pergunta como armadilha, a fim de terem uma base para acusá-lo. Mas Jesus inclinou-se e começou a escrever no chão com o dedo.*

Jesus desafiou os acusadores: "Se algum de vocês estiver sem pecado, seja o primeiro a atirar pedra nela" [...] Os que o ouviram foram saindo, um de cada vez [...] Declarou Jesus: "Eu também não a condeno. Agora vá e abandone sua vida de pecado" (João 8:7-11). A lei era válida, mas Jesus veio trazendo um perdão tão transformador que aqueles que o aceitassem seriam capazes de deixar sua vida de pecado.

**4. Os líderes rejeitaram a prova conclusiva da autoridade de Jesus (João 9:1-41).** Outros incidentes que retratam a oposição a Jesus culminam na história de quando deu visão a um cego de nascença. Quando o milagre é mencionado aos fariseus, a princípio, eles tentam negá-lo. Contudo, quando muitas testemunhas se apresentam para atestar que o homem realmente era cego de nascença, os fariseus, desesperadamente, tentam tirar o crédito de Jesus.

Ao saberem que Jesus havia pegado lama e a colocado nos olhos do homem no sábado, eles anunciaram: "Esse homem não é de Deus, pois não guarda o sábado" (João 9:16a). Mas o problema com esta teoria foi expresso por outros: "Como pode um pecador fazer tais sinais miraculosos?" (v. 16b).

Finalmente, os fariseus rejeitaram sem rodeios a evidência diante de seus olhos e criticaram o homem a quem Jesus havia curado.

João **9:28-34** *Insultaram [o homem] e disseram: "Discípulo dele é você! Nós somos discípulos de Moisés! Sabemos que Deus falou a Moisés, mas, quanto a esse, nem sabemos de onde ele vem." O homem respondeu: "Ora, isso é extraordinário! Vocês não sabem de onde ele vem, contudo ele me abriu os olhos. Sabemos que Deus não ouve pecadores, mas ouve o homem que o teme e pratica a* *sua vontade. Ninguém jamais ouviu que os olhos de um cego de nascença tivessem sido abertos. Se esse homem não fosse de Deus, não poderia fazer coisa alguma." Diante disso, eles responderam: "Você nasceu cheio de pecado; como tem a ousadia de nos ensinar?" E o expulsaram.*

**O que outros dizem**

**F.F. Bruce**

Sem saber, o homem antecipa uma máxima rabínica expressa, mais tarde, assim: "Em todo aquele que está o temor do céu, suas palavras são ouvidas." Um milagre dessa magnitude deve ser reconhecido como uma resposta à oração; o homem que recebeu esta resposta não deve ser um homem comum.[2]

Os líderes religiosos foram tão firmes naquele momento em sua oposição a Jesus que, quando o argumento falhou, eles usaram seu poder para oprimir aqueles que reconheciam Jesus como o Cristo. Tornou-se cada vez mais claro que haviam conseguido impedir a nação de aclamar Jesus como Messias e Rei.

## Vocês não entenderão

Quando a controvérsia sobre Jesus aumentou, ele começou a ensinar por **parábolas**. Quando seus discípulos perguntaram por que ele falava às multidões em parábolas, o Mestre deu uma resposta surpreendente:

**parábolas**
Mateus 13;
Marcos 4

**parábolas**
histórias que ensinam uma lição

MATEUS **13:11,13** *A vocês foi dado o conhecimento dos mistérios do Reino dos céus, mas a eles não. Por essa razão eu lhes falo por parábolas: "Porque vendo, eles não veem e, ouvindo, não ouvem nem entendem."*

Jesus apresentou sua declaração como o Messias prometido em termos poderosos e claros. No entanto, os líderes religiosos rejeitaram-no e tentaram, desesperadamente, negar a evidência que autenticava seus milagres. Há alguns ensinamentos de Jesus que os cristãos precisam entender, mas que os incrédulos só distorcem. As parábolas contêm verdades que os seguidores de Jesus precisam entender — verdades que aqueles que o rejeitam só distorceriam ou negariam.

## O que é especial sobre as parábolas de Jesus?

Reino dos Céus
Mateus 13:11

1. **As parábolas têm a ver com o Reino dos Céus.** Jesus disse que suas parábolas dizem respeito aos segredos do Reino dos céus. A expressão "Reino dos céus" significa governo do céu, e, portanto, o modo como Deus exerce sua autoridade em nosso mundo. O que Jesus revelou em suas parábolas eram segredos, no sentido de que o que ele ensinava naquele momento não havia sido revelado no Antigo Testamento.
2. **As parábolas contrastam a forma esperada do Reino de Deus com uma forma "inovadora" que Jesus revelou (Mateus 13:1-50).** Os profetas do Antigo Testamento buscaram retratar um Reino visível de Deus na terra. Esse Reino existirá um dia; mas, uma vez que Israel rejeitou seu Messias e Rei, Deus apresentou uma forma inesperada de seu Reino, que existirá até o retorno do Salvador crucificado e ressurreto à terra.

Como é importante que respondamos a Jesus, e, por meio da fé nele, entremos nesse seu reino secreto hoje!

### AS PARÁBOLAS DO REINO

| PARÁBOLA | FORMA ESPERADA DO REINO DE DEUS | FORMA INESPERADA DO REINO DE DEUS |
|---|---|---|
| O semeador (Mateus 13:2-9,18-23) | O Messias faz todo o Israel e as nações se voltarem para ele | Os indivíduos respondem de forma diferente à palavra do Messias |
| Trigo e joio (Mateus 13:24-30,27-43) | Os cidadãos justos do Reino governarão o mundo com o rei | Os cidadãos do Reino vivem entre os homens do mundo, crescendo junto com eles até a colheita de Deus |
| O grão de mostarda (Mateus 13:31-32) | O Reino começa na glória majestosa | O Reino começa sem importância, sua grandeza vem de modo inesperado |
| Fermento (Mateus 13:33) | Apenas os justos entrarão no Reino; outra "matéria-prima" será excluída | O Reino começa com "matéria-prima" corrupta e cresce para encher o cristão de justiça |
| O tesouro escondido (Mateus 13:44) | O Reino é público e para todos | O Reino está escondido para "compra" individual |
| A pérola de grande valor (Mateus 13:45-46) | O Reino traz todas as coisas boas para os homens | O Reino exige que abandonemos todos os outros valores (Mateus 6:33) |
| A rede (Mateus 13:47-50) | O Reino começa com a separação dos justos | O Reino termina com a separação dos justos |

## Somente para você

MATEUS 16:13-15 *Chegando Jesus à região de Cesareia de Filipe, perguntou aos seus discípulos: "Quem os outros dizem que o Filho do homem é?" Eles responderam: "Alguns dizem que é João Batista; outros, Elias; e, ainda outros, Jeremias ou um dos profetas." "E vocês?", perguntou ele. "Quem vocês dizem que eu sou?"*

Com esse evento, uma mudança importante aconteceu no ministério de Jesus. Embora as pessoas o reconhecessem como um profeta, elas não o aceitavam como o Messias. No entanto, como mostrou a resposta de Pedro à pergunta de Cristo: "Quem vocês dizem que eu sou?", os discípulos reconheciam-no como o Cristo, o Filho de Deus. Desse momento em diante, Jesus concentrou-se em instruir seus discípulos.

Há muita coisa em cada Evangelho que reflete o ensino particular que Jesus deu aos que creram nele. Veremos parte dessa instrução particular e pessoal agora.

## O que há de especial na instrução de Jesus aos seus discípulos?

### 1. A instrução é para aqueles que creem em Jesus como o Cristo, o Filho de Deus.

MATEUS 16:15-18 *"E vocês?", perguntou ele [Jesus]. "Quem vocês dizem que eu sou?" Simão Pedro respondeu: "Tu és o Cristo, o Filho do Deus vivo." Respondeu Jesus: "Feliz é você, Simão, filho de Jonas! Porque isto não lhe foi revelado por carne ou sangue, mas por meu Pai que está nos céus. E eu lhe digo que você é Pedro, e sobre esta pedra edificarei a minha igreja, e as portas do* ***Hades*** *não poderão vencê-la."*

Vá para

a pedra é o próprio Cristo
1Coríntios 3:11

**Hades**
termo grego usado para se referir ao mundo dos mortos

Hoje, definimos um discípulo ou seguidor de Jesus por sua confiança nele como o Cristo, o Filho do Deus vivo. A instrução particular de Jesus nos Evangelhos é endereçada a todos os que compartilham a fé de Pedro.

Alguns pensaram que Cristo estivesse dizendo que Pedro era a pedra sobre a qual ele edificaria sua Igreja. Na verdade, a pedra é o próprio Cristo. Jesus é o Cristo, o Filho de Deus; ele é o alicerce sobre o qual se baseia o cristianismo.

## 2. Jesus começou a falar de sua crucificação, que se aproximava.

**crucificação**
forma de punição capital em que a vítima era amarrada ou pregada em uma cruz

**ressurreição**
o ato de ser trazido da morte para a vida eterna

Mateus 16:21 *Desde aquele momento Jesus começou a explicar aos seus discípulos que era necessário que ele fosse para Jerusalém e sofresse muitas coisas nas mãos dos líderes religiosos, dos chefes dos sacerdotes e dos mestres da lei, e fosse morto e ressuscitasse no terceiro dia.*

Cristo só mencionou a cruz quando ficou claro que o povo não o reconhecia como o Messias. Jesus começou então a falar aos seus seguidores de sua **crucificação** que haveria de vir (veja Ilustração nº 14 na página 236) e de sua **ressurreição**.

## 3. Jesus ensinou aos seus discípulos o que significava segui-lo.

Mateus 16:24-26 *Jesus disse aos seus discípulos: "Se alguém quiser acompanhar-me, negue-se a si mesmo, tome a sua cruz e siga-me. Pois quem quiser salvar a sua vida a perderá, mas quem perder a sua vida por minha causa, a encontrará. Pois, que adiantará ao homem ganhar o mundo inteiro e perder a sua alma? Ou, o que o homem poderá dar em troca de sua alma?"*

Ser discípulo de Jesus é

1. negar-se a si mesmo e
2. tomar sua cruz; ao fazer isso, ele irá
3. perder sua vida, mas, ao mesmo tempo, irá
4. encontrá-la.

O que Jesus estava dizendo? Nas Escrituras, a cruz representa a crucificação de Cristo, mas também representa a vontade de Deus para ele. A cruz de um discípulo representa a vontade de Deus para o discípulo. Jesus espera que os discípulos façam a vontade de Deus, mesmo quando isso significa negar algo que gostariam de fazer. A vida que o discípulo perde é a velha vida, vivida longe de Deus. A vida que o discípulo encontra é a vida nova que Jesus dá aos seus seguidores — uma vida de amor, de alegria e de realização que dura eternamente.

## 4. Jesus ensinou aos seus discípulos sobre a atitude de Deus para com os pecadores.

Lucas 15 registra três histórias que Jesus contou para ilustrar a atitude de Deus para com os pecadores: Deus é como um pastor que busca a ovelha perdida e se alegra quando ela é encontrada; ele é como uma mulher que perde uma moeda e comemora quando ela é encontrada; é como um pai que se alegra com o retorno de um filho, ainda que o filho tenha pecado e abusado do amor de seu pai.

5. **Jesus ensinou aos seus discípulos sobre a atitude de servo.** Pouco depois de Jesus ter prenunciado novamente sua morte iminente e sua ressurreição, Tiago e João, dois dos discípulos, fizeram a mãe deles pedir a Cristo as duas posições mais importantes em seu Reino futuro. Quando os outros discípulos ouviram isso, eles ficaram conturbados e irritados. Jesus aproveitou a oportunidade para ensiná-los sobre a grandeza:

MATEUS **20:25-28** *"Vocês sabem que os governantes das nações as dominam, e as pessoas importantes exercem poder sobre elas. Não será assim entre vocês. Ao contrário, quem quiser tornar-se importante entre vocês deverá ser servo, e quem quiser ser o primeiro deverá ser escravo; como o Filho do homem, que não veio para ser servido, mas para servir e dar a sua vida em resgate por muitos."*

**O que outros dizem**

John Wesley

Faça todo o bem que puder, por todos os meios que puder, em todos os sentidos que puder, em todos os lugares que puder, em todo o tempo que puder, a todas as pessoas que puder e enquanto você puder.[3]

6. **Jesus ensinou seus discípulos a amarem uns aos outros.** Um dos momentos mais íntimos e particulares de Cristo com seus discípulos é descrito em João 13-16, quando eles participavam de uma refeição com Jesus à noite, antes de ele ser crucificado. Jesus começou o ensino daquela noite dando-lhes o que ele chamou de "mandamento novo":

amem
1Coríntios 13;
1João 3:11-24

JOÃO **13:34-35** *"Um novo mandamento lhes dou: Amem-se uns aos outros. Como eu os amei, vocês devem amar-se uns aos outros. Com isso todos saberão que vocês são meus discípulos, se vocês se amarem uns aos outros."*

7. **Jesus ensinou aos seus discípulos que somente ele dá acesso a Deus:**

JOÃO **14:6** *[Disse] Jesus: "Eu sou o caminho, a verdade e a vida. Ninguém vem ao Pai, a não ser por mim."*

Embora a declaração de Jesus seja exclusiva, e uma rejeição decisiva à ideia de que "todas as religiões levam a Deus", ela também é inclusiva. Uma vez que Jesus é o caminho, a verdade e a vida, quem quiser pode ir ao Pai por meio dele! Os discípulos precisavam compreender firmemente essa verdade, não apenas para si mesmos, mas para terem motivação de compartilhar Cristo com os outros.

**O que outros dizem**

*Tomás de Kempis*

Segue-me. Eu sou o caminho, a verdade e a vida. Sem o caminho, não há ida; sem a verdade, não há saber; sem a vida, não há viver. Eu sou o caminho que deves seguir, a verdade em que deves crer, a vida pela qual deves esperar. Eu sou o caminho inviolável, a verdade infalível, a vida sem fim. Eu sou o caminho mais reto, a verdade soberana, a vida verdadeira, a vida abençoada, a vida incriada.[4]

8. **Jesus ensinou aos seus discípulos que somente o amor pode motivar a verdadeira obediência.** Os rabinos da época de Cristo ensinavam que a pessoa ganhava mérito pela obediência à Lei de Deus e poderia, assim, ganhar um lugar no mundo após a morte. Jesus ofereceu a vida eterna aos pecadores como um dom gratuito. A obediência é uma consequência da salvação, não um meio para obtê-la. As pessoas não são salvas porque obedecem, mas obedecem porque amam aquele que as salvou.

Vá para

**amor**
Levítico 19:18; Mateus 5:43-48

**escritos joaninos**
escritos de João

JOÃO **14:23,24** *[Disse] Jesus: "Se alguém me ama, obedecerá à minha palavra. Meu Pai o amará, nós viremos a ele e faremos morada nele. Aquele que não me ama não obedece às minhas palavras."*

**O que outros dizem**

*F.F. Bruce*

A ligação vital entre o amor deles por Jesus e a obediência a ele é um tema frequente nos **escritos joaninos**. Este é o amor de Deus: que guardemos seus mandamentos (ver 1João 5:3), e o maior entre os mandamentos é o de que os seguidores de Jesus devem amar uns aos outros; na verdade, sabemos que amamos os filhos de Deus quando amamos a Deus e obedecemos aos seus mandamentos (1João 5:2). Amar o Pai é amar seus filhos; amar o Filho é amar seus seguidores; para eles, amar uns aos outros é amar o Pai e o Filho.[5]

9. **Jesus ensinou aos seus discípulos que, para darem frutos, tinham de permanecer perto dele.** Uma das cartas do Novo Testamento descreve os frutos que Deus produz na vida do cristão como "amor, alegria, paz, paciência, amabilidade, bondade, fidelidade, mansidão e domínio próprio" (Gálatas 5:22-23). Mas Jesus advertiu seus seguidores dizendo que esses dons lhes seriam dados se permanecessem perto dele. Na instrução particular que deu aos seus discípulos na noite anterior à sua crucificação, Jesus usou a imagem de uma videira e seus ramos para transmitir essa importante mensagem.

**João 15:1,4-5,9-11** *"Eu sou a videira verdadeira, e meu Pai é o agricultor [...] Permaneçam em mim, e eu permanecerei em vocês. Nenhum ramo pode dar fruto por si mesmo, se não permanecer na videira. Vocês também não podem dar fruto, se não permanecerem em mim. Eu sou a videira; vocês são os ramos. Se alguém permanecer em mim e eu nele, esse dará muito fruto; pois sem mim vocês não podem fazer coisa alguma [...] Como o Pai me amou, assim eu os amei; permaneçam no meu amor. Se vocês obedecerem aos meus mandamentos, permanecerão no meu amor, assim como tenho obedecido aos mandamentos de meu Pai e em seu amor permaneço. Tenho lhes dito estas palavras para que a minha alegria esteja em vocês e a alegria de vocês seja completa."*

### O que outros dizem

**J. Dwight Pentecost**

Cristo usou a ilustração do ramo e da videira para mostrar o que significava permanecer nele. O ramo não tem vida em si mesmo; ele extrai sua vida da videira. O ramo é alimentado e sustentado pela vida da videira. Enquanto houver um fluxo contínuo de vida da videira para o ramo, ele será capaz de dar frutos. No momento em que é cortado da vida da videira, o ramo é incapaz de dar frutos. O que era verdade no reino natural, sem dúvida alguma, aplicava-se a esses homens em seu futuro ministério.[6]

**darem testemunho**
testemunharem o que viram e ouviram

10. **Jesus comissionou seus discípulos para *darem testemunho* dele.**

**João 15:27** *"E vocês também testemunharão, pois estão comigo desde o princípio."*

A instrução particular que Jesus deu aos seus discípulos está registrada nas Escrituras para guiar os seguidores de hoje. Os cristãos, hoje, são definidos pela convicção declarada por Pedro de que Jesus é o Cristo, o Filho do Deus vivo. Seguir a Jesus significa submeter-se à vontade de Deus, ter interesse pelos pecadores a quem Deus ama e deseja salvar, e procurar servir aos outros.

Os cristãos comprometidos com Jesus irão amar uns aos outros como ele ordenou, serão movidos pelo amor a obedecerem a Deus, manterão esse relacionamento íntimo com Jesus, relacionamento este que é necessário para darem frutos, e falar aos outros sobre o amor e a graça de Deus manifestados em Jesus Cristo.

## Resumo do capítulo

- ✦ Os fariseus e outros líderes religiosos atacaram abertamente Jesus e tentaram enfraquecê-lo.
- ✦ Os fariseus e outros líderes religiosos usaram seus poderes de excomunhão para punir aqueles que apoiavam Jesus.
- ✦ Quando ficou claro que a nação não aceitaria Jesus como o Messias e o Filho de Deus, Jesus começou a ensinar por meio de parábolas.
- ✦ As parábolas de Jesus falavam sobre uma forma do governo de Deus na terra que não havia sido prenunciada no Antigo Testamento.
- ✦ Jesus deu instrução particular aos discípulos que criam nele como o Cristo, o Filho de Deus.
- ✦ Jesus ensinou seus discípulos a optarem pela vontade de Deus, amarem uns aos outros e servirem aos outros.
- ✦ Jesus ensinou que o amor por ele produziria obediência e que os discípulos que lhe obedecessem viveriam uma vida frutífera e produtiva.

## Questões para estudo

1. Quem fez a acusação de que Satanás estava por trás dos milagres que Jesus realizava?
2. Por que a acusação de que Jesus não havia "estudado" era importante?
3. Que argumento do cego os fariseus rejeitaram a fim de condenar Jesus?
4. Por que Jesus começou a usar parábolas para falar às multidões?
5. Qual era o tema das parábolas de Jesus?
6. Que crença distingue uma pessoa como um verdadeiro discípulo de Jesus?
7. Qual é o segredo da grandeza de um discípulo de Jesus?
8. Qual era o novo mandamento de Jesus para seus discípulos?

# Capítulo 16

# A morte e a ressurreição de Jesus
# Mateus • Marcos • Lucas • João

*Em destaque no capítulo:*

- A última semana de Jesus
- O último dia de Jesus
- A crucificação de Jesus
- A ressurreição de Jesus

## Vamos começar

Durante a última semana de sua vida, Jesus outra vez foi a Jerusalém para a festa da Páscoa. Quando entrou na cidade, foi aclamado em alta voz como o Messias. Mas, dentro de alguns dias, foi preso, julgado diante de tribunais religiosos e romanos, condenado à morte e executado. As esperanças de seus seguidores foram frustradas. Contudo, após três dias, Jesus ressuscitou dos mortos!

## Um Rei em um jumento?

**Visão geral**

*Última semana*

A semana começou quando Jesus entrou em Jerusalém montado em um jumento. Ele foi aplaudido como o Filho de Davi pelas multidões que haviam vindo para a festa. Os líderes reagiram tentando, sem sucesso, prendê-lo. Jesus, por fim, condenou-os abertamente. Contudo, instruiu em particular seus discípulos sobre o que deveriam esperar no futuro.

## O que há de especial na última semana de Jesus na terra?

1. **A entrada triunfal (Mateus 21:1-17; Marcos 11:1-11; Lucas 19:28-44).** Cerca de quatrocentos anos antes, o profeta Zacarias havia anunciado que o rei de Israel entraria em Jerusalém

"humilde e montado num jumento, um jumentinho, cria de jumenta" (Zacarias 9:9). Mateus descreve a cena em Jerusalém sobre o que conhecemos como "Domingo de Ramos":

MATEUS 21:7-11 *[Os discípulos] trouxeram a jumenta e o jumentinho, colocaram sobre eles os seus mantos, e sobre estes Jesus montou. Uma grande multidão estendeu seus mantos pelo caminho, outros cortavam ramos de árvores e os espalhavam pelo caminho. A multidão que ia adiante dele e os que o seguiam gritavam:*
*"**Hosana** ao Filho de Davi!"*
*"Bendito é o que vem em nome do Senhor!"*
*"Hosana nas alturas!"*
*Quando Jesus entrou em Jerusalém, toda a cidade ficou agitada e perguntava: "Quem é este?" A multidão respondia: "Este é Jesus, o profeta de Nazaré da Galileia."*

**Hosana**
uma expressão hebraica que significa "Salve-nos!"

2. **Jesus expulsou os comerciantes do templo (Mateus 21:12-17; Marcos 11:12-17).** Os peregrinos judeus que vinham para adorar a Deus no templo eram forçados pelos chefes dos sacerdotes a usar apenas "o dinheiro do templo" para pagar um imposto que a Lei do Antigo Testamento exigia. Os "cambistas" haviam montado mesas no templo nas quais a moeda correta, *didracma tíria*, podia ser adquirida a um preço exorbitante. Outros comerciantes vendiam animais para sacrifícios que eram certificados pelos sacerdotes como animais sem defeito, cobrando mais uma vez taxas elevadas. Os chefes dos sacerdotes recebiam uma percentagem da renda. Após a chegada à cidade...

MATEUS 21:12-13 *Jesus entrou no templo e expulsou todos os que ali estavam comprando e vendendo. Derrubou as mesas dos cambistas e as cadeiras dos que vendiam pombas, e lhes disse: "Está escrito: 'A minha casa será chamada casa de oração'; mas vocês estão fazendo dela um 'covil de ladrões'."*

3. **Jesus expôs os motivos dos líderes religiosos quando eles desafiaram sua autoridade (Mateus 21:22-27; 33-45; Marcos 11:27-12:12).** Ao expulsar os comerciantes do templo, Jesus desafiou diretamente os chefes dos sacerdotes. Uma delegação de sacerdotes, com mestres da Lei e anciãos, exigiu que Jesus lhe dissesse quem lhe tinha dado autoridade para fazer o que ele havia feito. Jesus recusou-se a falar e contou uma história sobre os arrendatários responsáveis por cuidar da vinha de seu senhor. Quando o proprietário enviou os servos para recolher sua parte, os arrendatários bateram em alguns e mataram outros. Finalmente, o proprietário enviou seu filho.

## Jesus concluiu...

MARCOS **12:7-9** *Mas os lavradores disseram uns aos outros: "Este é o herdeiro. Venham, vamos matá-lo, e a herança será nossa." Assim eles o agarraram, o mataram e o lançaram para fora da vinha. "O que fará então o dono da vinha? Virá e matará aqueles lavradores e dará a vinha a outros."*

Os líderes religiosos perceberam que Jesus estava falando sobre eles. Eles eram arrendatários, responsáveis pelas vinhas de Deus. Os servos eram os profetas que Deus havia enviado aos seus antepassados; Jesus era o filho. Eles queriam, desesperadamente, prender Jesus, mas temiam a reação da multidão.

Mais tarde, à meia-noite, eles apanhariam Jesus... e, ao amanhecer, iriam condená-lo à morte.

4. **Os líderes tentaram, desesperadamente, colocar o povo contra Jesus (Mateus 22:15-22; Marcos 12:13-17; Lucas 20:20-26).** A armadilha mais perigosa foi colocada por um grupo de fariseus e **herodianos**. Eles fizeram esta pergunta a Jesus: "É certo pagar imposto a **César** ou não?" (Mateus 22:17).

**herodianos**
um partido político que apoiava a família real do rei Herodes

**César**
imperador de Roma; aqui, é um símbolo de autoridade civil

Alfred Edersheim explica por que os fariseus estavam convencidos de que essa pergunta acabaria com Jesus.

### O que outros dizem

**Alfred Edersheim**

Havia um partido forte na terra, apoiado não só política, mas religiosamente por muitos dos espíritos mais nobres, que afirmava que pagar o dinheiro do tributo a César era praticamente reconhecer sua autoridade real e, assim, repudiar a do Senhor, que era o único rei de Israel. Eles argumentavam que todas as misérias da terra e do povo se deviam a essa infidelidade da nação. Na verdade, esse foi o princípio fundamental do movimento nacionalista.

Ter dito "não" como resposta teria sido ordenar a rebelião; ter dito simplesmente "sim" teria sido causar um choque doloroso ao sentimento profundo, e, em certo sentido, aos olhos do povo, mentir sobre sua própria alegação de ser o Messias e Rei de Israel.[1]

Jesus surpreendeu seus adversários ao pedir-lhes uma moeda e depois perguntar de quem era a imagem que estava nela. Quando os fariseus responderam que era a de César, Jesus disse: "Deem a César o que é de César e a Deus o que é de Deus" (Marcos 12:17). Essa, assim como outras tentativas de prender Jesus naquela última semana, foi um total fracasso.

5. **Jesus conseguiu expor a hipocrisia dos líderes religiosos (Mateus 22:41-46; Marcos 12:35-37; Lucas 20:41-44).** Jesus expôs a hipocrisia dos líderes quando fez aos fariseus uma pergunta a respeito do ensino sobre o Cristo no Antigo Testamento.

MATEUS **22:41-45** *Estando os fariseus reunidos, Jesus lhes perguntou: "O que vocês pensam a respeito do Cristo? De quem ele é filho?" "É filho de Davi", responderam eles. Ele lhes disse: "Então, como é que Davi, falando pelo Espírito, o chama 'Senhor'? Pois ele afirma: 'O Senhor disse ao meu Senhor: Senta-te à minha direita, até que eu ponha os teus inimigos debaixo de teus pés.' Se, pois, Davi o chama 'Senhor', como pode ser ele seu filho?"*

### O que outros dizem

**J. Dwight Pentecost**

O salmo [110] foi universalmente reconhecido como messiânico. O que é convidado a assentar-se à direita do Senhor era o Messias. O "Senhor" que o convidou a assentar-se à sua direita era o Deus de Abraão. O Messias foi mencionado como "meu Senhor". Com essa interpretação provavelmente os fariseus estavam de acordo. Cristo dirigiu-lhes esta pergunta: se o Messias era o "filho", ou descendente, de Davi, "como é que Davi, falando pelo Espírito, o chama 'Senhor'?" Não era natural alguém chamar seu próprio filho de "meu Senhor". O fato de que o Messias era filho de Davi testificava a verdadeira humanidade do Messias, mas o fato de Davi o chamar de "meu Senhor" testificava sua divindade verdadeira e íntegra, pois "Senhor" era um título usado para a Deidade... Jesus fez para si simplesmente uma afirmação como a feita pelo salmista acerca do Messias. Se os fariseus respondessem que Davi o chamou de seu Senhor porque ele é Deus, então não poderiam opor-se a Cristo, filho de Davi segundo a carne, que afirmava ser o Filho de Deus. Se eles concordassem que o Messias devia ser verdadeiramente humano e verdadeiramente Deus, eles deveriam cessar suas objeções à afirmação de Cristo a respeito de sua pessoa. Os fariseus perceberam o dilema que tinham à frente e se recusaram a dar uma resposta.[2]

O incidente provou que os fariseus sabiam da retidão das afirmações de Jesus e — mesmo assim, odiavam-no. Os líderes religiosos que afirmavam ter o direito de interpretar a Palavra de Deus eram arrendatários rebeldes que, em vez de se submeterem à autoridade do Filho de Deus, procuravam qualquer desculpa para matá-lo.

Com isso estabelecido, Jesus aberta e energicamente condenou os mestres da Lei e os fariseus como hipócritas.

6. **Jesus, então, ensinou aos seus discípulos sobre o futuro (Mateus 24,25; Marcos 13; Lucas 21:5-36).** Jesus sabia muito bem que os líderes religiosos estavam determinados a matá-lo. Naquela última semana, ele reservou um tempo para falar com seus discípulos em particular sobre o que aconteceria depois de sua morte e ressurreição.

Incluídos no ensinamento de Jesus estavam três pontos fundamentais. Primeiro, o próprio Jesus retornaria à Terra com poder e glória.

Mateus **24:30,31** *Então aparecerá no céu o sinal do Filho do homem, e todas as nações da terra se lamentarão e verão o Filho do homem vindo nas nuvens do céu com poder e grande glória. E ele enviará os seus anjos com grande som de trombeta, e estes reunirão os seus eleitos dos quatro ventos, de uma a outra extremidade dos céus.*

Segundo, ninguém seria capaz de prever quando ele voltaria.

Mateus **24:36** *Quanto ao dia e à hora ninguém sabe, nem os anjos dos céus, nem o Filho, senão somente o Pai.*

Terceiro, até que ele venha, seus seguidores devem esperá-lo e servi-lo fielmente.

Mateus **24:42,44** *Portanto, vigiem, porque vocês não sabem em que dia virá o seu Senhor. Assim, vocês também precisam estar preparados, porque o Filho do homem virá numa hora em que vocês menos esperam.*

7. **Mesmo enquanto Jesus estava falando com seus discípulos, os líderes estavam conspirando para matá-lo (Mateus 26:3-5).**

Mateus **26:3-5** *Naquela ocasião os chefes dos sacerdotes e os líderes religiosos do povo se reuniram no palácio do sumo sacerdote, cujo nome era* ***Caifás****, e juntos planejaram prender Jesus à traição e matá-lo. Mas diziam: "Não durante a festa, para que não haja tumulto entre o povo."*

Caifás
sumo sacerdote na época da crucificação de Jesus

## Amanhã não parece bom

Cada um dos Evangelhos dá um relato detalhado do último dia de Jesus na Terra, o que, de acordo com o raciocínio judaico, começou no pôr do sol. Mas nem todos os Evangelhos incluem todas as características daquele último e fatídico dia.

**uma oração que Jesus fez por todos os cristãos**
João 17

À medida que a noite se aproximava, vários discípulos fizeram preparativos para participar de uma refeição com Jesus (a Última Ceia), mesmo tendo Judas combinado com o sumo sacerdote que o trairia por trinta moedas de prata. O Evangelho de João descreve a refeição e a conversa ali, e registra uma oração que Jesus fez por todos os cristãos. Seguiram-se outros eventos nesta ordem:

**O ÚLTIMO DIA DE JESUS NA TERRA**

| Evento | Mateus | Marcos | Lucas | João |
|---|---|---|---|---|
| Jesus ora no Getsêmani | 26:36-46 | 14:32-42 | 22:39-46 | 18:1 |
| Jesus é preso lá | 26:47-56 | 14:43-52 | 22:47-53 | 18:2-12 |
| Jesus é julgado perante Anás | — | — | — | 18:12-23 |
| Jesus é julgado perante Caifás | 26:57-68 | 14:53-65 | 22:54-65 | 18:24 |
| Pedro nega Jesus | 26:69-75 | 14:66-72 | 22:54-62 | 18:15-27 |
| Jesus é condenado pelo Sinédrio | 27:1 | 15:1 | 22:66-71 | — |
| Judas comete suicídio | 27:3-10 | — | — | — |
| Jesus é julgado por Pilatos | 27:11-14 | 15:2-5 | 23:1-5 | 18:28-38 |
| Jesus é julgado por Herodes | — | — | 23:6-12 | — |
| Jesus é condenado por Pilatos | 27:15-26 | 15:6-15 | 23:13-25 | 18:39-19:16 |
| Jesus é alvo de escárnios e açoitado | 27:27-30 | 15:16-19 | — | 19:2,3 |
| Jesus é levado ao Calvário | 27:31-34 | 15:20-23 | 23:26-33 | 19:16-17 |

## O que há de especial no último dia de Jesus?

1. **A oração de Jesus no Getsêmani (Mateus 26:36-46; Marcos 14:32-42; Lucas 22:39-42).** O Getsêmani era um olival em uma colina de Jerusalém que ia até o vale de Cedrom.

MARCOS **14:32-36** *Então foram para um lugar chamado Getsêmani, e Jesus disse aos seus discípulos: "Sentem-se aqui enquanto vou orar." Levou consigo Pedro, Tiago e João, e começou a ficar aflito e angustiado. E lhes disse: "A minha alma está profundamente triste, numa tristeza* *mortal. Fiquem aqui e vigiem." Indo um pouco mais adiante, prostrou-se e orava para que, se possível, fosse afastada dele aquela hora. E dizia: "**Aba** Pai, tudo te é possível. Afasta de mim este cálice; contudo, não seja o que eu quero, mas sim o que tu queres."*

**aba**
"papai" em aramaico, a língua que Jesus falava

A oração de Jesus confunde a muitos. Jesus realmente suplicou para evitar a crucificação? Ele havia dito antes que tinha vindo à Terra não "para ser servido, mas para servir e dar a sua vida em resgate por muitos" (Mateus 20:28). Pentecost dá a melhor explicação para a oração de Cristo:

### O que outros dizem

**J. Dwight Pentecost**

Cristo orou para que Deus pudesse aceitar sua morte como pagamento total pelo pecado dos pecadores, tirá-lo da morte e trazê-lo à vida novamente. Portanto, a oração deve ser entendida como uma oração por restauração à vida física mediante a ressurreição, e uma restauração à plena comunhão com seu Pai, saindo da morte espiritual para aquela na qual ele entraria. A evidência de que Deus respondeu à oração de Jesus é vista, em primeiro lugar, no fato de que Cristo ressuscitou dos mortos no terceiro dia e recebeu um corpo glorificado. Em segundo lugar, é vista no fato de que, no quadragésimo dia, ele ascendeu ao Pai para estar assentado à sua direita na glória.[3]

2. **A prisão de Jesus (Mateus 26:47-56; Marcos 14:43-52; Lucas 22:47-53; João 18:2-12).** Judas liderou uma multidão enviada pelo sumo sacerdote para prender Jesus. Quando um dos discípulos tentou resistir, Jesus disse algo que mostrou que ele ainda estava em pleno controle da situação.

Mateus **26:53,54** *Você acha que eu não posso pedir a meu Pai, e ele não colocaria imediatamente à minha disposição mais de doze **legiões** de anjos? Como então se cumpririam as Escrituras que dizem que as coisas deveriam acontecer desta forma?*

**legiões**
unidades militares que normalmente compreendiam de 4 mil a 6 mil soldados

3. **Jesus foi examinado à noite por três *tribunais* religiosos (Mateus 27:57-68; Marcos 14:53-65; Lucas 22:54-71; João 18:12-27).** O ponto fundamental foi alcançado quase no amanhecer, quando o sumo sacerdote fez a Jesus uma pergunta para a qual ele sabia qual seria a resposta de Cristo.

**tribunais**
cortes de justiça

**blasfemou**
falou de Deus de forma irreverente

Mateus **26:63-66** *Mas Jesus permaneceu em silêncio. O sumo sacerdote lhe disse: "Exijo que você jure pelo Deus vivo: se você é o Cristo, o Filho de Deus, diga-nos." "Tu mesmo o disseste", respondeu Jesus. "Mas eu digo a todos vós: Chegará o dia em que vereis o Filho do homem assentado à direita do Poderoso e vindo sobre as nuvens do céu." Foi quando o sumo sacerdote rasgou as próprias vestes e disse: "**Blasfemou**! Por que precisamos de mais testemunhas? Vocês acabaram de ouvir a blasfêmia. O que acham?" "É réu de morte!", responderam eles.*

O problema era que nenhum tribunal judeu do século I tinha autoridade para impor uma sentença de morte. Esse direito estava reservado somente aos tribunais romanos. Embora a acusação de blasfêmia pudesse exigir a pena de morte no judaísmo, ela não era um crime capital para os romanos. Eles tinham de acusar Jesus com outro crime que não fosse aquele pelo qual o haviam condenado!

**Jesus foi pendurado em uma cruz**
Mateus 27:32-66; Marcos 15:21-47; Lucas 23:26-56; João 19:16-42

**subterfúgio**
manobra enganosa

4. **Jesus foi, então, acusado de crimes políticos (Mateus 27:11-26; Marcos 15:2-19; João 18:28-19:16).** O Evangelho de João descreve em detalhes o julgamento de Jesus perante o governador romano, Pilatos. A acusação era política: ao apresentar-se como o Cristo, Jesus havia reivindicado o direito de ser o Rei dos judeus, pois o Messias deveria ser um rei.

Pilatos percebeu o **subterfúgio**, mas, por fim, cedeu e ordenou que Cristo fosse crucificado. A pressão a que Pilatos se sujeitou, finalmente, é expressa em João 19:12:

*Daí em diante Pilatos procurou libertar Jesus, mas os judeus gritavam: "Se deixares esse homem livre, não és amigo de César. Quem se diz rei opõe-se a César."*

**Ilustração nº 14**
A crucificação — Jesus foi pendurado em uma cruz como escravos e criminosos. A crucificação era a forma mais dolorosa e degradante da pena capital. O *titulus* (ou "título") encontra-se no alto da cruz.

Em Roma, fazia pouco tempo que o homem que havia patrocinado Pilatos, um comandante da **guarda pretoriana** do imperador que se chamava Sejano, havia sido executado pelo imperador Tibério. Muitos dos eleitos do governo de Sejano haviam sido executados ou estavam exilados também. Pilatos sabia que ele era vulnerável, e teve medo de que os líderes judeus pudessem denunciá-lo ao imperador. No final, sabendo que Jesus era inocente, Pilatos decidiu pela crucificação dele, em vez de correr qualquer risco pessoal!

Mais tarde, em um sermão, o apóstolo Pedro diria: "Mas foi assim que Deus cumpriu o que tinha predito por todos os profetas, dizendo que o seu Cristo haveria de sofrer" (Atos 3:18). Providencialmente, Deus cuidou para que eventos distantes ocorressem de acordo com o que ele havia predito por meio dos profetas.

**guarda pretoriana**
guarda-costas do imperador romano

***titulus***
termo latino para "título"; aqui, um sinal

**açoitamento**
punição com chicote ou chibata

**Dia da Preparação**
o dia antes do sábado (as pessoas preparavam-se para o sábado porque não podiam trabalhar nesse dia)

**centurião**
comandante romano de uma "centúria" (cem soldados)

## Pregado a uma cruz

*The Nelson Illustrated Bible Handbook* [O manual bíblico ilustrado de Nelson] descreve a crucificação desta forma: "A crucificação (veja Ilustração nº 14 na página 236) era praticada como um método de tortura e execução pelos persas antes de ser adotada pelos romanos. A lei romana permitia apenas que escravos e criminosos fossem crucificados. Os cidadãos romanos não eram crucificados. Os braços da vítima eram esticados para cima, amarrados a uma barra transversal fixada quase no topo de uma estaca um pouco mais alta que um homem. Com o corpo suspenso desse modo, o sangue é forçado para a parte inferior do corpo. A pulsação aumenta e, após dias de agonia, a vítima morre por falta de sangue circulando em direção ao cérebro e ao coração. Os romanos, muitas vezes, colocavam um ***titulus*** acima da vítima citando seu crime. O **açoitamento** antes da crucificação, assim como quebrar as pernas da vítima, acelerava a morte."

## Marcos descreve o fim daquele dia fatídico

MARCOS 15:42-46 *Era o **Dia da Preparação**, isto é, a véspera do sábado, José de Arimateia, membro de destaque do Sinédrio, que também esperava o Reino de Deus, dirigiu-se corajosamente a Pilatos e pediu o corpo de Jesus. Pilatos ficou surpreso ao ouvir que ele já tinha morrido. Chamando o **centurião**, perguntou-lhe se Jesus já tinha morrido. Sendo informado pelo centurião, entregou o corpo a José. Então José comprou um lençol de linho, baixou o corpo da cruz, envolveu-o no lençol e o colocou num sepulcro cavado na rocha. Depois, fez rolar uma pedra sobre a entrada do sepulcro.*

Ao examinar o relato da crucificação de Jesus dado nos quatro Evangelhos, os detalhes do que aconteceu e as palavras de Jesus da cruz podem ser reconstruídos.

**EVENTOS DA CRUCIFICAÇÃO NO CALVÁRIO**

| EVENTO | MATEUS | MARCOS | LUCAS | JOÃO |
|---|---|---|---|---|
| Jesus recusa medicamentos | 27:3 | — | — | — |
| Jesus é crucificado | 27:35 | — | — | — |
| "Pai, perdoa-lhes." | — | — | 23:34 | — |
| Os soldados tiraram sortes para dividir as roupas dele | 27:35 | — | — | — |
| Jesus é alvo de escárnios dos observadores | 27:39-44 | 15:29 | — | — |
| Jesus é ridicularizado pelos ladrões | 27:44 | — | — | — |
| Um ladrão crê | — | — | 23:39-43 | — |
| "Hoje você estará comigo no paraíso." | — | — | 23:43 | — |
| Para Maria: "Aí está o seu filho." | — | — | — | 19:26-27 |
| Cai a escuridão | 27:45 | 15:33 | 23:44 | — |
| "Meu Deus! meu Deus!..." | 27:46-47 | 15:34-36 | — | — |
| "Tenho sede." | — | — | — | 19:28 |
| "Está consumado!" | — | — | — | 19:30 |
| "Pai, nas tuas mãos..." | — | — | 23:46 | — |
| Jesus entrega seu espírito | 27:50 | 15:37 | — | — |

Mateus acrescenta que, no dia seguinte, os chefes dos sacerdotes e fariseus pediram permissão a Pilatos para guardarem o túmulo.

> **MATEUS 27:65-66** *"Levem um destacamento", respondeu Pilatos. "Podem ir, e mantenham o sepulcro em segurança como acharem melhor." Eles foram e armaram um esquema de segurança no sepulcro; e além de deixarem um destacamento montando guarda, lacraram a pedra.*

## Qual é o significado da morte de Jesus na cruz?

A Bíblia deixa claro que a morte de Jesus na cruz sempre foi um elemento essencial no plano de Deus.

A crucificação foi profetizada no Antigo Testamento. Jesus já havia informado de antemão aos seus discípulos o que aconteceria e, em vez de invocar o Pai para pedir exércitos angelicais, Jesus optou por deixar-se ser executado.

Aqui estão algumas das passagens do Antigo e Novo Testamento que explicam o significado da morte de Jesus:

**transgressões**
violações da lei; pecado

**iniquidades**
maldades

**justificados**
declarados não culpados

1. **Escrevendo setecentos anos antes do nascimento de Jesus, Deus anunciou por meio do profeta Isaías:**

**ISAÍAS 53:4-6** *Certamente ele tomou sobre si as nossas enfermidades e sobre si levou as nossas doenças; contudo nós o consideramos castigado por Deus, por Deus atingido e afligido. Mas ele foi transpassado por causa das nossas* ***transgressões****, foi esmagado por causa de nossas* ***iniquidades****; o castigo que nos trouxe paz estava sobre ele, e pelas suas feridas fomos curados. Todos nós, tal qual ovelhas, nos desviamos, cada um de nós se voltou para o seu próprio caminho; e o Senhor fez cair sobre ele a iniquidade de todos nós.*

Profecia

2. **Cristo morreu por nós (Romanos 5:8-9).** Escrevendo aos Romanos, o apóstolo Paulo explicou a razão para a morte de Jesus com estas palavras:

*ROMANOS 5:8,9 Mas Deus demonstra seu amor por nós: Cristo morreu em nosso favor quando ainda éramos pecadores. Como agora fomos* ***justificados*** *por seu sangue, muito mais ainda, por meio dele, seremos salvos da ira de Deus!*

### O que outros dizem

John Stott

O que está escrito é que, enquanto éramos pecadores, Cristo morreu por nós (Romanos 5:8), e, toda vez que o pecado e a morte estão juntos nas Escrituras, a morte é a pena ou o salário do pecado. Sendo assim, a afirmação de que Cristo morreu pelos pecadores, que, embora fossem nossos os pecados, a morte foi dele, pode significar que ele morreu como uma oferta pelo pecado, tendo levado em nosso lugar a pena que nossos pecados mereciam.[4]

**O que outros dizem**

*Max Lucado*

A cruz fez o que os cordeiros sacrificados não podiam fazer. Ela apagou nossos pecados não por um ano, mas por toda a eternidade. A cruz fez o que o homem não pode fazer. Ela nos concedeu o direito de conversar, amar e até mesmo viver com Deus.[5]

3. **O apóstolo Paulo deu mais explicações quando estava escrevendo a Segunda Carta aos Coríntios.** Na cruz aconteceu um acordo maravilhoso. Jesus levou sobre si nossos pecados; sua morte levou o castigo que nossos pecados mereciam. E, o maior milagre de todos, foi-nos creditada, então, por Deus a justiça de Jesus! Com o pecado pago, não havia mais uma barreira entre os seres humanos e Deus. Com a própria justiça de Jesus que nos foi creditada, somos bem-vindos para entrar na presença de Deus. Como escreveu Paulo:

**2Coríntios 5:21** *Deus tornou pecado por nós aquele que não tinha pecado, para que nele nos tornássemos justiça de Deus.*

Nessas e em muitas outras palavras similares, o Novo Testamento compartilha sua boa notícia. A morte de Jesus foi um pagamento por nossos pecados — uma promessa de perdão a todos os que confiam em Deus e lhe obedecem.

Como disse Jesus a um dos fariseus no início de seu ministério:

**João 3:16,18** *Deus tanto amou o mundo que deu o seu Filho Unigênito para que todo o que nele crer não pereça, mas tenha a vida eterna. [...] Quem nele crê não é condenado, mas quem não crê já está condenado, por não crer no nome do Filho Unigênito de Deus.*

## Aparições de Jesus na manhã da ressurreição

| Evento | Mateus | Marcos | Lucas | João |
|---|---|---|---|---|
| Três mulheres foram para o túmulo | — | — | 3:55; 24:1 | — |
| A pedra foi rolada | — | — | 24:2-9 | — |
| Maria Madalena sai para contar aos discípulos de Jesus | — | — | — | 20:1-2 |
| As mulheres veem anjos | — | — | — | 20:1-2 |
| Pedro e João aparecem e olham para dentro do túmulo | — | — | — | 20:3-10 |

| Evento | Mateus | Marcos | Lucas | João |
|---|---|---|---|---|
| As mulheres voltam com especiarias | — | — | 24:1-4 | — |
| Essas mulheres veem anjos | — | 16:5 | 24:5 | — |
| O anjo diz que Jesus ressuscitou | 28:6-8 | — | — | — |
| Enquanto partiam, as mulheres encontraram Jesus | 28:9-10 | — | — | — |

## Outras aparições de Jesus

| Evento | Mateus | Marcos | Lucas | João | Outro |
|---|---|---|---|---|---|
| A Pedro no mesmo dia | — | — | 24:35 | — | — |
| Ao discípulo no caminho de Emaús | — | — | 24:13-31 | — | — |
| Aos apóstolos (mas, não a Tomé) | — | — | 24:36-45 | 20:19-24 | — |
| Aos apóstolos (com Tomé) | — | — | — | 20:24-29 | — |
| Aos sete, no lago de Tiberíades | — | — | — | 21:1-23 | — |
| A cerca de quinhentos, na Galileia | — | — | — | — | 1Coríntios 15:6 |
| A Tiago, em Jerusalém | — | — | — | — | 1Coríntios 15:7 |
| Aos muitos na sua ascensão | — | — | — | — | Atos 1:3-12 |
| A Estêvão, quando ele foi apedrejado | — | — | — | — | Atos 7:55 |
| A Paulo, perto de Damasco | — | — | — | — | Atos 9:3-6 |
| A Paulo, no templo | — | — | — | — | Atos 22:17-19 |
| A João, em Patmos | — | — | — | — | Apocalipse 1:10-19 |

## Do túmulo ele se levantou

Jesus foi sepultado no final da tarde de sexta-feira no jardim, no túmulo de José de Arimateia, e seu corpo permaneceu ali durante todo o sábado. No domingo pela manhã — segundo o raciocínio judaico comum, o terceiro dia —, Jesus ressuscitou dos mortos.

Cada um dos quatro Evangelhos apresenta um relato dos acontecimentos daquele dia. A partir dos quatro, podemos reconstruir os acontecimentos.

Lembrando a ressurreição de Jesus dentre os mortos, o apóstolo Paulo a vê como a declaração divina final e poderosa de que Jesus, de fato, era e é o Filho de Deus.

Filho de Deus
Romanos 1:3

E o que a ressurreição de Jesus significa para você e para mim? A ressurreição é a prova e a promessa de que a morte não é o fim... para ninguém.

## Resumo do capítulo

- ✦ Quando Jesus entrou em Jerusalém no Domingo de Ramos, foi aclamado como o Messias.
- ✦ Jesus expôs a hipocrisia dos líderes e os condenou abertamente.
- ✦ Os líderes religiosos decidiram matar Jesus para preservar seu próprio poder e sua própria posição.
- ✦ Jesus disse aos seus discípulos que seria crucificado, mas que, depois, ele viria novamente à Terra para governar.
- ✦ Jesus foi apanhado à noite, julgado e condenado pelo Sinédrio judaico por alegar ser o Filho de Deus.
- ✦ Jesus foi crucificado pelos romanos como Rei dos Judeus.
- ✦ Jesus morreu e foi sepultado, mas, no terceiro dia, levantou-se do túmulo e foi visto por muitas testemunhas.

## Questões para estudo

1. Que evento iniciou a última semana de Jesus na Terra?
2. O que Jesus fez no templo que ofendeu os chefes dos sacerdotes?
3. Por que a pergunta dos fariseus sobre o pagamento de impostos era uma armadilha?
4. De acordo com Mateus 23, o que Jesus disse que os fariseus e os mestres da lei eram?
5. Como Deus respondeu à oração que Jesus fez no Getsêmani?
6. Do que Jesus foi acusado nos tribunais judaicos? Do que Jesus foi acusado no tribunal de Pilatos?
7. O que aconteceu com o corpo de Jesus depois que ele foi crucificado?
8. Como a Bíblia explica o significado da morte de Jesus?
9. O que o fato da ressurreição de Jesus significa para nós hoje?

# Capítulo 17

*Em destaque no capítulo:*

- A igreja de Jerusalém
- A expansão inicial da Igreja
- Viagens missionárias
- Paulo é julgado

# A chama se espalha
# Atos dos Apóstolos

## Vamos começar

A ressurreição de Jesus marcou o início do cristianismo. Os discípulos começaram a proclamar Cristo como o Senhor ressurreto. Muitos em Jerusalém creram na mensagem deles, e uma comunidade de cristãos foi formada. Atos traça a expansão inicial do cristianismo a partir de suas raízes judaicas a uma propagação da fé ao longo do Império Romano (veja Ilustração nº 15).

### Atos

**...A PROPAGAÇÃO DO EVANGELHO**

| | |
|---|---|
| **Quem?** | Lucas, médico e companheiro de Paulo em suas viagens missionárias, |
| **O quê?** | escreveu este livro de história sobre a Igreja primitiva |
| **Onde?** | em Roma |
| **Quando?** | em 63 d.C. |
| **Por quê?** | para registrar a propagação do evangelho por todo o mundo romano entre 33 d.C. e 63 d.C. |

## Para cima, para cima e para longe

O primeiro capítulo de Atos é um prelúdio para o Novo Testamento. Apresenta três segredos para entendermos o cristianismo no século I — e hoje!

## Segredo nº 1

**ATOS 1:8** *Receberão poder quando o Espírito Santo descer sobre vocês.*

O primeiro segredo para entendermos Atos e o Novo Testamento é sabermos que, quando Jesus voltou para o céu, ele enviou o Espírito Santo para dar poder à vida e ao testemunho cristãos. O livro de Atos é a história das obras do Espírito Santo nos cristãos e por meio deles em Jesus.

**Ilustração nº 15**
O Império Romano: Dentro de trinta anos da ressurreição de Jesus, o evangelho espalhou-se por todo o Império Romano. Havia grupos cristãos na maioria de suas principais cidades. A rápida propagação foi possível porque Roma manteve boas estradas e acabou com os piratas que tornavam inseguras as viagens marítimas. Todos no império falavam uma língua comum, o grego, o que permitiu compartilhar o evangelho em diferentes países. E as **cartas** do Novo Testamento, escritas em grego, puderam ser lidas por todos.

**sejam um**
Mateus 28:19; João 15:26

**uma pessoa distinta**
Efésios 1:3-14

**cartas**
escritas por apóstolos

O Espírito Santo é o poder ativo por trás dos eventos narrados em Atos. É importante lembrar que o Espírito é uma pessoa, não uma força impessoal ou uma "influência". Embora ele, Deus Pai e Deus Espírito sejam um, cada um é, ao mesmo tempo, uma pessoa distinta das outras. Durante a leitura do Novo Testamento, percebemos como era — e é — importante o ministério do Espírito. Os Evangelhos retratam o Espírito Santo como aquele que supervisionou o nascimento de Jesus e que foi a sua fonte de poder no ministério. Jesus prometeu dar o Espírito Santo como um dom aos seus seguidores, para que também pudéssemos ser fortalecidos espiritualmente. As cartas contêm ensinos muito detalhados sobre o papel do Espírito Santo na vida dos cristãos e da comunidade cristã. Não há dúvida de que a vitalidade de nossa experiência cristã depende de nossa confiança no Espírito Santo, que Deus deu aos que confiam em Jesus.

Vá para

**poder no ministério**
Mateus 12:28; Lucas 4:18; João 3:34

**fortalecidos espiritualmente**
João 14:16-17; João 16:4-15; Atos 1:8

**experiência cristã**
Romanos 8:1-4; Gálatas 5:22-25

## Segredo nº 2

**ATOS 1:9-11** *Tendo dito isso, [Jesus] foi elevado às alturas enquanto eles olhavam, e uma nuvem o encobriu da vista deles. E eles ficaram com os olhos fixos no céu enquanto ele subia. De repente surgiram diante deles dois homens vestidos de branco, que lhes disseram: "Galileus, por que vocês estão olhando para o céu? Este mesmo Jesus, que dentre vocês foi elevado aos céus, voltará da mesma forma como o viram subir."*

Quarenta dias depois da ressurreição, Jesus foi elevado ao céu. Ele permanecerá lá até voltar, como prometeram os anjos. Mas o que Jesus está fazendo agora?

**advogado**
uma pessoa que defende a causa de outro

### O Novo Testamento nos diz...

| O que Jesus está fazendo agora | Referência |
|---|---|
| Jesus está preparando um lugar para nós | João 14:2 |
| Jesus está intercedendo (orando) por nós | Romanos 8:34; Hebreus 7:25 |
| Jesus é nosso **Advogado** quando pecamos | 1João 2:1 |
| Jesus está guiando-nos e orientando-nos | Efésios 1:22 |

A Carta aos Efésios acrescenta que todas as coisas foram colocadas debaixo de seus pés (Efésios 1:22). Hoje, Jesus é a autoridade suprema do universo e está realizando ativamente o plano de Deus para os indivíduos e para o mundo. Embora não esteja fisicamente presente na Terra, Jesus está trabalhando dentro daqueles que confiam nele e em favor deles.

## Segredo nº 3

ATOS 1:8 *Mas receberão poder quando o Espírito Santo descer sobre vocês, e serão minhas* ***testemunhas*** *[...] até os confins da terra.*

Os homens identificados como discípulos de Jesus nos Evangelhos tornam-se seus apóstolos em Atos e testemunham a realidade da ressurreição de Jesus. Embora Atos enfatize o ministério de dois apóstolos, o privilégio de ser testemunha de Jesus é dado a todo cristão.

## Vento impetuoso e línguas de fogo

### Visão geral

*A Igreja cresce*

A vinda prometida do Espírito Santo fortaleceu os apóstolos. Essa seção de Atos registra dois sermões poderosos de Pedro e descreve a resposta. Embora os líderes que haviam conspirado para a crucificação de Jesus ameaçassem os apóstolos e, por meio de disputas, ameaçassem a unidade da jovem comunidade cristã, a igreja em Jerusalém multiplicou-se rapidamente.

PEDRO: Pedro foi o primeiro discípulo e apóstolo que pregou os primeiros sermões do evangelho.

ESTÊVÃO: Estevão foi um **diácono** e uma testemunha cristã vigorosa. Foi apedrejado até a morte por seu testemunho de Cristo, em Jerusalém.

## O que há de especial em Atos 2-7?

**testemunhas**
os que testemunham o que vivenciaram

**diácono**
um oficial da igreja; um servo

1. **O Espírito Santo encheu e fortaleceu os seguidores de Jesus (Atos 2:1-21).** Cinquenta dias após a ressurreição, durante uma festa judaica chamada Pentecostes, o Espírito Santo encheu os seguidores de Jesus, que haviam se reunido para oração. Esta primeira vinda do Espírito foi marcada por sinais visíveis: o som de um vento impetuoso, línguas de fogo sobre a cabeça dos cristãos e a tradução milagrosa do que os cristãos diziam, de modo que cada visitante estrangeiro em Jerusalém "os ouvia falar em sua própria língua" (Atos 2:6).

Pedro explicou o fenômeno ao referir-se a uma profecia do Antigo Testamento em que Deus prometeu: "Derramarei do meu Espírito sobre todos os povos" (Atos 2:17).

2. **Os dois primeiros sermões do evangelho na história (Atos 2:22-3:26).** Atos registra dois dos sermões de Pedro pregados à multidão reunida em Jerusalém (Atos 2:22-39; 3:12-26). As verdades desses sermões ainda são verdades centrais sobre as quais se baseia o cristianismo. Como relatam Atos 2 e 3, a primeira pregação dos apóstolos foi acompanhada por milagres, autenticando a mensagem de Jesus por eles pregada e o constante poder dele como Senhor.

### As verdades pregadas sobre Jesus

| Verdade | Primeiro sermão em Atos | Segundo sermão em Atos |
|---|---|---|
| A pessoa histórica | 2:22 | — |
| Foi crucificado e ressuscitou dos mortos | 2:23,24 | 3:15 |
| Como predisse a profecia | 2:25-35 | 3:18 |
| Ele é o Messias de Deus | 2:36 | 3:20 |
| Todos os que creem nele receberão a **remissão** dos pecados e receberão o Espírito Santo | 2:37,38 | 3:19, 21-26 |

3. **A resposta impressionante à mensagem do evangelho (Atos 2:41; 6:7).** Após o primeiro sermão de Pedro, cerca de 3 mil pessoas responderam ao evangelho e creram em Jesus como Salvador.

ATOS 6:7 *Assim, a palavra de Deus se espalhava. Crescia rapidamente o número de discípulos em Jerusalém; também um grande número de sacerdotes obedecia à fé.*

4. **Atos descreve a Igreja primitiva como uma íntima e amorosa comunidade de cristãos (Atos 2:42-47; 4:32-35).** Estas duas passagens são citadas com frequência como imagens de uma igreja como família "ideal".

**comunidade de cristãos**
Atos 2:42-47; 4:32-35

**remissão**
libertação da culpa ou do castigo pelo pecado

Ao procurarmos uma igreja, hoje, é prudente que procuremos uma igreja dedicada ao ensino dos apóstolos, à comunhão cuidadosa e à oração.

5. **Até a igreja "ideal" de Jerusalém enfrentou desafios externos e internos (Atos 4-7).** Estes capítulos descrevem dois desafios externos e dois desafios internos que a Igreja de Jerusalém enfrentou, como apresentado a seguir.

### Novos desafios da Igreja

| Externo | Desafio | Resposta |
|---|---|---|
| Atos 4:1-31 | Pedro e João são ameaçados | A igreja se reúne para orar |
| Atos 6:8-7:60 | Estêvão é apedrejado por uma multidão | Estêvão ora por seus assassinos |
| **Interno** | **Desafio** | **Resposta** |
| Atos 5:1-11 | Duas pessoas mentem para Deus | Deus julga publicamente essas pessoas e os apóstolos |
| Atos 6:1-7 | Há queixas de tratamento injusto | Diáconos são nomeados para supervisionar |

## Vão dizer no monte

### Visão geral

*Expansão*

Após o apedrejamento de Estêvão, os cristãos em Jerusalém foram perseguidos, e a maioria foi forçada a deixar a cidade. Mas, enquanto viajavam, os novos cristãos compartilhavam o evangelho com outros. Logo a mensagem se espalhou para a Judeia e até para a Samaria, onde os samaritanos também aceitaram Cristo como Salvador. A grande surpresa para os primeiros cristãos judeus aconteceu quando um centurião romano aposentado que se chamava Cornélio se converteu. Com isso, ocorreu a todos que a mensagem de salvação era para todas as pessoas, não somente para o povo da aliança de Deus, os judeus.

Filipe: Um dos primeiros diáconos, que inicia um avivamento em Samaria.

Saulo: Um jovem fariseu que, após a conversão, ganhará fama como o apóstolo Paulo.

Barnabé: Um dos primeiros convertidos que se tornou líder na primeira igreja gentílica e companheiro de Paulo em sua primeira viagem missionária.

Cornélio: Um centurião romano que crê no Deus de Israel e torna-se o primeiro gentio convertido ao cristianismo.

## O que há de especial em Atos 8-12?

1. **Quando Filipe começa a pregar Cristo em Samaria, muitos se convertem (Atos 8:1-25).** Os samaritanos eram um povo estrangeiro que havia sido estabelecido em Israel pelos assírios depois que os judeus foram deportados, em 722 a.C. Embora eles adorassem ao Deus de Israel, os judeus consideravam corrupta a religião deles e não mantinham nenhuma relação ou afinidade com eles. Mas a pregação de Filipe e os milagres que ele realizou em nome de Jesus convenceram muitos a confiar em Cristo.

Nesse caso, Deus só deu o Espírito Santo aos cristãos samaritanos quando os apóstolos Pedro e João chegaram de Jerusalém. Isso estabeleceu a autoridade dos apóstolos e o fato de que a Igreja é uma só.

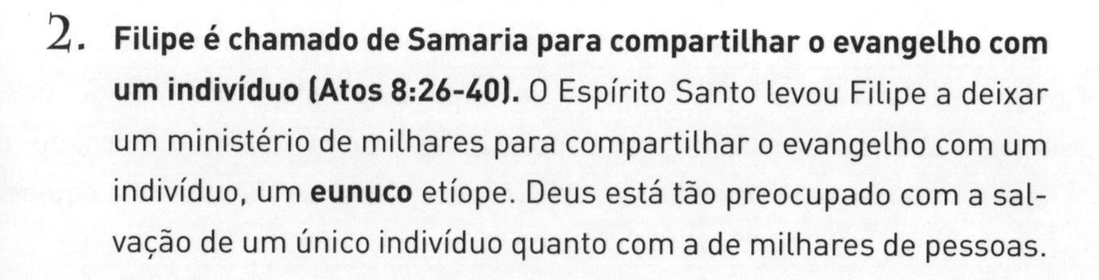

2. **Filipe é chamado de Samaria para compartilhar o evangelho com um indivíduo (Atos 8:26-40).** O Espírito Santo levou Filipe a deixar um ministério de milhares para compartilhar o evangelho com um indivíduo, um **eunuco** etíope. Deus está tão preocupado com a salvação de um único indivíduo quanto com a de milhares de pessoas.

3. **A conversão de Saulo (Atos 9).** Os não cidadãos do Império Romano eram regidos pela lei de sua terra natal. Isso dava ao Sinédrio em Jerusalém autoridade sobre os judeus em qualquer parte do império. Saulo foi autorizado pelo Sinédrio a prender os judeus cristãos em Damasco, outra região do império. No caminho, Cristo falou com ele, e o encontro levou-o à **conversão**.

Imediatamente, este perseguidor da igreja começou a promover a fé que ele havia tentado erradicar!

4. **A visão de Pedro (Atos 10:9-22).** Os judeus consideravam os **gentios** impuros. Isso significava que o contato com um gentio poderia impedir um judeu de participar da adoração no templo de Deus. Deus deu a Pedro uma visão, e uma voz vinda do céu disse a Pedro para matar e comer animais impuros. Chocado, Pedro recusou-se, sendo em seguida foi advertido a não considerar impuro algo que Deus havia purificado. Logo depois, mensageiros vindos da parte de Cornélio, um oficial romano aposentado, convidaram Pedro a ir à casa dele. Pedro percebeu que Deus queria que ele fosse, apesar do fato de os judeus considerarem os gentios impuros.

**matar e comer animais impuros**
Levítico 11

**eunuco**
por volta do século I, título de um alto oficial em algumas terras

**conversão**
ato de voltar-se para Deus

**gentios**
não judeus

5. **A conversão de Cornélio (Atos 10-11).** Quando Pedro compartilhou o evangelho na casa de Cornélio, todos os que estavam reunidos ali creram e começaram a falar em línguas. Pedro viu isso como um sinal de que Deus havia aceitado gentios na igreja. Quando ele relatou o ocorrido, os cristãos de Jerusalém louvaram a Deus, dizendo: "Então, Deus concedeu arrependimento para a vida até mesmo aos gentios!" (Atos 11:18).

**O que outros dizem**

*Craig S. Keener*

Até aquele momento ninguém havia acreditado que os gentios poderiam ser salvos com as mesmas condições que o povo judeu, que havia sido escolhido para a salvação pela graça soberana de Deus.[1]

6. **A primeira igreja predominantemente gentílica é estabelecida em Antioquia (Atos 11:1-30).** Chegou a Jerusalém a notícia de que existia uma igreja composta de gentios em Antioquia (veja Ilustração nº 15). Logo depois, os apóstolos enviaram Barnabé a Antioquia, e ele lá se tornou um líder. Ele também trouxe Saulo de Tarso para a equipe de liderança.

7. **Pedro é libertado da prisão por um anjo (Atos 12).** O rei Herodes Antipas, neto de Herodes, o Grande, executou o apóstolo Tiago. Quando viu que isso agradou aos líderes judeus, ele prendeu Pedro. Mas um anjo o libertou da prisão e em seguida feriu Herodes com uma doença fatal. Deus estava protegendo sua Igreja.

Em Atos, esta é a última vez que ouvimos falar de Pedro. A história da Igreja diz-nos que Pedro ministrou principalmente aos cristãos judeus em todo o Império Romano e que ele foi crucificado em Roma durante o governo do imperador Nero, no ano 66 d.C.

## Saiamos (46-57 d.C.)

### Visão geral

*As viagens de Paulo*

Estes capítulos em Atos resumem as três viagens **missionárias** do apóstolo Paulo (veja Apêndice A) às principais cidades do Império Romano. Paulo e seus companheiros estabeleceram igrejas nesses centros populacionais. Os novos cristãos, então, espalharam o evangelho nas aldeias vizinhas e no campo. Mais tarde, Paulo visitou novamente essas igrejas para dar-lhes outros ensinos. Ele também escreveu cartas de instrução às jovens igrejas. Suas cartas foram coletadas e distribuídas às igrejas em todos os lugares. Treze das cartas de Paulo estão no Novo Testamento.

## O que há de especial em Atos 13-20?

1. **A estratégia missionária de Paulo (Atos 13-14).** Ao entrar em uma cidade, Paulo ia primeiro à sinagoga judaica para ensinar sobre Jesus. Muitos que temiam a Deus respondiam ao evangelho e, com judeus convertidos, formavam o núcleo das igrejas cristãs.

**missionárias**
pessoas enviadas por uma igreja para realizar a obra religiosa

### As cidades que Paulo e sua equipe visitaram

| Cidade | Referência |
|---|---|
| Antioquia da Psídia | Atos 13:13-52 |
| Icônio | Atos 14:1-60 |
| Listra e Derbe | Atos 14:8-20 |
| Tessalônica | Atos 17:1-9 |
| Bereia | Atos 17:10-18 |
| Corinto | Atos 18:1-28 |

2. **O concílio de Jerusalém em 49 d.C. (Atos 15).** O êxito de Paulo na inauguração de igrejas levou a uma discussão teológica. Alguns cristãos judeus estavam convencidos de que os cristãos gentios deveriam guardar a Lei de Moisés e ser circuncidados.

Para o apóstolo Paulo, isso corrompia o evangelho, que oferece salvação aos pecadores apenas com base na fé em Jesus, que morreu pelos pecados da humanidade. Pedro concordou, e Tiago, irmão de Jesus, resumiu a conclusão do concílio.

Embora o concílio de Jerusalém estivesse de acordo que a salvação não estava associada à observância da Lei de Moisés, a Igreja primitiva ainda estava incomodada com cristãos judeus que visitavam igrejas gentílicas e ensinavam que a salvação vinha da fé, além da observância da Lei de Deus.

3. **Os desafios da vida missionária (2Coríntios 11:23-29).** Na leitura de Atos 16 e 19, fica claro que Paulo e sua equipe enfrentaram muitos desafios e dificuldades na propagação do evangelho por todo o Império Romano. Paulo resume vinte anos de experiência missionária na Segunda Carta aos Coríntios:

2Coríntios **11:23-29** *São eles servos de Cristo? — estou fora de mim para falar desta forma — eu ainda mais: trabalhei muito mais, fui encarcerado mais vezes, fui açoitado mais severamente e exposto à morte repetidas vezes. Cinco vezes recebi dos judeus trinta e nove açoites. Três vezes fui golpeado com varas, uma vez apedrejado, três vezes sofri naufrágio, passei uma noite e um dia exposto à fúria do mar. Estive continuamente viajando de uma parte a outra, enfrentei perigos nos rios, perigos de assaltantes, perigos dos meus compatriotas, perigos dos gentios perigos na cidade, perigos no deserto, perigos no mar, e perigos dos falsos irmãos. Trabalhei arduamente; muitas vezes fiquei sem dormir, passei fome e sede, e muitas vezes fiquei em jejum; suportei frio e nudez. Além disso, enfrento diariamente uma pressão interior, a saber, a minha preocupação com todas as igrejas. Quem está fraco, que eu não me sinta fraco? Quem não se escandaliza, que eu não me queime por dentro?*

O que motivava Paulo e outros cristãos não era algum lucro que pudessem obter com o evangelho, mas a convicção de que as pessoas em todos os lugares precisavam ouvir sobre o perdão dos pecados que Deus oferece a todos os que simplesmente confiam em seu Filho.

## Cercado (57-63 d.C.)

### Visão geral

*O julgamento de Paulo*

Em 57 d.C., Paulo sentiu-se conduzido a voltar a Jerusalém. Quando ocorreu um tumulto ali, os soldados romanos resgataram-no, e ele reivindicou proteção como cidadão romano. Os judeus afirmaram que Paulo era um agitador político e um desertor religioso. O governador romano o manteve em Cesareia (veja Ilustração nº 15) por dois anos, esperando um suborno. Então, quando um novo governador foi nomeado, Paulo exerceu seu direito como cidadão romano. Ele apelou a César para ter seu caso julgado em Roma. Atos conta a história da viagem de Paulo a Roma (veja Apêndice A) e ainda inclui informações sobre um naufrágio ao longo do caminho, mas o livro termina antes de Paulo ir a julgamento.

## O que há de especial em Atos 21-28?

1. **O tumulto em Jerusalém e a prisão de Paulo (Atos 21:17-22:29).** O tumulto começou quando os judeus que reconheceram Paulo acusaram-no falsamente de levar gentios para dentro do templo.

Depois de ser resgatado, Paulo pediu para falar à multidão. Quando ele relatou que o Senhor lhe ordenou para procurar os gentios, a multidão amotinou-se novamente.

2. **O julgamento perante Félix (Atos 24:1-27).** O testemunho corajoso de Paulo assustou, mas também fascinou Félix, que o manteve em prisão domiciliar por dois anos na esperança de conseguir um suborno.

3. **O julgamento perante Festo (Atos 25-26).** Paulo exerceu seu direito como cidadão romano de apelar a César para ser julgado em Roma por uma corte imperial.

Pela terceira vez registrada em Atos, Paulo conta a história de sua conversão, agora para uma sala cheia de oficiais de alta posição.

A posição de Paulo parecia loucura para o romano, mas o rei Agripa, que cria nos profetas, entendeu a mensagem. Não há registro histórico da conversão de Agripa.

4. **A viagem a Roma (Atos 27-28).** O livro de Atos é encerrado com o relato de Lucas de uma terrível tempestade que destruiu o navio em que Paulo e outros presos estavam sendo levados para Roma. Paulo viveu sob guarda ali por dois anos, compartilhando livremente o evangelho com os visitantes e com os soldados que o vigiavam.

**absolvido**
declarado não culpado

## O que aconteceu com Paulo?

Atos termina antes de Paulo ir a julgamento. Segundo a tradição, ele foi **absolvido** e continuou sua obra missionária indo para a Espanha. Mais tarde, durante o reinado de Nero, Paulo foi preso novamente. Dessa vez, o apóstolo fiel, como Pedro, foi executado em Roma.

## Resumo do capítulo

- Atos é a história da expansão do cristianismo durante os trinta anos que se seguiram à ressurreição de Jesus.
- Jesus ascendeu ao céu, onde, hoje, intercede pelos cristãos e guia sua Igreja.
- Jesus enviou o Espírito Santo para fortalecer seus discípulos para que fossem testemunhas dele por todo o mundo.
- Pedro foi o primeiro a pregar a mensagem do evangelho para os judeus. Ele também foi o primeiro a pregar para um gentio.
- Após sua conversão, Saulo de Tarso tornou-se o apóstolo Paulo, que encabeçou a pregação do evangelho ao mundo gentílico.
- Em três viagens missionárias ao longo de 11 anos, o apóstolo Paulo estabeleceu igrejas em muitas das principais cidades do Império Romano.
- A prisão e o julgamento de Paulo deram-lhe oportunidades de apresentar o evangelho a oficiais importantes do governo na Palestina e na própria Roma.

## Questões para estudo

1. Que tipo de texto literário é Atos?
2. Com que evento começa Atos?
3. O que a vinda do Espírito Santo deu aos discípulos?

4. Quais foram as verdades básicas enfatizadas nos dois primeiros sermões do evangelho feitos por Pedro?
5. Quais são as duas figuras dominantes em Atos?
6. O que houve de mais importante na conversão de Cornélio?
7. Quantas viagens missionárias de Paulo são relatadas em Atos?
8. Por que o concílio de Jerusalém foi importante?
9. Quando Atos termina, onde está o apóstolo Paulo?

# Capítulo 18

*Em destaque no capítulo:*

- Entendendo as cartas
- Romanos
- Gálatas

# Explicando o evangelho
# Carta aos Romanos • Carta aos Gálatas

## Vamos começar

Os últimos cinco capítulos compreenderam de Mateus a Atos, livros da Bíblia que consistem de narrativas históricas, sobre Jesus e sobre seus seguidores. Este capítulo abrangerá os dois primeiros livros com um tipo diferente de escrita — as cartas. Elas foram escritas por apóstolos de Jesus a igrejas ou, algumas, a indivíduos. Há 21 delas no Novo Testamento, e cada uma tem por objetivo instruir os cristãos ao longo das eras. Por fim, as cartas eram copiadas e distribuídas a todas as igrejas. Coletâneas das cartas foram avaliadas no século I e reconhecidas como parte das Escrituras Sagradas, a Palavra fidedigna de Deus, transmitida por meio de homens, mas **inspirada** pelo Espírito Santo.

**inspirada**
guiada por Deus

Há duas grandes coletâneas de cartas: as paulinas e as gerais. As cartas paulinas foram escritas por Paulo, e as gerais, por Pedro, João, Judas, Tiago e pelo autor desconhecido da Carta aos Hebreus.

Não temos espaço suficiente aqui para discutir cada carta do início ao fim, mas um esboço de cada uma delas será apresentado, de modo que, se quiser "se aprofundar" nas Escrituras, você terá um guia ao longo do caminho. Observaremos uma amostra de cada carta e, em seguida, discutiremos a ideia fundamental que resume o foco principal de cada uma delas.

Existem vários tipos de literatura na Bíblia. Há narrativas — livros como Rute, que contam uma história. Há história — livros como Êxodo, 1Reis e Atos dos Apóstolos, que registram acontecimentos. Há poesias — como Salmos — e profecias — como Isaías e Jeremias. Cada tipo de literatura bíblica é parte da mensagem de Deus para nós, mas descobrimos essa mensagem expressa de diferentes maneiras, por exemplo, na história da Bíblia que os escritores selecionam e descrevem cuidadosamente, e encontramos a mensagem de Deus quando observamos os acontecimentos revelados e prestamos atenção nas descrições dos escritores.

As cartas são ainda um tipo diferente de literatura. São cartas escritas a igrejas ou indivíduos por apóstolos de Jesus. Elas contêm ensinos específicos que se aplicam a todos os cristãos em todos os lugares. Em seus ensinos, os escritores das cartas do Novo Testamento explicam, argumentam, ilustram e exortam, desenvolvendo cuidadosamente verdades importantes sobre a fé cristã. Quando as lemos, precisamos traçar com cuidado o fluxo de pensamento — o chamado "raciocínio" de cada escritor. Quando entendemos o fluxo geral de pensamento, podemos entender com mais precisão o significado de cada palavra, cada expressão e cada versículo.

Nas introduções seguintes a cada carta do Novo Testamento, você encontrará um esboço que irá ajudá-lo a acompanhar o raciocínio do escritor, seu fluxo de pensamento.

Agruparemos as cartas de acordo com temas comuns conforme a tabela a seguir.

### Temas comuns encontrados nas cartas

| As cartas | Tema comum |
|---|---|
| Romanos, Gálatas | Cartas de Paulo que explicam o evangelho |
| 1 e 2Coríntios e 1 e 2Tessalonicenses | Cartas de Paulo escritas para esclarecer mal-entendidos |
| Efésios, Colossenses, Filipenses | Cartas de Paulo escritas da prisão em Roma |
| 1 e 2Timóteo, Tito, Filemom | Cartas de Paulo escritas a indivíduos |
| Hebreus | A superioridade de Cristo ao judaísmo |
| Tiago, 1 e 2Pedro, 1, 2 e 3João, Judas | Cartas escritas por outros apóstolos sobre vários temas |

Nestes capítulos, descobriremos o tema de cada carta e observaremos a fundo seções específicas.

## Romanos

### ...o dom da justiça de Deus

| | |
|---|---|
| **Quem?** | O apóstolo Paulo |
| **O quê?** | explicou cuidadosamente o evangelho de Cristo |
| **Onde?** | aos cristãos em Roma |
| **Quando?** | em 57 d.C. |
| **Por quê?** | para que eles pudessem entender a relação entre a graça e a justiça |

O Antigo Testamento revela Deus como um ser moral, cuja Lei apresenta padrões de justiça que ele esperava que seu povo mantivesse. Então, o evangelho cristão entra em cena, e os apóstolos de Jesus anunciam que, uma vez que Cristo morreu por nossos pecados, Deus os perdoa a todos que simplesmente confiam nele. Para alguns, a mensagem do evangelho pareceu um escândalo! E a justiça? A salvação obtida mediante a fé não é inconsistente com a natureza de um Deus que é justo e que, como revela o Antigo Testamento, espera justiça de seu povo?

Na Carta aos Romanos, Paulo responde às perguntas muito reais sobre o evangelho que foram feitas no século I e que, muitas vezes, são feitas ainda hoje.

## Acompanhando o raciocínio de Paulo — seu fluxo de pensamento

O raciocínio de uma carta do Novo Testamento é seu fluxo de pensamento. Quando acompanhamos o raciocínio de Romanos, não só temos um resumo de seu conteúdo, mas também um esboço do livro. Veja como Paulo responde às perguntas sobre justiça.

### Fluxo de pensamento de Paulo

| Introdução | Romanos 1:1-17 |
|---|---|
| Ninguém é justo aos olhos de Deus, | 1:18-3:20 |
| nem gentios, | 1:18-32 |
| nem judeus, | 2:1-3:8 |
| e as Escrituras provam isso. | 3:9-20 |
| Por isso, Deus concedeu a justiça como um dom | 3:21-5:21 |
| por meio da morte de Cristo. | 3:21-31 |
| Na verdade, Deus sempre aceitou a fé no lugar da justiça | 4:1-25 |
| como ilustra a experiência de Abraão e Davi, | 4:1-17 |
| e como podemos experimentar a fé em Jesus hoje. | 4:18-25 |
| Então, os pecadores, hoje, podem ter paz com Deus por meio de Cristo, | 5:1-11 |
| que anulou a maldição que o pecado de Adão impôs à humanidade. | 5:12-21 |
| E mais, a fé em Cristo torna possível que pecadores salvos vivam uma vida justa, | |
| porque a fé nos une a Jesus. | 6:1-23 |
| Não podemos cumprir as exigências da Lei com nossas próprias forças, por isso não confiamos que a Lei irá nos ajudar. Em vez disso, | 7:1-25 |
| confiamos no Espírito Santo que dá o poder para agradarmos a Deus, aqui e agora, | 8:1-17 |
| e que irá nos transformar totalmente, levando-nos à glória na eternidade. | 8:18-39 |

| Introdução | Romanos 1:1-17 |
|---|---|
| Deus não está sendo injusto ao colocar esse dom à disposição dos gentios, porque | 9:1-11:36 |
| é justo separar Israel, e | 9:1-10:21 |
| Deus ainda cumprirá as promessas dos profetas a Israel no futuro. | 11:1-36 |
| Então, os cristãos, hoje, são chamados a viver uma vida justa, | 12:1-15:13 |
| como membros de uma comunidade de cristãos, | 12:1-21 |
| como cidadãos em uma sociedade secular | 13:1-14 |
| e como irmãos e irmãs que aceitam uns aos outros e glorificam a Deus juntos. | 14:1-15:13 |
| Saudações pessoais (conclusão) | 15:14-16:27 |

**alienação**
separação

**ira**
a firme intenção de Deus de punir o pecado e o pecador

**impiedade**
não mostrar reverência a Deus

## Uma pequena amostra

Para termos uma ideia da Carta aos Romanos, observemos juntos os versículos da seção do raciocínio de Paulo, que acabamos de apresentar. Paulo fala diretamente sobre a questão da justiça humana, apontando que ninguém é justo aos olhos de Deus. Se a salvação depender de nossos esforços para agradar a Deus, fazendo o que ele requer, estamos realmente encrencados! E todo o nosso problema começa com a nossa **alienação** de Deus! Foi esta alienação que trouxe todos os seres humanos para debaixo de sua ira.

## A ira de Deus para os injustos

> ROMANOS 1:18 *A **ira** de Deus é revelada dos céus contra toda **impiedade** e injustiça dos homens que suprimem a verdade pela injustiça [...]*

Deus não é indiferente à injustiça. As pessoas que pecam são objetos da ira de Deus, estão sujeitas à punição eterna. Essa verdade está sendo revelada ainda agora, na corrupção dos princípios morais e na maldade dos que suprimem a verdade.

## Eu não quero ouvir

> ROMANOS 1:19-20 *Pois o que de Deus se pode conhecer é manifesto entre eles, porque Deus lhes manifestou. Pois desde a criação do mundo os atributos invisíveis de Deus, seu eterno poder e sua natureza divina, têm sido vistos claramente, sendo compreendidos por meio das coisas criadas, de forma que tais homens são indesculpáveis.*

A verdade que os seres humanos **suprimem** é simplesmente o fato de que existe um Deus Criador. O que Paulo quer dizer é que a Criação é como um grande radiotransmissor, transmitindo a mensagem da existência de Deus. O grego usa uma expressão diferente na oração "Deus lhes manifestou". O que o grego diz é que Deus deixou claro "neles". Deus não apenas moldou o universo para enviar a mensagem de que ele formou tudo o que existe; Deus também moldou a natureza humana com um receptor embutido, sintonizado na estação de Deus. Os seres humanos que suprimem a verdade da existência de Deus são indesculpáveis, porque, para rejeitarem ou ignorarem a Deus, eles têm de "diminuir o volume" de seu receptor interno por livre e espontânea vontade. Os seres humanos têm, intencionalmente, se recusado a aceitar a mensagem que Deus está transmitindo.

**suprimem**
ignoram propositalmente

**glorificaram**
deram a Deus crédito e louvor pelo que ele fez

## Curve-se — Não tem jeito

ROMANOS **1:21** *Porque, tendo conhecido a Deus, não o* **glorificaram** *como Deus, nem lhe renderam graças.*

A resposta apropriada para a revelação que Deus faz de si mesmo na criação é dar crédito a Deus por suas obras e render-lhe graças. Em vez de fazerem isso, os seres humanos têm suprimido a verdade de que Deus existe e merece nossa adoração.

## Deuses que não podem responder

ROMANOS **1:21-23** *Mas os seus pensamentos tornaram-se fúteis e o coração insensato deles obscureceu-se. Dizendo-se sábios, tornaram-se loucos e trocaram a glória do Deus imortal por imagens feitas segundo a semelhança do homem mortal, bem como de pássaros, quadrúpedes e répteis.*

## Tudo bem, como você preferir

ROMANOS **1:24-25** *Por isso Deus os entregou à impureza sexual, segundo os desejos pecaminosos do seu coração, para a degradação do seu corpo entre si. Trocaram a verdade de Deus pela mentira, e adoraram e serviram a coisas e seres criados, em lugar do Criador, que é bendito para sempre. Amém.*

A expressão "os entregou" é repetida em Romanos 1:26 e aparece em 1:28. Paulo disse que a ira de Deus está sendo revelada do céu (Romanos 1:18). A impureza sexual e outros pecados que ele descreve neste capítulo são uma evidência clara de que a ira de Deus é dirigida contra aqueles que o rejeitaram. Quanto mais uma pessoa ou sociedade se torna moralmente corrupta, menos paz, alegria e satisfação interior os seres humanos terão. O pecado pode parecer atraente, mas, quando cedemos a ele, ele nos torna miseráveis! A miséria que resulta de nossos pecados é uma evidência da ira de Deus!

**O que outros dizem**

*Max Lucado*

O maior sonho de Deus não é nos fazer ricos, nem nos tornar bem-sucedidos, admirados pelos outros ou famosos. O sonho de Deus é tornar-nos justos diante dele.[1]

## Homens com homens, mulheres com mulheres

Romanos **1:26-27** *Por causa disso Deus os entregou a paixões vergonhosas. Até suas mulheres trocaram suas relações sexuais naturais por outras, contrárias à natureza. Da mesma forma, os homens também abandonaram as relações naturais com as mulheres e se inflamaram de paixão uns pelos outros. Começaram a cometer atos indecentes, homens com homens, e receberam em si mesmos o castigo merecido pela sua perversão.*

**O que outros dizem**

*Wolfheart Pannenberg*

O Novo Testamento não contém uma única passagem que possa indicar uma avaliação mais clara da homossexualidade do que estas declarações paulinas. Portanto, o testemunho bíblico inteiro inclui a prática do homossexualismo, sem exceção, entre os tipos de comportamento que dão uma expressão particularmente impressionante do distanciamento da humanidade de Deus.[2]

## Acorde, eu estou aqui

Romanos 1:28-31 *Além do mais, visto que desprezaram o conhecimento de Deus, ele os entregou a uma disposição mental reprovável, para praticarem o que não deviam.*

*Tornaram-se cheios de toda sorte de injustiça, maldade, ganância e depravação. Estão cheios de inveja, homicídio, rivalidades, engano e malícia. São bisbilhoteiros, caluniadores, inimigos de Deus, insolentes, arrogantes e presunçosos; inventam maneiras de praticar o mal; desobedecem a seus pais; são insensatos, desleais, sem amor pela família, implacáveis [...].*

Gênesis revela a fonte de tudo o que é bom nos seres humanos. Deus criou a humanidade à sua imagem com a capacidade de amar, responder ao amor, desfrutar da beleza e fazer coisas belas. Romanos traça a origem daquilo que, segundo nosso consenso, é mau. Ao abandonarem e suprimirem a verdade sobre ele, os seres humanos se abrem para tudo o que é mau. A existência de tais males na sociedade é prova de que o homem abandonou o Senhor, pois, onde ele é conhecido e amado, tal comportamento é impensável.

## Tudo bem para mim

Romanos 1:32 *Embora conheçam o* ***justo decreto*** *de Deus, de que as pessoas que praticam tais coisas merecem a morte, não somente continuam a praticá-las, mas também aprovam aqueles que as praticam.*

**justo decreto**
a exigência de Deus de que os seres humanos façam o que é certo

Para entendermos o que Paulo está dizendo aqui, precisamos apenas observar aqueles que defendem o que todos sabem que é um comportamento imoral, defendendo os direitos de privacidade e a liberdade para fazer o que quisermos sem estarmos sujeitos à moralidade de "fanáticos religiosos". Em vez de tomarem uma posição pelo que é certo, essas pessoas insistem para que outros tenham o "direito" de fazer o que é errado.

Neste primeiro capítulo, então, Paulo argumenta que os pecados nos quais os indivíduos e as sociedades se encontram emaranhados são, de fato, evidência da ira de Deus, dirigida contra aqueles que rejeitaram um relacionamento pessoal com ele. Argumentar que os seres humanos devem agir de forma justa para agradar a Deus é pôr a carroça na frente dos bois. O que os seres humanos precisam é restabelecer um relacionamento com Deus que irá libertá-los de seus pecados!

Em Romanos 2, Paulo continua a deixar claro que todos os que pecaram serão julgados por Deus.

## Princípios do julgamento divino

ROMANOS 2:12 *Todo aquele que pecar sem a Lei, sem a Lei também perecerá, e todo aquele que pecar sob a Lei, pela Lei será julgado.*

padrões divinos
Romanos 2:1-38

Uma vez que nem todos conhecem os padrões divinos que estão revelados na Lei de Moisés, dificilmente seria justo usar os Dez Mandamentos para avaliar o comportamento de todos. Ou seja, o judeu, a quem a Lei foi dada, pode ser julgado pela Lei, a qual ele conhece e aceita. Mas os gentios, cujo ponto de vista moral não foi moldado por um conhecimento da Lei divina, dificilmente podem ser julgados por ela. No entanto, isso não absolve a pessoa que ignora os padrões de Deus: ela também perecerá.

## Todos sabem o que é "certo" e "errado"

ROMANOS 2:14-15 *De fato, quando os gentios, que não têm a Lei, praticam naturalmente o que ela ordena, tornam-se lei para si mesmos, embora não possuam a Lei; pois mostram que as exigências da Lei estão gravadas em seu coração. Disso dão testemunho também a sua consciência e os pensamentos deles, ora acusando-os, ora defendendo-os.*

O que Paulo quer dizer é que todos, mesmo aqueles que ignoram os padrões revelados de Deus, ainda reconhecem que algumas coisas são moralmente corretas, e outras, moralmente erradas. Por exemplo, algumas culturas consideram aceitável moralmente ter quatro esposas. Mas, em todas as culturas, alguns tipos de comportamento sexual são tidos como "errados", e outros, "corretos". Isso demonstra que os seres humanos foram criados com um sentido moral, de modo que todos estão avaliando as ações como "corretas" ou "erradas". Sociedades sem acesso aos padrões de Deus criam seus próprios padrões. Ainda mais especificamente, a consciência de cada pessoa testemunha o fato de que ela violou seus próprios padrões; ainda mais os de Deus!

Uma vez que Deus é totalmente íntegro e correto, ele não julgará pela sua Lei aqueles que não a conhecem. Em vez disso, ele irá julgá-los por seus próprios padrões morais! E quando isso acontecer, cada pessoa será declarada "culpada", pois cada um de nós está ciente de que nem sempre fazemos o que nós mesmos acreditamos ser correto.

**O que outros dizem**

*Everett F. Harrison*

Apesar das grandes diferenças nas leis e nos costumes entre as pessoas ao redor do mundo, o que as une em uma humanidade comum é o reconhecimento de que algumas coisas são corretas, e outras, erradas.[3]

## Aquela velha consciência de novo

O apóstolo Paulo cita o Antigo Testamento como prova de que todos pecaram:

> ROMANOS **3:9-11** *Já demonstramos que tanto judeus quanto gentios estão debaixo do pecado. Como está escrito: "Não há nenhum justo, nem um sequer; não há ninguém que entenda, ninguém que busque a Deus."*

Paulo afirmou que a ira de Deus está sendo expressa nos pecados que vemos ao nosso redor. O juízo futuro dos pecadores pelo Senhor será justo, pois ele julgará pela Lei os que vivem sob ela, sendo os demais julgados por seus próprios padrões de certo e errado. Mas, qualquer que seja o padrão usado, nossa própria consciência nos condena.

Agora Paulo apresenta a prova. A Palavra de Deus diz que não há um justo, nem um sequer. Quando os seres humanos estiverem diante dele para serem julgados, ninguém será declarado justo.

## A Lei não irá levá-lo para o céu

> ROMANOS **3:19-20** *Sabemos que tudo o que a Lei diz, o diz àqueles que estão debaixo dela, para que toda boca se cale e todo o mundo esteja sob o juízo de Deus. Portanto, ninguém será declarado justo diante dele baseando-se na obediência à Lei, pois é mediante a Lei que nos tornamos plenamente conscientes do pecado.*

A Lei nunca teve por objetivo ser um guia para mostrar aos seres humanos como eles poderiam agradar a Deus, ou um modelo daquilo que devemos viver. A Lei tinha por objetivo ser um espelho para mostrar-nos o quanto estamos aquém do que deveríamos ser! A Lei não pode nos salvar, mas, por meio dela, podemos nos tornar cientes de nosso pecado.

todos pecaram
Romanos 3:23

Ninguém será declarado justo aos olhos de Deus pela observância da Lei. Por meio dela, nós nos tornamos cientes do pecado.

## Mas há esperança!

A Carta aos Romanos foi escrita para aqueles que se escandalizaram com um evangelho que oferece salvação aos pecadores como um dom gratuito. Foi escrito para aqueles que creram que, com a promessa de perdoar pecados, Deus estava agindo contra sua própria natureza como um Deus justo.

A resposta de Paulo é profunda. Aqueles que creem nisso devem, primeiro, enfrentar um simples fato. Nenhum ser humano é ou pode se tornar justo. Todos pecaram. Se a salvação depender do esforço humano para fazer o que é certo, todos estão, de fato, perdidos!

## O problema do homem:

As raízes do pecado estão ancoradas na rejeição a Deus pela humanidade.

## A solução de Deus:

Jesus Cristo morreu a fim de sofrer o castigo pelo pecado do homem para que, mediante a fé nele, aqueles que cressem não só pudessem ser perdoados, mas também tivessem a oportunidade de restabelecer um relacionamento pessoal com Deus! E assim como a rejeição do homem a Deus produziu pecados nos indivíduos e na sociedade, a restauração de um relacionamento pessoal com Deus produzirá justiça naqueles que estão unidos a Jesus Cristo!

Romanos nos ensina que o evangelho tem a ver com justiça! Deus declara que aqueles que creem em Jesus devem ser justos aos seus olhos. E, assim, Deus trabalha na vida do cristão para produzir uma justiça que jamais poderíamos demonstrar sem ele.

## O que outros dizem

*Max Lucado*

Em termos simples: O preço de seus pecados é maior do que você pode pagar. O presente de seu Deus é maior do que você pode imaginar. Uma pessoa é justificada diante dele por meio da fé, explica Paulo, não pela obediência à Lei (ver Romanos 3:28).[4]

*John Wesley*

Você é chamado para mostrar, por meio do teor total de sua vida e conversa, que você está renovado no espírito de sua mente.[5]

# Gálatas

## ...a Lei ou o Espírito?

| | |
|---|---|
| **Quem?** | O apóstolo Paulo |
| **O quê?** | escreveu esta carta |
| **Onde?** | aos cristãos na província da Galácia |
| **Quando?** | próximo a 49 d.C. |
| **Por quê?** | para explicar como a liberdade das exigências da Lei do Antigo Testamento promove a vida justa e a verdadeira bondade |

## Confie na graça de Deus, não na Lei

O livro de Atos dos Apóstolos relata que, depois que Paulo e Barnabé completaram sua primeira viagem missionária, os homens desceram da Judeia para Antioquia (veja Apêndice A) e passaram a ensinar aos irmãos: "Se vocês não forem circuncidados conforme o costume ensinado por Moisés, não poderão ser salvos" (Atos 15:1). Esses **judaizantes** insistiam que os cristãos gentios deviam obedecer à Lei de Moisés (Atos 15:5). Muitos novos cristãos ficaram confusos. Afinal, o Antigo Testamento era a Palavra de Deus. Os cristãos não deveriam ser responsáveis por cumprir as leis da Palavra, como também confiar em Cristo?

**judaizantes**
homens que ensinavam que os cristãos deviam cumprir as leis judaicas

Paulo considerou esse ensino uma distorção básica do evangelho. Ele enviou esta carta aos cristãos da Galácia para ajudá-los a entender as limitações da Lei e os segredos da vida na dependência do Espírito Santo de Deus.

**O que outros dizem**

*James Montgomery Boice*

A Carta aos Gálatas foi chamada de "carta magna da liberdade cristã", e isso está muito correto. Ela sustenta corretamente que, somente mediante a graça de Deus em Jesus Cristo uma pessoa está capacitada para escapar da maldição do pecado e da Lei, e para iniciar uma nova vida — não na escravidão ou na licenciosidade, mas na verdadeira liberdade da mente e do espírito por meio do poder de Deus.[6]

## Acompanhando o raciocínio de Paulo

Os judaizantes atacaram Paulo com três pretextos. Eles alegaram que: (1) Paulo não era, de fato, um apóstolo; (2) Deus era o autor da Lei, e Paulo não deveria ensinar que ela estava anulada; e (3) o ensino de Paulo era uma licença para pecar. A Carta aos Gálatas responde a cada uma dessas acusações. O esboço a seguir acompanha o seu raciocínio.

### O RACIOCÍNIO DE PAULO

| | |
|---|---|
| Saudações | Gálatas 1:1-5 |
| O apostolado de Paulo se baseia no fato de que | Gálatas 1:11-2:21 |
| o próprio Jesus revelou o evangelho a ele, | Gálatas 1:11,12 |
| o próprio Deus o chamou para seu ministério, | Gálatas 1:13-24 |
| os apóstolos de Jesus confirmaram o seu chamado. | Gálatas 2:1-21 |
| O seu ensinamento faz distinção entre Lei e fé. | Gálatas 3:1-4:31 |
| A Lei não está relacionada... | Gálatas 3:1-18 |
| ○ ao modo como recebemos a vida espiritual, | Gálatas 3:1-5 |
| ○ à maneira como os santos do Antigo Testamento foram justificados, | Gálatas 3:6-9 |
| ○ ao modo como Deus cumpre suas promessas e | Gálatas 3:10-14 |
| ○ à maneira como essas promessas funcionam em nosso relacionamento com Deus. | Gálatas 3:15-18 |
| O papel da Lei sempre foi limitado | Gálatas 3:19-4:7 |
| ○ pelo fato de que ela era temporária, | Gálatas 3:19,20 |
| ○ pelo fato de que ela não pode dar a vida, | Gálatas 3:21,22 |
| ○ pelo fato de que a Lei aponta para a fé e | Gálatas 3:23,24 |
| ○ pelo fato de que os cristãos agora têm plenos direitos como filhos de Deus. | Gálatas 3:25-4:7 |

| | |
|---|---|
| A Lei é uma forma inferior, que leva | Gálatas 4:8-19 |
| ○ à perda da alegria, | Gálatas 4:8-19 |
| ○ à perda da liberdade e | Gálatas 4:20-5:1 |
| ○ à perda de poder. | Gálatas 5:2-12 |
| A ênfase de Paulo na liberdade produz a piedade que | Gálatas 5:13-25 |
| ○ afirma o amor, | Gálatas 5:13-15 |
| ○ confia no Espírito Santo, | Gálatas 5:16-18 |
| ○ liberta a pessoa da natureza pecaminosa, | Gálatas 5:19-21 |
| ○ produz frutos espirituais. | Gálatas 5:22-26 |
| Exortações e saudações finais | Gálatas 6:1-18 |

## Uma pequena amostra

Paulo afirmou que aqueles que confiam na Lei como um meio de produzir justiça caem em uma armadilha. As pessoas que confiam na Lei e tentam cumpri-la com suas próprias forças certamente falham. Em vez disso, Paulo encoraja os cristãos a procurarem amar e servir aos outros no poder do Espírito Santo. O que nenhum ser humano pode fazer por si mesmo Deus pode e irá fazer naqueles que conhecem a Jesus.

### O que outros dizem

*James Montgomery Boice*

Alguns sustentam que não há conflito algum dentro do cristão por causa da suposição de que a natureza pecaminosa foi erradicada. Mas isso não é verdade de acordo com esta e outras passagens. Naturalmente, a natureza pecaminosa deve se tornar cada vez mais subjugada à medida que o cristão aprende pela graça a andar no Espírito. Contudo, ela nunca é eliminada. Assim, o cristão nunca está livre da necessidade de optar conscientemente por seguir no caminho de Deus. Não há como escapar da necessidade de depender da graça de Deus.[7]

## Seja guiado pelo Espírito de Deus

Gálatas **5:18** *Se vocês são guiados pelo Espírito, não estão debaixo da Lei.*

A vida pelo Espírito não é legalismo nem licenciosidade. Pelo contrário, é estar aberto para a liderança interior de Deus e dispor-se prontamente a alcançar os outros com amor.

## Nós sabemos e podemos ver a diferença

GÁLATAS 5:19-23 *Ora, as obras da carne são manifestas: imoralidade sexual, impureza e libertinagem; idolatria e feitiçaria; ódio, discórdia, ciúmes, ira, egoísmo, dissensões, facções e inveja; embriaguez, orgias e coisas semelhantes. Eu os advirto, como antes já os adverti: Aqueles que praticam essas coisas não herdarão o Reino de Deus. Mas o fruto do Espírito é amor, alegria, paz, paciência, amabilidade, bondade, fidelidade, mansidão e domínio próprio. Contra essas coisas não há lei.*

As leis são aprovadas diante do comportamento errado. Elas não geram bom comportamento. Quando entendemos a liberdade que os cristãos têm da Lei como uma liberdade para seguir o caminho do Espírito Santo, que passou a morar em nossa vida, a liberdade não é mais assustadora. Quando respondemos aos estímulos do Espírito, ele produz apenas coisas positivas em nós.

Romanos e Gálatas, portanto, encontram a chave para o desespero humano e, ao mesmo tempo, para a esperança do homem no relacionamento com Deus. É por causa do relacionamento perdido do homem com Deus que o pecado passou a influenciar os indivíduos e a sociedade. E é por meio do relacionamento restaurado com Deus que nos é oferecido em Jesus Cristo que temos esperança de viver uma vida verdadeiramente boa.

## Resumo do capítulo

- Muitos textos do Novo Testamento foram, originalmente, cartas escritas pelos apóstolos para instruir os cristãos.
- A Carta aos Romanos foi escrita para mostrar como o evangelho está relacionado com a justiça.
- Romanos ensina que nenhum ser humano é justo, mas que, quando Deus declara justo um pecador que crê em Jesus, o Espírito Santo, capacitará este cristão para levar uma vida justa.
- Romanos remete a raiz do pecado humano à alienação da humanidade de Deus.
- A Carta aos Gálatas enfatiza que tanto a salvação como a vida cristã são experimentadas graças à confiança na graça de Deus, não à confiança na Lei.

## Questões para estudo

1. Que tipo de literatura são as cartas do Novo Testamento?
2. O que significa "acompanhar o raciocínio" de uma carta?
3. Qual é o tema da Carta de Paulo aos Romanos?
4. Quais são as três coisas que Romanos ensina sobre a justiça?

5. Qual é a raiz do pecado nos indivíduos e na sociedade?
6. Como Deus pode julgar as pessoas que nunca ouviram falar de sua Lei?
7. Qual é o verdadeiro papel da Lei de Deus?
8. Qual é o tema da Carta de Paulo aos Gálatas?
9. Quais são os dois princípios contrários que atuam na vida de um cristão?
10. Qual é a diferença entre tentar se relacionar com Deus por meio da Lei e ser guiado pelo Espírito?

# Capítulo 19

*Em destaque no capítulo:*

- 1 e 2Coríntios
- 1 e 2Tessalonicenses

# As cartas que solucionam problemas Primeira e Segunda Carta aos Coríntios • Primeira e Segunda Carta aos Tessalonicenses

## Vamos começar

A equipe missionária de Paulo viajou de cidade em cidade para espalhar o evangelho. Em cada cidade, uma jovem igreja era estabelecida. Paulo e seus companheiros passavam alguns meses ou até um ano com a maioria das congregações, ensinando as verdades básicas do evangelho. Os missionários, então, seguiam para outra cidade e repetiam o processo.

Embora Paulo e sua equipe revisitassem as igrejas recém-estabelecidas sempre que possível, os novos convertidos muitas vezes tinham perguntas sem resposta. Então, quando ficava sabendo de perguntas ou problemas em uma das igrejas fundadas por ele, muitas vezes se sentava para escrever para essas igrejas. Algumas cartas instruíam uma congregação sobre como lidar com um problema. Outras esclareciam seu ensinamento anterior. Neste capítulo, observaremos quatro cartas de Paulo que são claramente cartas para resolver problemas.

### 1Coríntios

#### ...voltando aos eixos

| | |
|---|---|
| **Quem?** | O apóstolo Paulo |
| **O quê?** | escreveu esta carta em resposta aos mensageiros que informaram sobre discussões que estavam dividindo as congregações |
| **Onde?** | em Corinto |
| **Quando?** | por volta de 57 d.C. |
| **Por quê?** | para mostrar-lhes como reedificar uma comunidade amorosa |

**Afrodite**
a deusa grega do amor e da beleza

## Aconteceu na época como acontece agora

Corinto no século I (veja Apêndice A) era uma cidade movimentada com cerca de 250 mil habitantes. Sua população incluía gregos nativos, um grande número de judeus e outros orientais, colonizadores romanos, oficiais do governo e homens de negócios. Sacerdotisas prostitutas no templo de Corinto dedicado a **Afrodite** ajudavam a criar o clima de negligência moral pelo qual a cidade era conhecida. Paulo a visitou em 50 d.C. e ficou nela por quase 18 meses, formando um grande grupo de cristãos dali, com membros de todas as camadas da sociedade.

Cerca de cinco anos após a fundação da igreja, mensageiros de Corinto falaram com Paulo sobre a dissensão e as disputas que estavam dividindo a congregação. Comentando sobre esses problemas, o *Nelson Illustrated Bible Handbook* observa:

As coisas incômodas que aconteciam em Corinto ainda acontecem nas congregações modernas. Ainda existem divisões, uma vez que os cristãos exaltam este ou aquele líder humano. Há ainda a imoralidade descarada, pois nossa sociedade também é negligente e lasciva. As disputas entre cristãos ainda levam à amargura e a processos judiciais. Famílias desfazem-se. Pastores são pegos em pecado. E discussões sobre a doutrina dividem nossa comunhão. A falta de entendimento das verdades básicas ainda suscita dúvidas e incertezas. Esses fatos tornam esta carta de Paulo a Corinto uma das cartas do Novo Testamento mais pertinentes para nós hoje.

## Acompanhando o raciocínio de Paulo

O plano da Primeira Carta de Paulo aos Coríntios é fácil de ser acompanhado, porque o apóstolo simplesmente discute os problemas um por um. Cada novo tópico é introduzido por uma expressão grega que significa "no que se refere a". Em vez de dar uma resposta curta para os problemas na igreja, Paulo normalmente recapitula verdades básicas que os coríntios precisam entender e, em seguida, aplica estas verdades para resolver o problema. Para acompanharmos o raciocínio de Paulo neste livro, seguiremos seu plano e: (1) observaremos cada problema; (2) explicaremos as verdades necessárias para resolvê-lo; e (3) iremos aplicá-las para a solução do problema.

Escolha um dos problemas de seu interesse e acompanhe o resumo na sua Bíblia.

## DIVISÕES DA IGREJA — MEU LÍDER É MELHOR QUE O SEU (1CORÍNTIOS 1-4)

| | |
|---|---|
| Saudações | 1Coríntios 1:1-10 |
| O PROBLEMA — A unidade da igreja é abalada por grupos que discutem sobre a qual líder eles devem ser leais | 1Coríntios 1:10-17 |
| INSTRUÇÃO COM A VERDADE CRISTÃ BÁSICA | 1Coríntios 1:18-3:23 |
| • A sabedoria humana, que confia no raciocínio humano, e a sabedoria de Deus, que se manifesta na cruz, são de natureza diferente | 1Coríntios 1:18-2:4 |
| • A sabedoria de Deus deve ser discernida por aqueles que dependem do Espírito. A contenda em Corinto mostra que os cristãos dali são mundanos | 1Coríntios 2:5-3:4 |
| • Na verdade, os líderes são cooperadores de Deus, os coríntios são edifício de Deus e o fundamento sobre o qual todos devem edificar é Jesus. Portanto, não há homens sobre quem contar vantagem | 1Coríntios 3:5-23 |
| A SOLUÇÃO — Os líderes humanos devem ser respeitados como servos aos quais foram confiadas as coisas secretas de Deus, mas não como fundadores de facções | 1Coríntios 4:1-21 |

## OS MAUS DEVEM IR EMBORA: IMPUREZA NA IGREJA (1CORÍNTIOS 5:1-6:20)

| | |
|---|---|
| O PROBLEMA— A imoralidade sexual continua sem ser confrontada pela igreja, e os coríntios têm coragem de se orgulhar | 1Coríntios 5:1-2 |
| INSTRUÇÃO COM A VERDADE CRISTÃ BÁSICA | 1Coríntios 5:3-6:20 |
| • Os cristãos não devem associar-se com outros cristãos que praticam a imoralidade sexual | 1Coríntios 5:3-13 |
| • De igual modo, as discussões entre os cristãos devem ser resolvidas por juízes nomeados dentro da igreja | 1Coríntios 6:1-11 |
| • A imoralidade sexual de qualquer tipo corrompe e deve ser evitada | 1 Coríntios 6:12-20 |
| A SOLUÇÃO — Expulse os maus de seu meio | 1Coríntios 5:13 |

## CONTINUEM UNIDOS: CONFUSÃO SOBRE O CASAMENTO

| | |
|---|---|
| O PROBLEMA — Alguns acrescentaram uma interpretação **ascética** ao comentário de Paulo de que é bom para o homem não se casar. Alguns dos casados estavam abstendo-se das relações sexuais, outros se divorciavam e outros ainda não sabiam se deveriam se casar | 1Coríntios 7:1 |
| INSTRUÇÃO COM A VERDADE CRISTÃ BÁSICA | 1Coríntios 7:2-40 |
| • Um dos propósitos do casamento é satisfazer as necessidades sexuais de cada cônjuge; uma pessoa com muito impulso sexual deve se casar | 1Coríntios 7:2-9 |

**ascética**
relativo a uma rigorosa autonegação

## CONTINUEM UNIDOS (CONTINUAÇÃO)

| | |
|---|---|
| • Os casados não devem se divorciar, mas se um cônjuge não cristão deixar o cristão, o segundo não precisa permanecer solteiro | 1Coríntios 7:10-14 |
| • Paulo normalmente aconselha as pessoas a permanecerem no estado em que se encontram quando são salvas, mas cada pessoa tem seu próprio chamado e cada um deve seguir sua direção | 1Coríntios 7:15-40 |
| A SOLUÇÃO | 1Coríntios 7:5,10,36 |
| • Os casados não devem abrir mão das relações sexuais | 1Coríntios 7:5 |
| • Os casados não devem se divorciar | 1Coríntios 7:10 |
| • Há boas razões para permanecermos solteiros, mas qualquer solteiro pode casar-se sem pecar | 1Coríntios 7:36 |
| • Se o solteiro desejar casar-se, ele deve fazer isso com outro cristão | 1Coríntios 7:39 |

## NÃO OFENDA SEU IRMÃO: CARNE SACRIFICADA AOS ÍDOLOS (1CORÍNTIOS 8:1-11:1)

| | |
|---|---|
| O PROBLEMA — Grande parte da carne vendida no século I era de animais sacrificados às divindades pagãs; alguns coríntios faziam compras em mercados associados com templos pagãos, convencidos de que o ídolo não era nada; outros se escandalizavam com esse comércio associado à idolatria | 1Coríntios 8:1-7 |
| INSTRUÇÃO COM A VERDADE CRISTÃ BÁSICA | 1Coríntios 8:7-10:22 |
| • Há certa verdade nos argumentos de cada parte, mas esta é uma questão que deve ser discutida com base no amor, tendo em consideração o irmão mais fraco, que vê o ato de comer essa carne como um ato de participar da idolatria | 1Coríntios 8:7-13 |
| • O próprio Paulo é um exemplo de como renunciar perfeitamente a "direitos" legítimos por consideração aos outros | 1Coríntios 9:1-27 |
| • Ao mesmo tempo, todos devem permanecer cientes do fato de que a imoralidade e a idolatria estão intimamente associadas, e que, portanto, o contato com a idolatria deve ser evitado | 1Coríntios 10:1-22 |
| A SOLUÇÃO — Aplique o princípio de que tudo é permitido, mas nem tudo é proveitoso; por isso, dentro da igreja, busque, em primeiro lugar, o bem dos outros; quando estiver comendo com um incrédulo, não pergunte nada, mas se ele fizer questão de dizer que a carne foi consagrada a um ídolo, não coma por causa da consciência de seu anfitrião; use sua liberdade para glorificar a Deus, não para levar os outros a tropeçarem | 1Coríntios 10:23—11 |

## Cubra sua cabeça: Culto público de forma desordenada (1Coríntios 11:2-34)

| O PROBLEMA | 1Coríntios 11:5,17-21 |
|---|---|
| • As mulheres estavam orando e profetizando no culto público com a cabeça descoberta, e os abastados estavam tratando a **Ceia do Senhor** como um evento social e fazendo distinções entre as classes mais ricas e as mais pobres | 1Coríntios 11:5 |
| INSTRUÇÃO COM A VERDADE CRISTÃ BÁSICA | |
| • O Criador fez uma distinção entre macho e fêmea, e isso deve ser preservado na comunidade cristã; o próprio Cristo estabeleceu o padrão a ser seguido quando celebramos a Ceia do Senhor | 1Coríntios 11:3-16, 23-32 |
| A SOLUÇÃO — As mulheres devem usar algo para cobrir a cabeça que as distinga como mulheres e que signifique a autoridade que as mulheres cristãs têm agora para orar e profetizar na igreja; a Ceia do Senhor deve ser celebrada como a cerimônia simples que Cristo instituiu, com plena consciência de seu significado | 1Coríntios 11:10,23-26;10:23 |

## Pentecostes: Confusão sobre a espiritualidade (1Coríntios 12:1-14:39)

| O PROBLEMA — No paganismo do século I, acreditava-se que expressões eufóricas e até ataques epilépticos indicavam intimidade com um deus; os jovens cristãos de Corinto imaginavam que aqueles que tinham o **dom de línguas** eram especialmente espirituais e mais próximos de Deus | 1Coríntios 12:1-3;14:2,3 |
|---|---|
| INSTRUÇÃO COM A VERDADE CRISTÃ BÁSICA | 1Coríntios 12:1-3;14:2,3 |
| • O Espírito Santo dá a cada cristão um **dom espiritual** | 1Coríntios 12:1-14:25 |
| • Os dons são diferentes, mas todo dom é um sinal da presença do Espírito Santo na vida do cristão | 1Coríntios 12:1-11 |
| • Os cristãos são como partes de um corpo humano; os dons do Espírito se adaptam a cada pessoa para sua função no Corpo de Cristo, e cada pessoa tem um papel importante a desempenhar | 1Coríntios 12:12-31 |

**Ceia do Senhor**
Mateus 26:17-30

**dom de línguas**
1Coríntios 12:10

**Ceia do Senhor**
comunhão

**dom de línguas**
falar com Deus em uma língua espiritual, e não humana

**dom espiritual**
uma capacidade sobrenatural de ministrar à vida dos outros

**interpretar**
traduzir

## Pentecostes (continuação)

| | |
|---|---|
| • Contudo, o verdadeiro teste de espiritualidade não é o dom de uma pessoa, mas sua capacidade de amar | 1Coríntios 13:1-13 |
| • Não exagere nas línguas; ao contrário das línguas, as palavras inteligíveis faladas por um profeta instruem e edificam os outros, por isso este dom é mais importante | 1Coríntios 14:1-25 |
| A SOLUÇÃO — Quando você se reunir com outros cristãos, deixe que todos se revezem contribuindo para o culto de forma ordenada. E se alguém com o dom de **interpretar** línguas estiver presente, aqueles que falam em línguas podem participar também | 1Coríntios 14:25-33 |
| • Em relação às mulheres que tendem à desordem — elas devem ouvir e aprender em silêncio | 1Coríntios 14:34-40 |

## Não se preocupe com o amanhã: Incerteza sobre a ressurreição (1Coríntios 15:1-58)

| | |
|---|---|
| O PROBLEMA — Alguns estão dizendo que não há ressurreição | 1Coríntios 15:12 |
| INSTRUÇÃO COM A VERDADE CRISTÃ BÁSICA | 1Coríntios 15:1-57 |
| • É um fato histórico, testemunhado por muitos, que Jesus ressuscitou dos mortos | 1Coríntios 15:1-11 |
| • Se não há ressurreição, Cristo não ressuscitou e o evangelho é um total absurdo | 1Coríntios 15:12-19 |
| • Mas Cristo, de fato, ressuscitou dos mortos e, no final, destruirá a própria morte; o corpo ressurreto que nos aguarda será glorioso, poderoso e espiritual, e, quando estivermos revestidos de imortalidade, vivenciaremos a vitória que Cristo obteve | 1Coríntios 15:20-28 |
| A SOLUÇÃO — Entregue-se totalmente à obra do Senhor, porque você sabe que seu trabalho no Senhor não é em vão | 1Coríntios 15:58 |
| Últimas considerações | 1Coríntios 6:1-29 |

# 2Coríntios

### ...Segredos do ministério

| | |
|---|---|
| **Quem?** | O apóstolo Paulo |
| **O quê?** | explicou cuidadosamente o evangelho de Cristo |
| **Onde?** | aos cristãos em Roma |
| **Quando?** | por volta de 57 d.C. |
| **Por quê?** | para que eles entendessem a relação entre a graça e a justiça |

## Desculpe-me por ser tão direto

A Segunda Carta de Paulo aos Coríntios foi escrita cerca de um ano depois da primeira. Paulo recebeu relatos animadores de que muitos respondiam à sua carta bastante direta, enfrentando pecados e esforçando-se para resolver os problemas. Mas uma minoria hostil ainda estava decidida a rejeitar a direção de Paulo. Nesta carta vigorosa e reveladora, Paulo abre o coração para compartilhar seu amor pelos coríntios e sua visão do ministério cristão — e para advertir aqueles que ainda rejeitavam sua autoridade como apóstolo de Jesus Cristo.

## Acompanhando o raciocínio de Paulo

Esta que é a mais pessoal das cartas de Paulo dedica-se a três tópicos distintos. Ele começa com uma explicação de sua conduta e de seu ministério (2Coríntios 1-7). Paulo, então, incentiva os coríntios a contribuírem generosamente com uma coleta que está sendo feita para os santos e para Jerusalém (2Coríntios 8-9). Finalmente, Paulo confronta e adverte aqueles que desafiam sua autoridade como apóstolo (2Coríntios 10-13).

Imaginemos que o apóstolo Paulo tenha feito anotações sobre o que queria que os coríntios entendessem sobre ele e seu ministério antes de escrever essa carta. Suas anotações poderiam ser mais ou menos assim:

### As "anotações" de Paulo: Eu e meu ministério (2Coríntios 1:1-7:16)

| ASSUNTOS PESSOAIS | 2Coríntios 1:1-2:11 |
|---|---|
| • Eu sofri para o bem de vocês | 2Coríntios 1:1-11 |
| • Eu realmente tinha planos de visitá-los, mas cheguei à conclusão de que uma visita na época iria prejudicá-los, em vez de ajudá-los | 2Coríntios 1:12-2:4 |
| • Ah, sim! Diga-lhes para perdoar o homem que eles disciplinaram. Ele está arrependido | 2Coríntios 2:5-11 |
| MEU MINISTÉRIO | 2Coríntios 2:12-6:2 |
| • A transformação de vocês é prova de que Deus me chamou, e | 2Coríntios 2:12-3:6 |
| • que Jesus é real, porque estamos sendo transformados, embora não sejamos perfeitos | 2Coríntios 3:7-16 |
| • As falhas do momento não nos levam a desanimar; o que se vê é transitório, mas o que não se vê é eterno | 2Coríntios 4:1-18 |
| • Que maravilhoso será quando estivermos com o Senhor na eternidade! | 2Coríntios 5:1-10 |
| • Por enquanto, eu confio no amor que Deus plantou no coração de vocês para fazer com que sua vida esteja em harmonia com a vontade dele | 2Coríntios 5:11-6:2 |
| VOLTANDO À ESFERA PESSOAL | 2Coríntios 6:3-7:16 |

## As "anotações" de Paulo (continuação)

| | |
|---|---|
| • Não tem sido fácil este meu ministério, mas tenho sido sincero com vocês | 2Coríntios 6:3-11 |
| • Eu os adverti com relação à união com os incrédulos! | 2Coríntios 6:12-7:1 |
| • Eu tenho tanto orgulho de vocês, especialmente da maneira como a maioria respondeu à minha carta anterior. Estou feliz por poder ter total confiança em vocês | 2Coríntios 7:2-15 |

## As "anotações" de Paulo: Quanto às doações (2Coríntios 8:1-9:15)

| | |
|---|---|
| Sejam como os macedônios: deem-se primeiro e, depois, seu dinheiro | 2Coríntios 8:1-7 |
| Deus não nos ordena contribuir, mas nos convida a seguir o exemplo de Jesus | 2Coríntios 8:8-12 |
| Na verdade, dar é simplesmente compartilhar para que todos tenham o suficiente | 2Coríntios 8:13-15 |
| A menção de que Tito está vindo para ajudar, para que eles estejam prontos com a coleta | 2Coríntios 8:16-9:5 |
| Aquele que semeia pouco também colherá pouco | 2Coríntios 9:6-9 |
| Deem de bom grado, porque Deus proverá generosamente | 2Coríntios 9:10-12 |
| Aqueles que receberem louvarão a Deus e orarão por vocês | 2Coríntios 9:13-15 |

## As "anotações" de Paulo: Sobre apóstolos e autoridade (2Coríntios 10:1-13:11)

| | |
|---|---|
| O arsenal do verdadeiro apóstolo está cheio de armas espirituais poderosas | 2Coríntios 10:1-6 |
| Vocês são enganados por falsos apóstolos, porque avaliam segundo os critérios errados | 2Coríntios 10:7-18 |
| Eu nem permitiria que vocês me sustentassem | 2Coríntios 11:1-14 |
| Deixem que comparem algumas de minhas "credenciais" insignificantes | 2Coríntios 11:15-33 |
| O que realmente importa nem são as visões, mas as fraquezas que deixam claro que qualquer coisa realizada é feita pelo poder de Cristo | 2Coríntios 12:1-10 |
| Eu realmente me importo com vocês e estou preocupado com o fato de que, quando eu chegar, alguns de vocês não terão se arrependido e mudado | 2Coríntios 12:11-21 |
| Jesus não é vulnerável quando está lidando com vocês. Cristo deu-me autoridade para edificá-los. Respondam, ou Jesus tratará com vocês | 2Coríntios 13:1-10 |
| Saudações finais | 2Coríntios 13:11-14 |

## Uma pequena amostra

Os falsos superapóstolos (2Coríntios 11:5) que o criticavam se vangloriavam de seus pontos fortes e ridicularizavam as fraquezas de Paulo. Ele estava longe de ser um **orador** convincente e uma figura imponente fisicamente. Embora tivesse recebido revelações impressionantes, Paulo não se vangloriava delas. Nestes versículos, ele tem uma resposta surpreendente para seus críticos e para suas revelações.

Vá para

**fraquezas de Paulo**
2Coríntios 12:7-10

**espinho na carne**
2Coríntios 12:7-10

**orador**
o que fala

**2Coríntios 12:7** *Para impedir que eu me exaltasse por causa da grandeza dessas revelações, foi-me dado um espinho na carne, um mensageiro de Satanás, para me atormentar.*

A maioria acredita que o espinho na carne seja uma doença ocular feia e debilitante, que o deixava ainda mais vulnerável aos escárnios de seus adversários.

**2Coríntios 12:8** *Três vezes roguei ao Senhor que o tirasse de mim.*

A resposta de Paulo era apropriada. Como outros com uma doença ou incapacidade, Paulo orou. Alguns nos dizem que a cura é garantida aos cristãos que têm fé suficiente. Sem dúvida, era um homem de fé, e ele orou com total confiança. Mas, como nos diz o versículo seguinte, a resposta de Deus foi "não".

**2Coríntios 12:9** *Mas ele me disse: "Minha graça é suficiente para você, pois o meu poder se aperfeiçoa na fraqueza."*

No caso de Paulo, Deus permitiu a doença por mais de uma razão. Primeiro, a deficiência era para impedir que Paulo se tornasse vaidoso. Segundo, ela era para fazer com que Paulo fosse um canal menos revolto pelo qual o poder de Deus pudesse fluir.

### O que outros dizem

**Dwight L. Moody**

Quando Deus libertou Israel do Egito, ele não enviou um exército. Deus enviou um homem que havia estado no deserto por quarenta anos e tinha um problema de fala. É a fraqueza que Deus quer. Nada é pequeno quando Deus está no comando.[1]

**2Coríntios 12:9** *Portanto, eu me gloriarei ainda mais alegremente em minhas fraquezas, para que o poder de Cristo repouse em mim.*

Paulo entendeu a mensagem de Deus. Sua deficiência era uma bênção, pois fazia-o constantemente se lembrar de confiar em Deus, e não em seus próprios dons e habilidades.

**O que outros dizem**

*Martinho Lutero*

Aqueles a quem Deus adorna com grandes dons, ele mergulha nas provações mais severas para que possam aprender que não são nada... e que ele é tudo.[2]

## 1Tessalonicenses

### ...encorajamento para uma vida santa

| | |
|---|---|
| **Quem?** | Paulo |
| **O quê?** | escreveu esta carta para inspirar mais compromisso |
| **Onde?** | nos cristãos em Tessalônica |
| **Quando?** | por volta de 51 d.C. ou 52 d.C. |
| **Por quê?** | para uma vida santa |

## Vocês estão praticando o bem

A cidade de Tessalônica (veja Apêndice A) era a capital da província romana da Macedônia. Roma mantinha uma grande base naval na cidade, que também era um próspero centro comercial. Paulo e sua equipe passaram pouco tempo ali por causa da oposição incitada por judeus irritados com a resposta dos gentios à mensagem do apóstolo. Embora tenha passado menos de três meses em Tessalônica, uma igreja vigorosa foi plantada ali. Esta primeira carta à igreja foi escrita depois que Timóteo visitou a cidade e trouxe de volta um relatório positivo a Paulo.

Esta carta é, provavelmente, a primeira das cartas de Paulo. É notável que o apóstolo faça menção ao retorno de Jesus em cada um de seus cinco capítulos.

## Acompanhando o raciocínio de Paulo — Três principais objetivos

Paulo tinha três objetivos principais quando escreveu esta carta: (1) expressar graças a Deus pela condição espiritual saudável da igreja (1Tessalonicenses 1:2-10); (2) reafirmar seu afeto pela congregação (1Tessalonicenses 2:1-3:13); e (3) incentivar os tessalonicenses a continuarem em seu compromisso com a vida piedosa (1Tessalonicenses 4:1-5:23).

## O primeiro objetivo de Paulo: Agradecer (1Tessalonicenses 1:2-10)

| | |
|---|---|
| SAUDAÇÕES | 1Tessalonicenses 1:1 |
| DAMOS GRAÇAS A DEUS POR VOCÊS | 1Tessalonicenses 1:2-10 |
| • Vocês responderam ao evangelho | 1Tessalonicenses 1:2-7 |
| • Vocês estão espalhando o evangelho | 1Tessalonicenses 1:8-10 |

## O segundo objetivo de Paulo: Reafirmar seu afeto (1Tessalonicenses 2:1-3:13)

| | |
|---|---|
| LEMBREM-SE | 1Tessalonicenses 2:1-3:12 |
| • Lembrem-se de como fomos sinceros com vocês | 1Tessalonicenses 2:1-6 |
| • Lembrem-se do quanto nós amamos vocês | 1Tessalonicenses 2:7-9 |
| • Lembrem-se de como fomos pais de cada um de vocês | 1Tessalonicenses 2:10-13 |
| • Lembrem-se de como vocês responderam a despeito do sofrimento que isso lhes custou | 1Tessalonicenses 2:14-16 |
| • Eu ainda desejo vê-los | 1Tessalonicenses 2:17-20 |
| • Tive de enviar Timóteo em meu lugar | 1Tessalonicenses 3:1-5 |
| • Estou muito feliz com o relatório dele | 1Tessalonicenses 3:6-13 |

## O terceiro objetivo de Paulo: Encorajar os tessalonicenses (1Tessalonicenses 4:1-5:27)

| | |
|---|---|
| EU OS EXORTO A CONTINUAREM A CRESCER | 1Tessalonicenses 4:1-5:24 |
| • Exercitem o domínio próprio e evitem a imoralidade | 1Tessalonicenses 4:1-8 |
| • Continuem a amar uns aos outros | 1Tessalonicenses 4:9-10 |
| • Levem uma vida tranquila e responsável | 1Tessalonicenses 4:11-12 |
| • Encorajem uns aos outros com a promessa da vinda de Jesus | 1Tessalonicenses 4:13-18 |
| • Mantenham-se focados em servir a Jesus agora | 1Tessalonicenses 5:1-11 |
| • E façam todas aquelas "pequenas coisas" que servem para distinguir os que são de Jesus | 1Tessalonicenses 5:12-27 |
| • A graça seja com vocês! | 1Tessalonicenses 5:28 |

**dormem**
morreram; termo apropriado para os cristãos que morrem e despertarão

**mortos em Cristo**
os cristãos que morreram

**arrebatados**
levados para o céu no **Arrebatamento**

**Arrebatamento**
quando a Igreja for retirada da terra

## Uma pequena amostra

Alguns cristãos de Tessalônica haviam morrido, e alguns estavam arrasados com isso. Eles estavam certos de que os mortos haviam perdido as bênçãos que, segundo os ensinos de Paulo, estavam ligadas ao retorno de Jesus. Paulo escreveu esta famosa passagem para esclarecer o que o futuro reserva para todos os cristãos:

> 1Tessalonicenses **4:13-14** *Irmãos, não queremos que vocês sejam ignorantes quanto aos que* ***dormem****, para que não se entristeçam como os outros que não têm esperança. Se cremos que Jesus morreu e ressurgiu, cremos também que Deus trará, mediante Jesus e com ele, aqueles que nele dormiram.*

A Segunda Carta aos Coríntios 5:8 diz que o cristão que morreu e está "ausente do corpo habita com o Senhor". A morte biológica fecha a porta deste mundo, mas abre a porta do céu para o cristão. Atravessamos a cortina plenamente conscientes e cientes. Contudo, Deus tem reservado ainda mais para os seus.

> 1Tessalonicenses **4:15** *Dizemos a vocês, pela palavra do Senhor, que nós, os que estivermos vivos, os que ficarmos até a vinda do Senhor, certamente não precederemos os que dormem.*

Aqueles que estiverem vivos na volta de Jesus não têm vantagem especial sobre os cristãos que já morreram!

> 1Tessalonicenses **4:16** *Pois, dada a ordem, com a voz do arcanjo e o ressoar da trombeta de Deus, o próprio Senhor descerá dos céus, e os* ***mortos em Cristo*** *ressuscitarão primeiro.*

Quando Jesus voltar, o primeiro evento será a ressurreição dos cristãos que morreram.

> 1Tessalonicenses **4:17,18** *Depois nós, os que estivermos vivos seremos* ***arrebatados*** *com eles nas nuvens, para o encontro com o Senhor nos ares. E assim estaremos com o Senhor para sempre. Consolem-se uns aos outros com essas palavras.*

Então, juntos, os vivos e os que já morreram, transformados e com um corpo ressurreto como o de Jesus, serão arrebatados para estar com o Senhor para sempre.

## O que outros dizem

*Robert L. Thomas*

Só depois disso é que os cristãos vivos serão arrebatados para o encontro com Cristo. O intervalo que separa os dois grupos será infinitamente pequeno para ser calculado pelo ser humano. No entanto, os mortos em Cristo irão primeiro. Eles serão os primeiros a participar da glória da visita de Jesus. Nessa sequência rápida, os vivos sofrerão uma mudança imediata da mortalidade para a imortalidade (1Coríntios 15:52-53), após a qual não serão suscetíveis à morte.[3]

# 2Tessalonicenses

## ...mais sobre a Segunda Vinda

| | |
|---|---|
| **Quem?** | O apóstolo Paulo |
| **O quê?** | escreveu esta carta compartilhando mais sobre o retorno de Jesus |
| **Onde?** | aos tessalonicenses |
| **Quando?** | alguns meses depois de sua primeira carta |
| **Por quê?** | para encorajar aqueles que estavam sendo perseguidos e para corrigir mal-entendidos. |

## Nós não estamos lá ainda

A primeira carta de Paulo não havia esclarecido toda a confusão dos tessalonicenses sobre o futuro. Em particular, os tessalonicenses estavam sob a impressão de que a perseguição que estavam sofrendo fazia parte da Grande Tribulação que Paulo lhes havia dito que estava ligada ao fim da história. Paulo explica que isso não era possível e os faz lembrar de que ele lhes havia falado sobre um **homem do pecado** que o profeta Daniel e o próprio Jesus disseram que apareceria primeiro.

**Grande Tribulação**
Daniel 9:23-27

**homem do pecado**
o Anticristo

Este indivíduo, cuja aparição marcará o começo do fim da história, também chamado de Anticristo (Contra ou Falso Cristo), é descrito por Paulo como aquele que "se opõe e se exalta acima de tudo o que se chama Deus ou é objeto de adoração, chegando até a assentar-se no santuário de Deus, proclamando que ele mesmo é Deus" (2Tessalonicenses 2:4).

## Acompanhando o raciocínio de Paulo

A breve carta de Paulo tem por objetivos tanto ajudar os tessalonicenses a colocarem seus problemas em perspectiva, como também corrigir mal-entendidos. Comparadas ao terrível juízo com o qual Deus afligirá os perdidos, as perseguições do momento não são nada.

### A INTENÇÃO DE PAULO: DAR PERSPECTIVA

| | |
|---|---|
| Saudações | 2Tessalonicenses 1:2 |
| SOBRE AS PERSEGUIÇÕES DO PRESENTE | 2Tessalonicenses 1:3-12 |
| Dou graças a Deus pela perseverança de vocês | 2Tessalonicenses 1:3-4 |
| que é prova de que o terrível juízo | 2Tessalonicenses 1:5-10 |
| de Deus no futuro contra os pecadores é justo, por isso continuo a orar para que Jesus seja glorificado em vocês | 2Tessalonicenses 1:11,12 |
| COM RESPEITO À VINDA DE CRISTO PARA NÓS | 2Tessalonicenses 2:1-17 |
| Primeiro, o Dia do Senhor não veio, | 2Tessalonicenses 2:1-4 |
| pois o poder da iniquidade está sendo | 2Tessalonicenses 2:5-7 |
| temporariamente contido pelo Espírito Santo; quando o iníquo vier, Satanás irá | 2Tessalonicenses 2:8-12 |
| produzir falsos milagres, e o mundo seguirá o iníquo; permaneçam firmes no evangelho e sejam encorajados | 2Tessalonicenses 2:13-17 |
| POR ORA | 2Tessalonicenses 3:1-15 |
| Orem por nós | 2Tessalonicenses 3:1-5 |
| e não fiquem à toa esperando Jesus; trabalhem e cuidem de si mesmos | 2Tessalonicenses 3:6-15 |
| Adeus | 2Tessalonicenses 3:16-18 |

**calvário**
o lugar em Jerusalém onde Jesus morreu

### O que outros dizem

**C.S. Lewis**

No final, a resposta a todos os que se opõem à doutrina do inferno é, em si mesmo, uma pergunta: "O que você está pedindo que Deus faça?" Apagar todos os pecados cometidos por eles no passado e dar-lhes um novo começo, afastando toda dificuldade e oferecendo toda ajuda milagrosa? Mas ele fez isso no **calvário**. Perdoá-los? Eles não podem ser perdoados. Abandoná-los? Sim, receio que seja justamente isso que ele faz.[4]

## Resumo do capítulo

- Quando Paulo ficou sabendo dos problemas nas igrejas fundadas por ele, muitas vezes escreveu cartas de instrução e encorajamento.
- Muitos dos problemas discutidos na Primeira Carta de Paulo aos Coríntios são ainda comuns nas igrejas modernas.
- A Segunda Carta de Paulo aos Coríntios explica os princípios espirituais nos quais seu ministério estava baseado.
- Paulo escreveu 1Tessalonicenses para incentivar a comunidade de cristãos comprometidos, mas perseguidos, e para ajudá-los a entender seu futuro.
- Em 2Tessalonicenses, Paulo corrigiu mal-entendidos sobre a volta de Cristo à Terra e insistiu na vida santa durante esse meio-tempo.

## Questões para estudo

1. Cite quatro cartas que Paulo escreveu para resolver problemas.
2. Que solução Paulo deu para o problema de imoralidade na igreja?
3. O que havia de errado com a ênfase dada pelos coríntios ao dom de línguas?
4. Quais são as duas razões pelas quais os cristãos devem contribuir com generosidade?
5. Quais foram as duas razões pelas quais Deus não respondeu às orações de Paulo pedindo cura?
6. Por que os cristãos não devem se angustiar com a morte de entes queridos da mesma maneira que os incrédulos?
7. Como Deus retribuirá aqueles que perseguem os cristãos?

# Capítulo 20

*Em destaque no capítulo:*

- Efésios
- Filipenses
- Colossenses

# As cartas da Prisão Carta aos Efésios • Carta aos Filipenses • Carta aos Colossenses

## Vamos começar

O livro de Atos dos Apóstolos termina com Paulo em uma prisão romana aguardando julgamento. Por dois anos, ele viveu ali sob guarda em uma casa alugada e teve liberdade para receber visitas. Muitas vezes as visitas eram de igrejas que ele havia fundado. Desse modo, Paulo pôde manter contato próximo com cristãos de todo o império e até enviar cartas de instrução às igrejas. As cartas aos efésios, aos filipenses e aos colossenses foram escritas durante esse tempo. Portanto, elas são chamadas "cartas da prisão".

## Efésios

### ...a verdadeira Igreja

| | |
|---|---|
| **Quem?** | O apóstolo Paulo |
| **O quê?** | escreveu esta carta, explorando a verdadeira natureza da Igreja de Cristo |
| **Onde?** | com os cristãos de Éfeso |
| **Quando?** | por volta de 62 d.C., |
| **Por quê?** | para comparar o cristianismo com a religião do grande templo daquela cidade |

**Ilustração nº 16**
Templo de Diana, em Éfeso: Milhares de pessoas vinham ao templo de Diana, em Éfeso, todos os anos, e a prosperidade da cidade dependia desses visitantes. O templo também servia como um banco, no qual os indivíduos e governantes depositavam grandes somas de dinheiro.

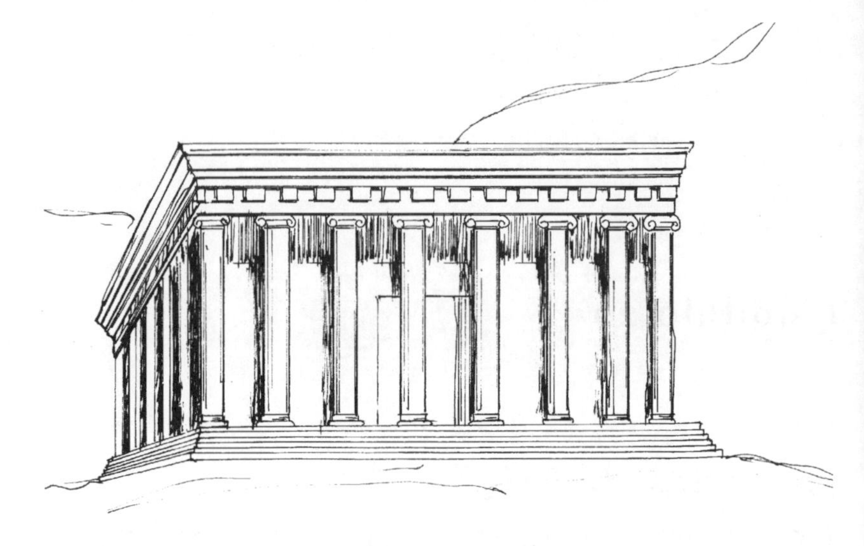

## Visão geral

*Carta aos Efésios*

A mensagem básica de Efésios é que a Igreja de Cristo é um organismo vivo, não uma instituição. Cada um deles, Pai, Filho e Espírito Santo, estava intimamente envolvido na formação da comunidade da fé do Novo Testamento, que pode ser entendida como um templo vivo, como o Corpo de Cristo e como a família de Deus Pai.

**pagão**
alguém que observa uma religião **politeísta**

**politeísta**
religião que crê em diversos deuses

Ponto importante

## A Igreja é você e eu

Quando o apóstolo Paulo e sua equipe missionária chegaram a Éfeso (veja Apêndice A), ela era a principal cidade da Ásia Menor, enriquecida por peregrinos que acorriam à cidade para visitar o magnífico templo de Diana, ou Artêmis (veja Ilustração nº 16). A despeito do sucesso da instituição religiosa de Éfeso, a população da cidade tinha fome espiritual e estava profundamente envolvida com práticas ocultas misteriosas. A apresentação do evangelho por Paulo foi tão eficaz que, literalmente, ameaçou o meio de sustento de cidadãos que dependiam das vendas de medalhas religiosas e da oferta de comida e de alojamento aos visitantes.

Alguns anos mais tarde, Paulo escreveu aos Efésios para enfatizar uma diferença vital entre a fé cristã e a "religião" **pagã**. O cristianismo não é uma fé institucional que encontra expressão em edifícios magníficos ou bugigangas de prata. O cristianismo é uma fé relacional. A "Igreja" não é um edifício, mas pessoas que conhecem a Deus, que expressam seu amor no modo como vivem umas com as outras e que exibem seu caráter na santidade de sua vida diária.

### As duas seções principais de Efésios

| | |
|---|---|
| Saudações | Efésios 1:1-2 |
| ENTENDENDO A IGREJA | Efésios 1:3-3:21 |
| • Como criação de Deus | Efésios 1:4-23 |
| • Como um povo | Efésios 2:1-22 |
| • Como a família de Deus | Efésios 3:1-21 |
| VIVENDO COMO IGREJA | Efésios 4:1-6:20 |
| • No ministério | Efésios 4:1-16 |
| • Na pureza | Efésios 4:17-5:20 |
| • Em todos os relacionamentos | Efésios 5:21-6:9 |
| • Capacitados por Deus | Efésios 6:10-20 |
| • Despedida | Efésios 6:21-24 |

## O que há de especial na Carta aos Efésios?

1. **O que Deus tem feito pelos que creem em Cristo (Efésios 1:3-14).** Paulo escreve que Deus tem abençoado os cristãos com todas as bênçãos espirituais em Cristo. Ele, então, passa a mostrar como cada pessoa da Trindade se envolveu ativamente para dar as bênçãos de que os cristãos, hoje, desfrutam.

| Deus Pai | Cristo, o Filho | O Espírito Santo |
|---|---|---|
| escolheram-nos para sermos santos e irrepreensíveis | proveram a **redenção** por meio do sangue de Jesus | marcaram sua presença em nós |
| **predestinaram-nos** para sermos adotados | proveram o perdão de nossos pecados | garantem nossa herança |
| fizeram sua vontade conhecida a nós | | |

**redenção**
pagamento de um preço para libertar os pecadores

**predestinaram-nos**
escolheram-nos com antecipação

A ideia de predestinação incomoda a muitos. A palavra em si simplesmente significa "determinar com antecipação". No entanto, em nenhuma passagem bíblica algum escritor sugere que os indivíduos foram predestinados ao inferno. Aqui, como em outras passagens, "predestinação"

**eventos**
Atos 3:23; Efésios 1:11-12

**novo eu**
Efésios 4:22-5:2

enfatiza a certeza de que os propósitos de Deus serão realizados, como nos eventos associados com a crucificação de Cristo.

2. **As orações de Paulo pelos efésios (Efésios 1:15-22; 3:14-20).** As orações de Paulo são uma das principais características das cartas da prisão. Em sua primeira oração pelos efésios, Paulo pede a Deus que os ajude a conhecê-lo melhor e a perceber que o poder incomparavelmente grande de Deus está agindo neles e por eles. Em sua segunda oração pelos efésios, Paulo pede a Deus que os consolide em amor uns pelos outros como membros da família do Pai, para que possam conhecer o amor de Cristo, que excede o conhecimento.

**obras**
boas ações

**transgressões**
atos pecaminosos

**graça**
o favor de Deus demonstrado àqueles que não fizeram nada para merecê-lo

3. **A verdadeira relação entre fé e *obras* (Efésios 2:1-10).** A matéria-prima com a qual Deus construiu sua Igreja são seres humanos que estão espiritualmente mortos em [suas] **transgressões** e pecados. Por natureza, todo impulso humano consiste em satisfazer os desejos da carne pecaminosa. Para formar a Igreja, Deus vivificou essas pessoas em Cristo. A nova vida que Deus oferece é, de modo geral, um dom da **graça** divina, não algo que a pessoa pode ganhar por fazer o bem. No entanto, uma vez que uma pessoa confiou em Cristo e recebeu o dom da vida, ela descobre um desejo de fazer o bem por gratidão a Deus.

**O que outros dizem**

**Lewis Smedes**

O bom senso realista diz que você é muito fraco, muito atormentado com o novo eu, muito humano para mudar para melhor; a graça lhe dá o poder para seguir seu caminho rumo a uma pessoa melhor.[1]

Só depois que uma pessoa conheceu a graça de Deus e foi vivificada pela fé em Cristo é que ela pode fazer qualquer coisa para agradá-lo.

4. **O novo eu do cristão (Efésios 4:20-5:7).** Em Efésios 2:10, Paulo chama os cristãos de obra de Deus, criados em Cristo Jesus. Agora Paulo aplica esta verdade. A criação de Deus é um novo eu que foi criado "para ser semelhante a Deus em justiça e em santidade provenientes da verdade" (Efésios 4:24). Conclui-se que devemos nos livrar de coisas como amargura, raiva e o desejo de fazer o mal, as quais estão associadas com o

velho eu, e ser bondosos, compassivos e perdoadores. Paulo resume o chamado do cristão, dizendo: "Portanto, sejam imitadores de Deus, como filhos amados, e vivam em amor, como também Cristo nos amou e se entregou por nós" (Efésios 5:1-2).

**submeta**
não significa entregar-se, mas ser responsivo

5. **O que realmente significa ser o "cabeça da casa" (Efésios 5:21-32).** O estereótipo retrata o marido cristão como um ditador que exige que a esposa se **submeta** a ele, abrindo mão de seus direitos para lhe servir. Mas ninguém pode ler a descrição que Paulo faz do homem como o cabeça da casa e sugerir tal noção. Como o cabeça da casa, o marido cristão deve se espelhar em Jesus Cristo, o cabeça da Igreja. Assim como Cristo amou a Igreja e se entregou por ela, o marido deve amar a esposa, decidido a cuidar dela e a ajudá-la a alcançar todo o seu potencial como pessoa. Esse tipo de amor torna fácil para a esposa respeitar o marido e ser sensível a ele.

Para o seu casamento

### O que outros dizem

*Larry Christianson*

Aqueles que persistem em julgar que as próprias felicidade e comodidade são os maiores objetivos da vida familiar nunca entenderão o plano de Deus para o casamento e para a família.[2]

## Filipenses

### ...TESTEMUNHO DE ALEGRIA

| | |
|---|---|
| **Quem?** | O apóstolo Paulo |
| **O quê?** | escreveu esta carta para compartilhar a alegria que ele sentiu |
| **Onde?** | com os cristãos em Filipos, |
| **Quando?** | por volta de 62 d.C |
| **Por quê?** | na esperança de aliviar a angústia deles com sua prisão em Roma. |

## Alegria em meio às provações

### Visão geral

*Carta aos Filipenses*

A cidade de Filipos era uma colônia romana, colonizada por veteranos exonerados do exército. Não havia nela nenhuma comunidade judaica, mas uma forte igreja cristã gentílica com a qual Paulo tinha fortes laços de afeto. Uma das principais características deste livro é uma poderosa passagem poética que descreve a humildade de Jesus, que renunciou às prerrogativas da divindade para tornar-se um ser humano e morrer por nós. A exaltação subsequente de Cristo é um lembrete para os cristãos em todos os lugares de que o caminho para o alto é para baixo, e esse é o caminho da entrega altruísta que leva à realização pessoal.

A prisão de Paulo em Roma causou uma profunda preocupação em muitas das igrejas que ele havia fundado. Os cristãos em Filipos (veja Apêndice A) sentiam-se especialmente próximos a Paulo, e muitas vezes lhe enviaram fundos para ajudá-lo na missão. Nesta carta muito pessoal, Paulo compartilha seus próprios sentimentos sobre sua condição como preso. Em vez de ver sua prisão como um contratempo para o evangelho, acredita que ela motivará os cristãos por todo o império a serem ainda mais ousados na propagação das Boas-novas de Jesus Cristo.

Uma característica notável de Filipenses é a frequência com que Paulo expressa seu próprio senso de alegria e regozijo. Como é impressionante ver que na prisão, onde poucos acreditariam ser possível ser feliz, o apóstolo encontra tantas fontes de alegria.

A seguir, veremos algo útil para acompanharmos os pensamentos de Paulo nesta carta pessoal e cheia de notícias.

### Os pensamentos de Paulo em Filipenses

| | |
|---|---|
| Saudações muito pessoais | Filipenses 1:1-11 |
| NOTÍCIAS E INSTRUÇÕES | Filipenses 1:12-2:30 |
| NOTÍCIAS SOBRE PAULO | Filipenses 1:12-26 |
| INSTRUÇÕES PARA A IGREJA | Filipenses 1:27-2:18 |
| • Sobre a estabilidade | Filipenses 1:27-30 |
| • Sobre a humildade | Filipenses 2:1-11 |
| • Sobre a obediência | Filipenses 2:12-18 |
| NOTÍCIAS SOBRE AMIGOS | Filipenses 2:19-30 |

### Os pensamentos de Paulo em Filipenses (continuação)

| | |
|---|---|
| ADVERTÊNCIA CONTRA FALSOS ENSINOS | Filipenses 3:1-21 |
| • Contra judaizantes | Filipenses 3:1-11 |
| • Contra perfeccionistas | Filipenses 3:12-17 |
| • Contra a imitação | Filipenses 3:18-21 |
| EXORTAÇÕES | Filipenses 4:1-9 |
| GRATIDÃO | Filipenses 4:10-20 |

## O que há de especial na Carta aos Filipenses?

1. **As muitas fontes de alegria de Paulo.** Em Filipenses, Paulo identifica várias fontes para sua alegria; fontes que podem prover alegria para nós também. A leitura de um ou dois dos versículos seguintes servirá de introdução às diferentes fontes de alegria cristã.

### As alegrias de Paulo

| Alegria | Referência |
|---|---|
| Participar com outros da divulgação do evangelho | Filipenses 1:4 |
| Estimular outras pessoas a compartilhar o evangelho | Filipenses 1:18 |
| As orações dos outros por ele | Filipenses 1:19 |
| A unidade e o amor dos filipenses | Filipenses 2:2 |
| O privilégio de sofrer pelos outros | Filipenses 2:17 |
| O próprio Senhor | Filipenses 3:1; 4:4 |
| Os cristãos que ele ama | Filipenses 4:1 |
| O amor que os outros lhe demonstram | Filipenses 4:10 |

2. **O conflito interior de Paulo com a morte (Filipenses 1:23).** Se o tribunal romano se pronunciasse contra Paulo, ele seria executado. Diante dessa realidade, o conflito interior não era motivado por um medo da morte. Ele escreve: "Estou pressionado dos dois lados: desejo partir e estar com Cristo, o que é muito melhor; contudo, é mais necessário, por causa de vocês, que eu permaneça no corpo" (Filipenses 1:23-24). De forma abnegada, Paulo expressa sua vontade de continuar a viver neste mundo, mas somente porque poderia ser de mais ajuda para as igrejas que ele havia implantado.

São muito poucos os que percebem o que Paulo percebeu: o céu é o verdadeiro lar da alma.

3. **Pôr em ação a salvação é diferente de trabalhar pela salvação (Filipenses 2:12-13).** Paulo incentiva os filipenses a colocarem em ação a salvação e lembra que "é Deus quem efetua em vocês tanto o querer quanto o realizar, de acordo com a boa vontade dele" (Filipenses 2:13). A salvação de que os cristãos desfrutam pode ser colocada em prática somente naqueles que já a possuem!

## O que outros dizem

*Papa João Paulo II*

Todo cristão — ao examinar o registro histórico da Escritura e da Tradição e chegar a uma fé profunda e permanente — sabe por experiência que Cristo é o ressurreto e que ele é, portanto, o que vive eternamente. Trata-se de uma experiência profunda, capaz de transformar a vida. Nenhum cristão verdadeiro pode mantê-la escondida por uma questão pessoal, pois esse encontro com o Deus vivo clama por ser compartilhado — como a luz que brilha, como o fermento que fermenta toda a massa de farinha.[3]

4. **Uma descrição vívida do cristão confiante (Filipenses 3:2-11).** Paulo adverte os filipenses contra os falsos mestres judeus que se vangloriam das credenciais que eles têm. Ele cita suas próprias qualificações, que são mais impressionantes que as deles, e depois lança suas credenciais a um monte de lixo! O importante é conhecer a Cristo. A confiança de Paulo está baseada no fato de que o poder da ressurreição pode ser experimentado aqui e agora pelo cristão fervoroso, cujo maior desejo é conhecer mais a Jesus.

O cristão confiante não se vê como alguém aperfeiçoado, mas prossegue ansiosamente para "alcançá-lo, pois para isso também fui alcançado por Cristo Jesus" (Filipenses 3:12). Nossa confiança não está em nós mesmos ou em nossas realizações, mas no poder de Cristo para elevar-nos constantemente muito além de nós mesmos.

5. **É nosso dever reivindicar a liberdade em relação à ansiedade (Filipenses 4:6-7).** O sentido óbvio da alegria de Paulo parece estranhamente fora de propósito. A maioria de nós em uma situação similar ficaria preocupada e ansiosa. Mas Paulo compartilha seu segredo conosco: em tudo, e com ação de graças, ele apresenta seus pedidos a Deus.

Em troca, Deus inunda seu coração de uma paz que transcende todo o entendimento. Paulo entregou seus problemas ao Senhor, e eles já não mais o preocupam!

6. **O segredo do contentamento em todas as circunstâncias (Filipenses 4:12-13).** O problema com as circunstâncias difíceis é que elas parecem roubar-nos nossa liberdade de escolha. O escravo não pode ir aonde deseja; o aleijado não pode correr e pular. Paulo, no entanto, está contente em todas as situações. Ele simplesmente não deixa que as circunstâncias o aborreçam.

Como é possível? Paulo diz: "Tudo posso naquele que me fortalece" (Filipenses 4:13). As circunstâncias não têm poder sobre Paulo. Deus dá a força necessária para fazer o que precisa ser feito em cada situação. Confiantes na presença e no poder de Deus, você e eu, como Paulo, podemos estar contentes.

## Uma pequena amostra

Filipenses 2 é uma das passagens mais profundas da Bíblia. Paulo exorta os filipenses a manterem a unidade de coração e propósito, não fazendo nada por ambição egoísta ou por vaidade, "mas humildemente considerem os outros superiores a si mesmos" (Filipenses 2:3). Isso só seria possível se os cristãos em Filipos adotassem a atitude exibida por Jesus Cristo quando entrou em nosso mundo e foi para a cruz.

Enquanto Paulo traça o curso que Jesus seguiu ao pôr de lado as prerrogativas da divindade, ele nos faz lembrar de que o caminho de Cristo o levou a uma glória ainda maior.

> Filipenses **2:6-11** *Que, embora sendo Deus, não considerou que o ser igual a Deus era algo a que devia apegar-se; mas esvaziou-se a si mesmo, vindo a ser servo, tornando-se semelhante aos homens. E, sendo encontrado em forma humana, humilhou-se a si mesmo e foi obediente até a morte, e morte de cruz! Por isso Deus o exaltou à mais alta posição e lhe deu o nome que está acima de todo nome, para que ao nome de Jesus se dobre todo joelho, nos céus, na terra e debaixo da terra, e toda língua confesse que Jesus Cristo é o Senhor, para a glória de Deus Pai.*

Em vez de sofrermos perda quando renunciamos aos nossos próprios interesses para suprir as necessidades dos outros, nós, como Cristo, só podemos ganhar.

# COLOSSENSES

## ...DEUS NA VIDA DIÁRIA

| | |
|---|---|
| **Quem?** | O apóstolo Paulo |
| **O quê?** | escreveu esta carta |
| **Onde?** | da prisão para os cristãos em Colossos (veja Apêndice A) |
| **Quando?** | por volta de 62 a.C. |
| **Por quê?** | para esclarecer a confusão deles, que era consequência da ação de falsos mestres que separaram a espiritualidade da vida diária |

## Deus está ao meu lado, o tempo todo

### Visão geral

**Carta aos Colossenses**

Curtis Vaughn, escrevendo no *Expositor's Bible Commentary*, esboça as principais características da heresia que Paulo combate em Colossenses: "(1) Ela professava ser uma 'filosofia', mas Paulo, recusando-se a reconhecê-la como verdadeira, chamou-a de 'filosofia vã e enganosa' (Colossenses 2:8). (2) Ela dava ênfase excessiva à circuncisão ritual, às leis dietéticas e à observância dos dias santos (Colossenses 2:11,14,16,17). (3) Afirmando a mediação de vários poderes sobrenaturais na criação do mundo e todo o processo de salvação, o falso ensino insistia que esses poderes misteriosos deveriam ser reconciliados e adorados (Colossenses 2:15,18-19). Como consequência disso, Cristo foi relegado a um lugar relativamente menor no sistema dos colossenses. (4) Alguns dos que propagavam o erro eram ascéticos (Colossenses 2:20-23), ensinando que o corpo era mau e devia ser tratado como um inimigo. (5) Os defensores desse sistema alegavam ser mestres cristãos (Colossenses 2:3-10)."

**heresias**
falsos ensinamentos

Uma das primeiras **heresias** que confundiram os primeiros cristãos é demonstrada aqui em Colossenses. Algumas pessoas afirmavam que toda a matéria era má. Somente o "espiritual" e imaterial poderiam ser "bons". Sendo assim, concluiu-se que Deus não poderia ter nada a ver com o universo material. Esse universo devia ter sido criado por seres inferiores muito distantes de Deus. Além do mais, se Jesus fosse Deus, ele não poderia ter assumido um corpo humano real. Por outro lado, se Jesus tinha um corpo humano real, ele não podia ser Deus. De acordo com essa heresia, também se concluiu que o que os cristãos fazem em sua vida diária não tem nada a ver com espiritualidade, pois a vida diária acontece no mundo material.

A carta de Paulo aos Colossenses confronta essa noção e apresenta Jesus Cristo como o Deus que veio na carne. Para combater esse falso ensino, Paulo apresenta um retrato poderoso de Jesus Cristo e sua obra em nosso favor. Ele também oferece uma descrição interessante da vida pela qual os cristãos podem honrá-lo.

### O retrato de Jesus e da vida cristã feito por Paulo

| | |
|---|---|
| Saudações | Colossenses 1:1-2 |
| AÇÃO DE GRAÇAS E ORAÇÃO | Colossenses 1.3-14 |
| O VERDADEIRO JESUS | Colossenses 1:15-2:7 |
| • Cristo é supremo | Colossenses 1:15-23 |
| • Paulo ministra Cristo | Colossenses 1:24-2:7 |
| ADVERTÊNCIA CONTRA ERROS | Colossenses 2:8-23 |
| • Contra a filosofia enganosa | Colossenses 2:8-15 |
| • Contra o legalismo | Colossenses 2:16-17 |
| • Contra a adoração aos anjos | Colossenses 2:18-19 |
| • Contra o ascetismo | Colossenses 2:20-23 |
| VIVENDO A VIDA CRISTÃ | Colossenses 3:1-4:6 |
| • Sua fonte celestial | Colossenses 3:1-4 |
| • Abandone os pecados | Colossenses 3:5-11 |
| • Cultive virtudes | Colossenses 3:12-17 |
| • Fortaleça a família | Colossenses 3:18-4:1 |
| • Ore e testemunhe | Colossenses 4:2-6 |
| CONCLUSÃO | Colossenses 4:7-18 |
| • Recomendações | Colossenses 4:7-9 |
| • Saudações | Colossenses 4:10-15 |
| • Instruções | Colossenses 4:16-17 |
| • Bênção | Colossenses 4:18 |

## O que há de especial na Carta aos Colossenses?

1. **A oração de Paulo aponta o caminho para o crescimento espiritual (Colossenses 1:9-11).** A oração de Paulo esboça passo a passo um plano para quem quer crescer espiritualmente e aprofundar seu relacionamento pessoal com Deus.

### A oração de Paulo

| Passo | Descrição | Ação a ser tomada |
|---|---|---|
| 1 | Encha-se do conhecimento da vontade de Deus | Estude as Escrituras nas quais a vontade de Deus é revelada |
| 2 | Exercite a sabedoria e o discernimento espiritual | Procure aplicar o que aprender à vida diária |
| 3 | Viva uma vida digna do Senhor | Ponha em prática o que você aprender, desejando agradar a Deus |
| 4 | Dê frutos em toda a boa obra | Dê frutos, e Deus produzirá frutos e boas obras |
| 5 | Cresça no conhecimento de Deus | Cresça, e você conhecerá a presença de Deus |

**O que outros dizem**

*Edmund P. Clowney*

A sabedoria começa no céu, mas trabalha no nível da rua, onde nos esbarramos com os outros. Ela não se contenta com a recuperação de informações: você não pode acessar a sabedoria por uma banda larga super-rápida. A sabedoria diz respeito ao modo como nos relacionamos com as pessoas, o mundo e Deus.[4]

2. **O verdadeiro Jesus é totalmente Deus e verdadeiramente homem (Colossenses 1:15-23).** A Bíblia deixa perfeitamente claro quem é Jesus. Esta breve passagem (Colossenses 1:15-23) é uma das mais claras.

### Jesus — Verdadeiramente Deus e verdadeiramente homem

| Descrição bíblica | Característica |
|---|---|
| A imagem do Deus invisível | Ver Jesus é ver Deus |
| O primogênito sobre toda a criação | O herdeiro de tudo o que existe |
| Por ele todas as coisas foram criadas | Ele é o Deus Criador |
| Todas as coisas foram criadas por ele e para ele | Ele é o beneficiário da Criação |
| Nele tudo subsiste | Seu poder mantém o universo até hoje |
| Ele é o cabeça da Igreja | Ele guia, dirige seu povo |
| Ele é o primogênito dentre os mortos | Ele é nosso Senhor vivo |
| Toda a plenitude de Deus habita nele | Ele é totalmente Deus |

3. **O que Jesus fez em nosso mundo faz toda a diferença (Colossenses 1:22).** Paulo desafia a ideia de que o universo material é irrelevante. Ele escreve: "Agora ele [Deus] os **reconciliou** pelo corpo físico de Cristo mediante a morte, para apresentá-los diante dele santos, inculpáveis e livres de qualquer acusação." Deus, o Filho, assumiu um corpo humano de carne e osso e, nesse corpo, Cristo morreu na cruz. Nesse ato de autossacrifício, Jesus pagou por todos os nossos pecados, trazendo-nos de volta à conformidade com Deus ao tornar-nos santos aos seus olhos. Ninguém, percebendo o que fez Jesus, pode alegar que o que os seres humanos fazem neste mundo espaço-tempo é irrelevante para Deus.

**reconciliou**
reencontrou a harmonia

4. **O verdadeiro cristão se levantará? (Colossenses 2:20-23; 3:12-17).** Algumas pessoas têm uma ideia peculiar sobre como são os cristãos verdadeiros. Duas passagens em Colossenses contrastam o verdadeiro estilo de vida cristã do falso. Compare-os lado a lado:

### Falsos cristãos e cristãos verdadeiros

| Falsos cristãos | Cristãos verdadeiros |
|---|---|
| Criam regras | São gentis e compassivos |
| Enfatizam o que não se deve fazer | Perdoam e amam |
| Parecem devotos | Gostam de adorar |
| Punem-se | Honram a Deus em tudo o que fazem |

O verdadeiro cristianismo não é uma questão do que se deve ou não fazer, nem de aparências. O verdadeiro cristianismo tem a ver com Jesus, e o cristão autêntico procura sempre agradar-lhe. Não são listas que distinguem o cristão autêntico, mas o amor que transborda para os outros quando uma pessoa ama e segue a Jesus.

## Resumo do capítulo

- Enquanto estava preso em Roma, o apóstolo Paulo escreveu cartas de instrução para várias igrejas que ele havia fundado.
- Na Carta de Paulo aos Efésios, ele compara o cristianismo com a "religião", e a Igreja viva de Cristo com meros edifícios.
- Para criar a Igreja, Deus deu vida espiritual às pessoas que estavam mortas para ele por causa de seus pecados.
- Paulo exortou os filipenses a colocarem em prática ou expressarem a salvação que Deus lhes tinha dado em Cristo.
- O capítulo 2 de Filipenses mostra como Cristo renunciou às prerrogativas da divindade para tornar-se um ser humano e morrer na cruz.
- A Carta de Paulo aos Colossenses enfatiza o fato de que Jesus Cristo é Deus, que assumiu um verdadeiro corpo humano.
- A Carta aos Colossenses faz-nos lembrar de que a maneira como vivemos nossa vida diária é importante para Deus e que o que fazemos diariamente pode glorificá-lo.

## Questões para estudo

1. Qual é o tema da Carta aos Efésios?
2. De acordo com Efésios 2, qual é a relação entre fé e obras?
3. Quais são as responsabilidades do marido como "cabeça da casa"?
4. Que palavras-chave aparecem com frequência em Filipenses?
5. O que um cristão pode fazer para ficar livre da ansiedade?
6. Que heresia Paulo está combatendo em Colossenses?
7. Que passagem em Colossenses deixa perfeitamente claro que Jesus é Deus?
8. Quais são as duas características dos "falsos" cristãos? Quais são as duas características dos cristãos "verdadeiros"?

*Em destaque no capítulo:*

- 1Timóteo
- 2Timóteo
- Tito
- Filemom

# Capítulo 21

# As cartas pessoais Primeira e Segunda Carta a Timóteo • Carta a Tito • Carta a Filemom

## Vamos começar

A maioria das cartas de Paulo foi escrita para igrejas, mas quatro foram escritas para indivíduos. Timóteo e Tito foram líderes jovens que viajaram de igreja em igreja. O ministério deles consistia em corrigir falsos ensinos e pôr as congregações locais no caminho da vida piedosa. As cartas que Paulo escreveu aos dois estão cheias de conselhos práticos. As duas cartas para Timóteo e a carta para Tito são chamadas de "cartas pastorais". A breve carta para Filemom tem um propósito totalmente diferente. Nela, Paulo incentiva um cristão abastado a receber de volta um escravo fugitivo que se tornou cristão por meio de seu testemunho.

### 1Timóteo

#### ...A IGREJA LOCAL SAUDÁVEL

| | |
|---|---|
| **Quem?** | O apóstolo Paulo |
| **O quê?** | escreveu esta carta de conselho a Timóteo, que estava em uma missão para Paulo em Éfeso |
| **Onde?** | na cidade de Éfeso |
| **Quando?** | por volta de 64 d.C. |
| **Por quê?** | para corrigir problemas na igreja e restaurar a saúde espiritual |

## Procurando uma igreja?

**Visão geral**

*Primeira Carta a Timóteo*

Nesta carta, Paulo descreve a igreja forte e saudável que espera que Timóteo ajude a estabelecer em Éfeso. Além disso, Paulo dá a Timóteo orientações para seguir.

Timóteo: Timóteo foi membro da equipe missionária de Paulo. Era um jovem cujo pai era grego, e a mãe, judia. Paulo enviou-o a várias missões (1Coríntios 4:17; 16:10; Atos 19:22; 2Coríntios 1:1,19), e ele nem sempre teve êxito. Paulo orienta esse homem mais jovem que será um dos líderes da Igreja quando Paulo morrer.

A despeito do fato de ter aprendido as Escrituras com a mãe e com a avó desde a infância (2Timóteo 1:5-6) e sido treinado pelo próprio Paulo, Timóteo ainda era tímido e inseguro. Além disso, era muito jovem para ser líder em uma cultura que respeitava a idade e a maturidade. Apesar disso, Paulo tratou Timóteo como um filho e reconheceu seu potencial como líder da geração seguinte de cristãos. Na época em que o apóstolo escreveu esta carta, Timóteo estava em Éfeso, tendo sido enviado para lá a fim de resolver problemas que surgiram na igreja e estabelecer uma liderança local mais forte. Foi uma missão desafiadora, e Paulo descreve muitas das medidas que Timóteo teria de tomar. As instruções de Paulo a Timóteo descrevem um quadro da igreja ideal que pode se revelar valioso para os cristãos de hoje que estão à procura de uma congregação local para frequentar.

### Vários tópicos na Primeira Carta de Paulo a Timóteo

| | |
|---|---|
| Saudações | 1Timóteo 1:1-2 |
| CORRIJA O FALSO ENSINO COM A SÃ DOUTRINA | 1Timóteo 1:3-20 |
| • Veja o que a verdade fez por mim | 1Timóteo 1:12-17 |
| • Combata o bom combate | 1Timóteo 1:18-20 |
| MANTENHA O FOCO NO SENHOR DURANTE A ADORAÇÃO | 1Timóteo 2:1-15 |
| LEMBRE-SE DE QUE OS LÍDERES DEVEM SER EXEMPLOS DE PIEDADE | 1Timóteo 3:1-16 |
| IDENTIFIQUE O FALSO ENSINO E OS FALSOS MESTRES enquanto estiver servindo como um exemplo de piedade | 1Timóteo 4:1-16 |
| TRATE A TODOS COM RESPEITO | 1Timóteo 5:1-6:10 |
| • Não se esqueça das "viúvas" | 1Timóteo 5:3-17 |
| • Mostre respeito aos presbíteros da igreja | 1Timóteo 5:18-25 |
| • Faça os servos se lembrarem de respeitar seus senhores e advirta contra o amor ao dinheiro | 1Timóteo 6:1-2; 1Timóteo 6:3-10 |

## Vários tópicos na Primeira Carta de Paulo a Timóteo (continuação)

| | |
|---|---|
| QUANTO A VOCÊ, TIMÓTEO, SIGA A JUSTIÇA | 1Timóteo 6:11-21 |
| • Ah, sim, alerte os ricos, e | 1Timóteo 6:17-19 |
| • guarde o que lhe foi confiado | 1Timóteo 6:20-21 |

**O que outros dizem**

*J. Vernon McGee*

Em 1Timóteo, lidamos com o "X" da questão da igreja local, com a ênfase de que o caráter e a qualidade de seus líderes serão os responsáveis por determinar se a igreja é, de fato, uma igreja do Senhor Jesus Cristo.[1]

## O que há de especial na Primeira Carta a Timóteo?

1. **A importância vital da sã doutrina (1Timóteo 1:3-11).** Paulo dá uma razão importante pela qual Timóteo deve confrontar aqueles que ensinam falsas doutrinas. A verdade de Deus produzirá o amor, que procede "de um coração puro, de uma boa consciência e de uma fé sincera" (1Timóteo 1:5). A falsa doutrina promove controvérsia e incredulidade.

Nos parágrafos seguintes (1Timóteo 1:12-17), Paulo mostra que ele mesmo já foi o pior dos pecadores, um perseguidor e um homem insolente. Mas a mensagem do evangelho do amor e da graça de Deus o transformou completamente.

**mediador**
alguém que reúne as partes

**O que outros dizem**

*William Barclay*

A dinâmica do cristão vem do fato de que ele sabe que pecado não é só violar a Lei de Deus, mas também partir o coração de Deus. Não é a Lei de Deus, mas o amor de Deus que nos constrange.[2]

2. **Um só Deus e um só *mediador* entre Deus e o homem (1Timóteo 2:1-5).** A Bíblia nunca pede desculpas por apresentar a fé em Cristo como a única maneira pela qual a pessoa pode estabelecer um relacionamento pessoal com Deus. A noção comum de que todas

as religiões levam ao mesmo Deus é, em termos muito simples, falsa. Jesus Cristo morreu para pagar o preço do pecado por todos os seres humanos, e a confiança nele é a única via de acesso que leva a Deus.

João **14:6** *Eu sou o caminho, a verdade e a vida. Ninguém vem ao Pai, a não ser por mim.*

3. **Qualificações para os líderes da igreja (1Timóteo 3:1-16).** É impressionante a ênfase que a lista de qualificações para os líderes da igreja, sejam eles presbíteros, diáconos ou diaconisas, dá ao caráter, e não ao treinamento ou até mesmo aos dons espirituais. A razão é que os líderes devem ser cristãos maduros, que sejam modelos do caráter cristão piedoso que o Espírito Santo procura produzir em todos os cristãos. Vemos isso claramente quando comparamos as palavras que Paulo usou para descrever o modo de vida cristão com aquelas que ele usou para descrever as qualificações de um líder.

### O modo de vida cristão e as qualificações para a liderança

| Os líderes cristãos... | O estilo de vida cristão inclui... |
|---|---|
| Devem ser irrepreensíveis | Piedade |
| Devem ser moderados | Temperança |
| Devem ter domínio próprio | Autocontrole |
| Devem ser respeitáveis e direitos | Confiabilidade |
| Devem ser hospitaleiros | Amor |
| Não devem ser ébrios | Autodisciplina |
| Não devem ser competitivos, mas bondosos | Gentileza |
| Não devem ser dados a contendas | Ser atencioso |
| Não devem ser irascíveis | Ser pacífico |
| Não devem ser materialistas | Generosidade |
| Devem ser respeitados pelos incrédulos | Integridade |
| Devem amar a bondade | Dedicação à bondade, à fé e à perseverança |

4. **Conselhos para todo jovem cristão (1Timóteo 4:12).** O conselho de Paulo para Timóteo é ideal para qualquer cristão, seja ele jovem na idade ou na fé. "Ninguém o despreze pelo fato de você ser jovem, mas seja um exemplo para os fiéis na palavra, no procedimento, no amor, na fé e na pureza" (1Timóteo 4:12).

5. **As viúvas (1Timóteo 5:3-16).** A igreja do Novo Testamento, como a comunidade judaica, demonstrava uma verdadeira preocupação com as viúvas e os órfãos, dando-lhes sustento. Sem ocupações disponíveis para as mulheres do século I, Paulo aconselhou as viúvas mais jovens a se casarem novamente. Aquelas viúvas com filhos adultos deveriam ser sustentadas pela família (ver 1Timóteo 5:16).

Ter dinheiro pode ser bom — se a pessoa rica estiver desejosa de ser rica em boas obras, generosa e disposta a compartilhar com os outros. Mas, muitas vezes, os ricos dependem de seu dinheiro, e não de Deus, e tornam-se arrogantes.

A solução de Paulo é que todos desenvolvam uma paixão pela piedade e se contentem com o que for preciso para suprir suas necessidades básicas. Uma boa consciência e uma boa reputação valem mais que milhões.

## 2Timóteo

### ...alerta! Alerta! Alerta!

| | |
|---|---|
| **Quem?** | O apóstolo Paulo |
| **O quê?** | escreveu esta carta a Timóteo |
| **Onde?** | da prisão em Roma |
| **Quando?** | por volta de 67 d.C. |
| **Por quê?** | para adverti-los sobre o perigo dos falsos mestres que estavam se infiltrando na Igreja. |

## Eles falam com mentiras

### Visão geral

*Segunda Carta a Timóteo*

Esta carta é um chamado para que o cristão permaneça fiel a Cristo e à sã doutrina. Foi extremamente importante por causa da ameaça representada pelos falsos mestres. Os destaques da carta são: (1) sua declaração sobre a confiança que podemos ter nas Escrituras; e (2) sua descrição da atitude que deveria ser adotada pelas pessoas que compartilham a verdade de Deus com os outros.

O livro de Atos termina com Paulo em prisão domiciliar, em Roma. Ele ficou ali por dois anos. Segundo a tradição, depois de ser solto, Paulo seguiu em uma viagem missionária para a Espanha. No entanto, cinco anos depois, foi detido novamente e preso em Roma. Dessa vez, Paulo não sobreviveu, mas foi executado durante o governo do imperador Nero.

A maioria acredita que esta tenha sido a última carta que Paulo escreveu antes de sua execução. Embora a comunidade cristã tivesse começado a sofrer perseguição por parte do governo, o apóstolo estava mais preocupado com aqueles que estavam corrompendo a Igreja por meio de falsos ensinamentos. Nesta carta, ele exorta Timóteo a servir como um bom soldado de Jesus Cristo e a permanecer comprometido com a verdade revelada por Deus.

### CONFIANÇA E UMA BOA ATITUDE

| | |
|---|---|
| Saudações | 2Timóteo 1:1-2 |
| SEJA FIEL | 2Timóteo 1:3-2:13 |
| à verdade que você aprendeu quando criança, | 2Timóteo 1:3-7 |
| como tenho sido fiel, | 2Timóteo 1:8-15 |
| como outros têm sido fiéis, | 2Timóteo 1:16-18 |
| como também o são... | 2Timóteo 2:1-7 |
| os soldados, | 2Timóteo 2:4 |
| os atletas, | 2Timóteo 2:5 |
| os lavradores que trabalham arduamente, | 2Timóteo 2:6 |
| e como Cristo é fiel a nós | 2Timóteo 2:8-13 |
| APEGUE-SE FIRMEMENTE À PALAVRA DE DEUS | 2Timóteo 2:14-26 |
| Manuseia-a corretamente | 2Timóteo 2:8-19 |
| Prepare-se para ministrá-la | 2Timóteo 2:20-23 |
| APRESENTE A PALAVRA DE DEUS DE FORMA ADEQUADA | 2Timóteo 2:24-26 |
| ESTEJA PREPARADO PARA OS MOMENTOS DIFÍCEIS | 2Timóteo 3:1-4:8 |
| com pessoas indiferentes | 2Timóteo 3:1-5 |
| lideradas por falsos mestres | 2Timóteo 3:6-9 |
| LEVE UMA VIDA PIEDOSA | 2Timóteo 3:10-13 |
| guiado pelas Escrituras, | 2Timóteo 3:14-17 |
| e continue a pregar, | 2Timóteo 4:1-5 |
| pois estou prestes a partir | 2Timóteo 4:6-8 |
| Considerações finais | 2Timóteo 4:9-18 |
| Saudações | 2Timóteo 4:19-22 |

## O que há de especial na Segunda Carta a Timóteo?

1. **Os pais têm um papel vital na fé de seus filhos (2Timóteo 1:5).** O apóstolo Paulo remete a fé de Timóteo à mãe e à avó do rapaz, que passaram a chama da fé para o jovem Timóteo quando ele era ainda criança. O plano de Deus para comunicar a fé de geração em geração sempre se concentrou na família.

**O que outros dizem**

*Roy B. Zuck*

Deus colocou a responsabilidade de desenvolver o caráter divino nos filhos sobre os ombros dos pais. A Bíblia vê pai e mãe como professores — como aqueles que instruem seus filhos nos caminhos de Deus.[3]

2. **A fonte espiritual da oposição à verdade de Deus (2Timóteo 2:24-26).** Paulo descreve a abordagem que Timóteo deve adotar para enfrentar a oposição. Ele adverte acerca de contendas e prescreve uma atitude de bondade que leva à instrução moderada. Por que não confiar em argumentos fortes e discussões? Paulo deixa claro que o verdadeiro problema é espiritual, não intelectual. Somente Deus pode levar aqueles que se opõem ao evangelho a um conhecimento da verdade, pois eles foram levados cativos pelo diabo para fazerem a vontade dele.

**O que outros dizem**

*William Barclay*

É Deus que desperta o arrependimento; é o líder cristão que abre a porta para o coração **penitente**.[4]

3. **Cuidado com igrejas que têm uma *forma* de piedade sem o poder de Deus (2Timóteo 3:1-5).** Paulo antecipa tempos terríveis e descreve pessoas que amam o dinheiro, são arrogantes, orgulhosas, blasfemas, desobedientes aos pais, ingratas, ímpias, sem amor, irreconciliáveis, caluniadoras, sem domínio próprio, cruéis, presunçosas etc. No entanto, ele observa que elas terão uma forma de piedade. Vão à igreja, cantam os hinos e cumprimentam o pregador por seu sermão. Mas a verdadeira piedade é exibida nas vidas que Jesus Cristo transformou. A admoestação de Paulo é um bom conselho para a igreja onde as pessoas fazem coisas só pela aparência, sem exibir a obra de Deus nos seus corações: não se envolva com elas.

**penitente**
aquele que sente tristeza pelo pecado

**forma**
aparência externa

4. **A importância de conhecer e viver as Escrituras (2Timóteo 3:15-17).** Paulo concentra nossa atenção nas Sagradas Escrituras, que são capazes de tornar a pessoa apta para a salvação por meio da fé em Cristo Jesus.

### O que torna as Escrituras especiais?

| | |
|---|---|
| A Bíblia é inspirada por Deus | Assim como uma brisa enche as velas de um navio, o Espírito encheu os escritores da Bíblia e os levou consigo, por isso o que eles escreveram foi o que Deus pretendia dizer |
| A Bíblia é útil para ensinar | A Bíblia expressa a verdade de Deus |
| A Bíblia é útil para repreender | A Bíblia corrige falsas ideias sobre Deus |
| A Bíblia é útil para corrigir | A Bíblia afasta-nos do pecado |
| A Bíblia é útil para treinar | Os ensinamentos da Bíblia, quando seguidos com justiça, capacitam-nos para sermos homens e mulheres de Deus... É suficiente para preparar totalmente os cristãos para as boas obras |

Se quisermos que a Palavra de Deus entre em nossas vidas, temos de assumir o compromisso de nos envolvermos com ela regularmente!

## Tito

### ...vivendo como povo de Deus

| | |
|---|---|
| **Quem?** | O apóstolo Paulo |
| **O quê?** | escreveu esta carta a Tito, |
| **Onde?** | que estava em Creta |
| **Quando?** | em 65 d.C. ou 66 d.C. |
| **Por quê?** | para corrigir problemas na igreja local e motivar o compromisso com a prática do bem |

## Esteja ansioso para fazer o bem

### Visão geral

*Carta a Tito*

O conselho de Paulo a Tito é semelhante ao que expôs em sua primeira carta a Timóteo. Ambos deveriam cuidar para estabelecer uma forte liderança local para a igreja. Ambos deveriam se concentrar no ensino da sã doutrina, tendo como visão gerar pessoas piedosas, cuja vida glorificasse a Deus. Especialmente significativa é a ênfase de Paulo na importância das boas obras, a serem feitas por aqueles que conheceram a graça de Deus.

Tito: Como Timóteo, Tito era um líder jovem que carregava o fardo de instruir as igrejas uma vez que os apóstolos tivessem partido. Tito concluiu com êxito várias missões para Paulo, e o apóstolo tinha muita confiança nas suas habilidades.

Os habitantes da ilha mediterrânea de Creta (veja Apêndice A) tinham uma reputação questionável. Paulo cita o poeta Epimênides em Tito 1:12, que havia escrito séculos antes que "os cretenses são sempre mentirosos, feras malignas, glutões preguiçosos". A missão de Tito em Creta era motivar os cristãos que haviam recebido o evangelho a serem transformados pela graça de Deus em um povo ansioso por se dedicar a fazer o que é bom (Tito 3:8). Quando Paulo escreveu para Tito, provavelmente lhe restavam menos de dois anos de vida. Como Tito havia tido êxito em outras missões que Paulo lhe atribuiu, parece que ele era capaz de completar também esta missão e levar os membros desta igreja rebelde a uma vida cristã disciplinada.

### O conselho de Paulo a Tito

| | |
|---|---|
| Saudações | Tito 1:1-4 |
| O QUE FAZER EM CRETA | Tito 1:5-16 |
| Constitua presbíteros | Tito 1:5-9 |
| Repreenda o rebelde | Tito 1:10-16 |
| O QUE ENSINAR EM CRETA | Tito 2:1-15 |
| O caráter cristão correto e | Tito 2:1-10 |
| a rejeição à impiedade | Tito 2:11-15 |
| O QUE ENFATIZAR EM CRETA | Tito 3:1-11 |
| A verdadeira humildade para com todos os homens, | Tito 3:1-2 |
| a dedicação à prática do bem e | Tito 3:3-8 |
| que se evitem pessoas dadas à divisão | Tito 3:9-11 |
| Considerações finais | Tito 3:12-15 |

## O que há de especial na Carta de Paulo a Tito?

1. **Constituindo presbíteros em cada cidade (Tito 1:5-9).** Era e é vital para a saúde de uma congregação local ser liderada por uma equipe de líderes piedosos. Paulo deu a Tito a responsabilidade de nomear esses líderes, que são chamados de presbíteros, superintendentes ou bispos de forma alternada em todo o Novo Testamento.

A palavra traduzida como "constituir" aqui e em outras passagens que têm relação com líderes significa "dar reconhecimento oficial a". Esperava-se que os membros da congregação local reconhecessem cristãos maduros cuja vida exibia o caráter cristão que Paulo descreve aqui e em 1Timóteo, e que tivessem uma firme compreensão da verdade. O apóstolo ou seus representantes, então, reuniam-se com essas congregações locais e, depois de examinarem os recomendados, confirmavam-nos como presbíteros.

2. **O ensino que está de acordo com a sã doutrina (Tito 2:1-15).** Quase sempre pensamos em ensino como uma forma de transmitir informações. Mas em Tito 2, Paulo descreve o ensino como uma forma de incentivar um estilo de vida que se encaixa com a verdade contida na Palavra de Deus. Entre as expressões para esse tipo de ensino estão "orientar" (Tito 2:4), "encorajar" (Tito 2:6) e "ser um exemplo" (Tito 2:7).

**Encarnação**
a união da divindade e da humanidade em Jesus de Nazaré

Que tipo de vida é adequado para aqueles que estão comprometidos com o que a Bíblia diz? Paulo enfatiza a temperança, o domínio próprio, a reverência, a integridade e a retidão, enquanto adverte contra a calúnia, ser dado a muito vinho e qualquer coisa que possa dar aos outros algo ruim para dizer sobre os cristãos. Quando os cristãos mostram que podem ser totalmente confiáveis, eles tornam atraente o ensino sobre Deus, nosso Salvador.

3. **Enfatizando o poder moral transformador da graça (Tito 2:11-14).** Estes versículos estão entre os mais poderosos do Novo Testamento.

TITO **2:11-14** *A graça de Deus se manifestou salvadora a todos os homens. Ela nos ensina a renunciar à impiedade e às paixões mundanas e a viver de maneira sensata, justa e piedosa nesta era presente, enquanto aguardamos a bendita esperança: a gloriosa manifestação de nosso grande Deus e Salvador, Jesus Cristo. Ele se entregou por nós a fim de nos remir de toda a maldade e purificar para si mesmo um povo particularmente seu, dedicado à prática de boas obras.*

## O que outros dizem

**William Barclay**

Há poucas passagens no Novo Testamento que expõem de maneira tão vívida o poder moral da **Encarnação** como esta o faz. Toda a sua ênfase está no milagre da mudança moral que Jesus Cristo pode realizar. Cristo não somente nos libertou do castigo do pecado do passado; ele pode nos capacitar para viver a vida perfeita dentro deste mundo espaço-tempo; e ele pode, assim, purificar-nos de modo que nos tornemos aptos na vida vindoura para sermos a propriedade especial de Deus.[5]

4. **Enfatizando o novo nascimento e a renovação mediante o Espírito Santo (Tito 3:3-8).** Paulo faz Tito se lembrar de que Deus derramou seu Espírito sobre aqueles que foram **justificados** pela fé em Cristo. Ele exorta Tito a enfatizar essa verdade uma vez que a presença do Espírito é a base de toda a vida cristã, e aqueles que reconhecem sua presença devem ter cuidado para se dedicar à prática do bem. Em termos simples, a fé em Jesus transforma os seres humanos — e esta transformação deve ser expressa na nossa vida diária.

**justificados**
declarados "não culpados" de pecados pelos quais Jesus pagou com sua morte

## Filemom

### ...intercedendo por um escravo fugitivo

| | |
|---|---|
| **Quem?** | O apóstolo Paulo |
| **O quê?** | escreveu esta carta para Filemom |
| **Onde?** | em Roma |
| **Quando?** | durante sua primeira prisão |
| **Por quê?** | para interceder pelo caso de Onésimo, um escravo fugitivo que, tendo se convertido, queria voltar para seu senhor cristão |

## Perdoe e prossiga

### Visão geral

*Carta a Filemom*

Esta carta com um capítulo é a mais breve das cartas do Novo Testamento. Depois de saudação e oração comuns, Paulo intercede por seu novo filho na fé, Onésimo. A carta em que Paulo faz seu apelo tem estas características.

Filemom: Filemom era um cristão rico que havia se convertido durante o ministério de Paulo. Como outros ricos do Império Romano, Filemom possuía escravos.

Onésimo: Onésimo foi escravo de Filemom. Ao que parece, ele roubou seu senhor e fugiu para Roma, onde se encontrou com Paulo e tornou-se um cristão. Diz a tradição que Onésimo se tornou o bispo de Éfeso no século II.

Onésimo roubou dinheiro de seu senhor Filemom, um dos convertidos por meio do trabalho de Paulo, e fugiu para Roma, onde o conheceu e tornou-se cristão. Paulo o enviou de volta ao seu senhor com uma carta. Nessa carta, faz Filemom se lembrar da estreita amizade entre eles e exorta-o a receber Onésimo de volta, não só como escravo, mas como um irmão cristão. Paulo oferece-se para restituir a Filemom qualquer perda por causa das ações de Onésimo no passado e, com cuidado, lembra a Filemom que ele deve sua salvação ao seu ministério.

### Paulo intercede por Onésimo

| | |
|---|---|
| Saudações | Filemom 1-3 |
| Oração | Filemom 4-7 |
| PAULO APRESENTA UM PEDIDO, não uma ordem, | Filemom 8 |
| por um novo convertido | Filemom 9-10 |
| que antes era imprestável | Filemom 11 |
| PAULO ESTÁ DEVOLVENDO ONÉSIMO | Filemom 12-14 |
| como um escravo, mas também como um irmão em Cristo | Filemom 15-16 |
| PAULO APELA A FILEMOM para receber Onésimo da mesma forma como receberia o próprio Paulo | Filemom 17-21 |
| PAULO ESPERA VISITÁ-LO EM BREVE | Filemom 22 |
| Saudações finais | Filemom 23-25 |

**escravos**
Filemom; 1Timóteo 6:1-2; Efésios 6:5-9; Colossenses 3:22-4:1

## Irmãos em Cristo

No Império Romano do século I, mais de 20% da população era composta de escravos, vistos como bens por seus donos. A instituição estava entrelaçada de forma tão profunda na estrutura social que teria sido impossível eliminá-la sem criar um desastre econômico.

O Novo Testamento não lança uma campanha contra o mal da escravidão. Mas o cristianismo introduziu uma nova dinâmica refletida nesta carta e em outras cartas. Escravos e senhores tornavam-se igualmente cristãos, e cada um era encorajado a demonstrar amor e interesse um pelo outro. Em uma casa onde ambos fossem cristãos, eles deveriam se ver como irmãos em Cristo. Onde o evangelho estava consolidado, era impossível manter a visão de que os escravos eram meramente bens, como ilustra a carta de Paulo a Filemom.

## Resumo do capítulo

- Paulo escreveu quatro cartas pessoais para indivíduos, não para igrejas.
- A Primeira Carta de Paulo a Timóteo exortava o homem mais jovem a ser um exemplo das verdades que ele ensinava.
- Uma das tarefas mais importantes no fortalecimento de uma igreja era cuidar para que a congregação tivesse líderes piedosos.
- A Segunda Carta de Paulo a Timóteo é, provavelmente, a última de suas cartas, escrita pouco antes de sua execução.
- Paulo adverte Timóteo contra os falsos mestres e enfatiza a importância de ensinar e viver a Palavra de Deus.
- A Carta de Paulo a Tito enfatiza a importância de praticar boas obras.
- Paulo faz Tito se lembrar de que a graça de Deus traz o novo nascimento pessoal e a renovação. As boas obras são consequências da graça salvadora.
- A Carta de Paulo a Filemom ilustra como a fé cristã reduziu a distância entre escravo e dono de escravo no mundo romano.

## Questões para estudo

1. Das quatro cartas pessoais de Paulo, quais são as três chamadas de cartas pastorais?
2. Quais são as duas características essenciais de quem está qualificado para se tornar bispo ou presbítero da igreja?
3. Que trabalho a Igreja primitiva tinha para com as viúvas?
4. Como você corrigiria a frase: "O dinheiro é a raiz de todo o mal"?
5. O que garante o proveito das Escrituras no sentido de preparar os cristãos para boas obras?
6. Além de expressar verdades bíblicas, o que mais está incluído no ensino cristão?
7. Quem foi justificado pela fé expressará esta realidade dedicando-se a quê?
8. Em que mudança no relacionamento entre Filemom e Onésimo Paulo confiou para comover Filemom a receber seu escravo fugitivo de volta?

## Resumo do capítulo

# Capítulo 22

*Em destaque no capítulo:*

- Jesus, a Palavra viva
- Jesus, nosso Sumo Sacerdote
- Jesus, o sacrifício perfeito

## A superioridade de Cristo
## Carta aos Hebreus

### Vamos começar

A maioria das cartas do Novo Testamento foi escrita para igrejas predominantemente gentílicas. Mas a Carta aos Hebreus foi escrita especificamente para judeus convertidos. Eles, muitas vezes, sentiram uma profunda afeição pelo modo de vida que conheciam desde o nascimento, e, em outras, perguntavam-se se estavam certos em assumir um compromisso com Cristo. O autor desta carta poderosa entende os sentimentos deles e começa a mostrar-lhes como a fé em Cristo promete uma experiência plena de realidades espirituais que a fé do Antigo Testamento apenas prenunciou.

**HEBREUS**

**...A SUPERIORIDADE DE CRISTO**

| | |
|---|---|
| **Quem?** | Um autor não identificado |
| **O quê?** | compara revelações do Antigo e do Novo Testamento |
| **Onde?** | aos cristãos hebreus em todas as partes |
| **Quando?** | antes de 70 d.C. |
| **Por quê?** | para demonstrar a superioridade de Cristo e do cristianismo como o cumprimento das promessas do Antigo Testamento |

## A Nova Aliança para todos

**Visão geral**

*Carta aos Hebreus*

Esta carta compara as revelações do Antigo e do Novo Testamento ponto por ponto. O Antigo Testamento é a revelação divina, que ofereceu grandes benefícios para Israel como o povo especial de Deus. Mas o Novo Testamento é uma revelação superior, e seus benefícios não são apenas superiores, mas também estão à disposição de todos os que creem em Jesus. O resumo apresentado a seguir reflete os principais temas desenvolvidos em Hebreus.

*Vá para*

*Nova Aliança*
Jeremias 31:31-34

*Nova Aliança*
a promessa oferecida por Jesus, o Sumo Sacerdote perfeito

*Antiga Aliança*
a lei mosaica

No início, o cristianismo foi um movimento judaico, centrado em Jerusalém. Os primeiros cristãos eram judeus que, à parte de sua crença de que Jesus era o Messias, viviam e adoravam como os outros judeus. Mas, dentro de algumas décadas, a igreja tornou-se predominantemente gentílica, e os judeus que criam em Cristo foram excluídos da sinagoga e do templo. Isso pareceu uma tragédia para muitos cristãos judeus, que tinham uma profunda afeição pelos aspectos e pela adoração do judaísmo, e que, naquele momento, estavam isolados de amigos e parentes que continuavam nos velhos costumes. Essas e outras pressões levaram alguns cristãos judeus a vacilar, perguntando-se se deveriam voltar às suas raízes.

O escritor desconhecido do livro de Hebreus decidiu sanar essas dúvidas. Ele via claramente que Jesus era o cumprimento de tudo o que o Antigo Testamento prometeu, e que a **Nova Aliança** que Cristo instituiu na cruz é muito superior à **Antiga Aliança** que Moisés introduziu no monte Sinai. De modo entusiástico, o escritor começou a mostrar a superioridade de Jesus e os benefícios maravilhosos de um relacionamento pessoal com o Salvador vivo.

**Principais temas desenvolvidos em Hebreus**

| | |
|---|---|
| JESUS, A PALAVRA VIVA | Hebreus 1:1-4:13 |
| • Como revelação final | Hebreus 1:1-14 |
| • Advertência para que eles não se desviem | Hebreus 2:1-4 |
| • Como fonte de salvação | Hebreus 2:5-18 |
| • Como superior a Moisés | Hebreus 3:1-6 |
| A urgência de resposta | Hebreus 3:7-4:13 |
| JESUS, NOSSO SUMO SACERDOTE | Hebreus 4:14-8:13 |
| O sacerdócio de Jesus | Hebreus 4:14-5:10 |
| • Prosseguindo para a maturidade | Hebreus 5:11-6:20 |
| A superioridade do sacerdócio de Jesus | Hebreus 7:1-28 |
| • Implicações do sacerdócio de Jesus | Hebreus 8:1-13 |
| JESUS, O SACRIFÍCIO PERFEITO | Hebreus 9:1-10:39 |
| • Seu sacrifício purifica | Hebreus 9:1-28 |
| • Seu sacrifício remove o pecado | Hebreus 10:1-18 |
| • Advertência para que eles não se afastem de Deus | Hebreus 10:19-39 |
| O MINISTÉRIO CONTÍNUO DE JESUS | Hebreus 11:1-12:29 |
| • Ao qual se tem acesso pela fé | Hebreus 11:1-40 |
| • Vivenciado como disciplina | Hebreus 12:1-13 |
| • Perdendo a graça de Deus | Hebreus 12:14-29 |
| EXORTAÇÕES | Hebreus 13:1-21 |
| • Despedida | Hebreus 13:22-25 |

## Ele é o Filho de Deus

### Visão geral

*Palavra viva*

No passado, a revelação de Deus era transmitida de várias maneiras, mas, agora, Deus falou por meio de seu Filho. O Filho, Jesus, é plenamente Deus e, portanto, ainda maior que os anjos.

Seria desastroso afastar-se da verdade que é revelada por ele, pois o destino planejado para os seres humanos depende de nossa ligação com Jesus, que se fez humano para morrer por nossos pecados, libertar-nos do poder de Satanás e colocar-nos com ele acima dos anjos!

Quanto a Moisés, convém respeitá-lo, pois ele foi um servo fiel na casa de Deus. Mas Cristo é o proprietário, arquiteto e construtor da casa. Ele é digno de uma honra muito maior. Conclui-se, então, que, se alguém ouve a voz de Deus hoje, não deve ser como os israelitas que seguiram Moisés para fora do Egito, mas desobedeceram quando Deus ordenou que entrassem em Canaã.

## O que há de especial em Hebreus 1-4?

**expiação**
o cumprimento da exigência de Deus de que o pecado deve ser pago

1. **A identificação de Jesus como Deus (1:1-3).** O escritor começa afirmando a identidade de Jesus como Filho de Deus e deixando claro o que significa esse título. Como o resplendor da glória de Deus, Jesus expressa a presença divina. Como a expressão exata do seu ser, Jesus é idêntico a Deus, de modo que, quando vemos Jesus, vemos exatamente como é Deus.

É importante sermos totalmente claros sobre a identidade de Jesus quando examinamos o cristianismo. O fato de que Jesus Cristo é Deus encarnado é a verdade central e fundamental na qual se baseia o Novo Testamento.

2. **A superioridade de Jesus sobre os anjos (Hebreus 1:5-14).** O escritor cita sete passagens do Antigo Testamento que confirmam a superioridade de Jesus sobre os anjos. Para a tradição judaica, os anjos serviram como mediadores quando Deus deu a Lei a Moisés. O envolvimento ativo dos anjos tornava a Lei ainda mais obrigatória. Contudo, a nova revelação foi dada pessoalmente pelo Filho de Deus, que é superior aos anjos.
3. **Advertência para que eles não se desviem (Hebreus 2:1-4).** O escritor apresenta a imagem de um navio se distanciando do ancoradouro para advertir sobre o perigo de ser levado novamente pela corrente do judaísmo. Seus leitores estavam familiarizados com o perigo de desobedecer a Lei de Deus. Muito mais perigoso é ignorar uma salvação anunciada pelo próprio Senhor!
4. **Jesus como a fonte de salvação do homem (Hebreus 2:5-18).** Jesus compartilhou nossa humanidade para salvar-nos da única maneira possível: fazendo **expiação** por nossos pecados. Estes versículos comparam as respectivas posições de Jesus e dos seres humanos em relação aos anjos antes e depois da sua vinda.

Jesus não só revela Deus, mas, por meio de seu sofrimento, leva "muitos filhos à glória" (Hebreus 2:10).

5. **Jesus é maior que Moisés (Hebreus 3:1-6).** Ninguém foi mais reverenciado do que Moisés no judaísmo. Demonstrar que Cristo é maior que Moisés era um forte argumento a favor da superioridade do cristianismo.

## O que outros dizem

**Leon Morris**

Moisés não era mais que um membro — embora um membro muito ilustre — da família. Ele era, essencialmente, um com todos os outros. Cristo tem uma superioridade inata. Ele é o Filho e como tal está "acima" na família.[1]

6. **Advertência contra a incredulidade (Hebreus 3:7— 4:13).** O escritor volta a um incidente registrado em Números. Por meio de Moisés, Deus ordenou que os israelitas entrassem em Canaã, mas o povo se recusou. Consequentemente, toda a geração foi condenada a vagar pelo deserto durante quatro décadas até que todos os seus adultos morressem. Tudo porque, quando Deus falou com as pessoas, elas endureceram o coração e se recusaram a confiar nele, e, assim, desobedeceram.

**incredulidade**
Números 13:26-14:35

Hoje, Deus tem falado por meio de seu Filho. Que perda terrível os cristãos judeus contemporâneos sofreriam se endurecessem o coração e se recusassem a ouvir e confiar nele!

7. **A promessa de um "descanso sabático" (Hebreus 4:1-13).** O escritor faz uma analogia entre o descanso dos israelitas quando, na época de Moisés, eles finalmente conquistaram Canaã e o restante que está à disposição deles como cristãos. Em ambos os casos, a vitória foi conquistada. Quando uma pessoa confia totalmente em Jesus, ela descobre que Cristo tem e, de fato, é a resposta para todas as necessidades do coração.

## Ele é o nosso Sumo Sacerdote

**Visão geral**

**Sumo Sacerdote**

Os sacerdotes do Antigo Testamento eram **intermediários** entre Deus e o homem, oferecendo os sacrifícios que permitiam aos adoradores se aproximarem do Santo Deus de Israel. Mas somente o sumo sacerdote tinha o privilégio de fazer o sacrifício anual que expiava todos os pecados do povo. Jesus é apresentado como o Sumo Sacerdote ideal, que pode se compadecer de nossas fraquezas e que foi chamado por Deus para um sacerdócio muito superior ao de Aarão e seus descendentes. Após fazer uma pausa para advertir seus leitores mais uma vez, o escritor continua a examinar a superioridade do sacerdócio de Jesus. Ele explica por que uma mudança no sacerdócio era essencial. Ele explica, ainda, os benefícios inerentes ao fato de que Jesus não está sob uma velha aliança da lei; ele está sob uma nova aliança da graça transformadora.

**intermediários**
pessoas que reúnem as partes; mediadores

**aperfeiçoou**
não o fez melhor, mas o equipou

### O que há de especial em Hebreus 4:14-8:43?

Melquisedeque: Ele era tanto rei de Jerusalém como sacerdote na época de Abraão. Salmos 110:4 anunciou que o Filho de Deus seria um sacerdote como Melquisedeque. Após a vitória de Abraão sobre alguns reis saqueadores (Gênesis 14), Melquisedeque abençoou Abraão, e Abraão deu um décimo do que tinha a esse sacerdote e rei. Para o escritor aos hebreus, isso indicava que o sacerdócio de Melquisedeque era superior ao de Arão, um descendente de Abraão.

1. **Vendo Jesus como um Sumo Sacerdote cuidadoso (Hebreus 4:14-5:10).** Jesus viveu entre nós como um ser humano e, assim, conheceu as fraquezas das quais a carne e o sangue são herdeiros. Portanto, podemos recorrer a ele com total confiança de que nos ouvirá com empatia. Embora Jesus tenha sido ordenado para o sacerdócio por Deus, foi sua vida de obediência como ser humano que o **aperfeiçoou** para sua função sacerdotal.
2. **Advertência: prossiga para a maturidade! (Hebreus 5:11-6:12).** As falhas dos cristãos hebreus para com o compromisso total com Jesus atrofiaram o crescimento espiritual deles. O fundamento da fé havia sido colocado, e eles deveriam edificar sua vida sobre esse fundamento. Uma paráfrase de uma passagem frequentemente mal compreendida (Hebreus 6:4-6) ajuda-nos a entender o ponto de vista do escritor. O escritor desafia seus leitores, que querem voltar à era antiga, fazendo-lhes uma pergunta hipotética:

O que vocês gostariam de fazer? Ver suas falhas como um afastamento de Deus, causando a perda da comunhão? Como, então, vocês seriam restaurados — vocês que foram iluminados, provaram o dom celestial, compartilharam o Espírito Santo e conheceram o fluxo do poder da ressurreição? Vocês querem crucificar Jesus mais uma vez e, por meio de um novo sacrifício, serem levados novamente ao arrependimento? Impossível! Que desgraça é esse sinal de que a obra de Jesus para vocês não foi suficiente!

A advertência implícita é clara. Qualquer pessoa que abandona a esperança em Cristo abandona toda a esperança! Jesus foi crucificado por nós, e essa expressão maior do amor de Deus nunca será repetida. Sem Jesus, a vida deles será estéril; com ele, a vida deles será, de fato, frutífera.

3. **As promessas de Deus são uma âncora para a alma (Hebreus 6:13-20).** O escritor faz seus leitores se lembrarem de que Deus fez todo o possível para deixar a natureza imutável de seu propósito muito clara. Só agora temos as promessas de Deus e seu juramento, temos o Jesus ressurreto no céu, representando-nos como nosso Sumo Sacerdote. Sua presença ali é uma âncora para a alma, firme e segura (Hebreus 6:19-20).

### O que outros dizem

*F.F. Bruce*

Nossa esperança, baseada nas promessas de Jesus, é nossa âncora espiritual. E nossa esperança está fixada ali porque Jesus está ali, assentado, como já nos foi dito, à direita da Majestade nas alturas (Hebreus 1:3).

Abraão depositou sua esperança na promessa e no juramento de Deus, mas nós temos mais do que isso para depositar nossa esperança: temos o cumprimento de sua promessa na exaltação de Cristo. Não é de admirar que nossa esperança seja segura e estável.[2]

4. **A superioridade do sacerdócio de Jesus (Hebreus 7:1-28).** Voltando ao tema do sacerdócio de Cristo, o escritor compara Jesus como Sumo Sacerdote com os sacerdotes do Antigo Testamento.

## A superioridade de Jesus é mostrada...

- Na bênção que Melquisedeque dá a Abraão (Hebreus 7:1-10).
- No prenúncio das Escrituras acerca de outro sacerdócio (Hebreus 7:11-14).
- No fato de que o sacerdócio de Cristo não está na linhagem, mas no poder de uma vida indestrutível (Hebreus 7:15-17).

- Na incapacidade do velho sistema de aperfeiçoar, em comparação com o privilégio de acesso direto do cristão a Deus (Hebreus 7:18-19).
- No fato de que o próprio Deus ordenou seu sacerdócio a Jesus (Hebreus 7:20-22).
- No fato de que Jesus, vivo para sempre, tem um sacerdócio permanente que não pode ser encerrado com a morte, e, portanto, é capaz de salvar totalmente aqueles que vêm a Deus por meio dele (Hebreus 7:23-25).
- No fato de que Cristo ofereceu somente um sacrifício pelos pecados, e, então, sua obra salvadora foi consumada (Hebreus 7:26-28).

5. **As implicações do sacerdócio de Jesus (Hebreus 8:1-13).** Antes, o escritor da carta observou que onde há uma mudança de sacerdócio deve haver também uma mudança da Lei (Hebreus 7:12). Ele queria dizer que cada elemento da religião do Antigo Testamento — lei, sacrifícios, sacerdócio, adoração etc. — estava ligado para formar um todo equilibrado.

O Antigo Testamento contém a promessa de que Deus, um dia, substituiria a velha aliança mosaica por uma nova. Com a morte e a ressurreição de Cristo, aquela velha aliança tornou-se obsoleta, e Deus começou a trabalhar de uma forma diferente no coração dos seus.

O autor de Hebreus cita as palavras de Jeremias para deixar clara a diferença:

> HEBREUS **8:10-12** *Porei minhas leis em sua mente e as escreverei em seu coração. Serei o seu Deus, e eles serão o meu povo. Ninguém mais ensinará o seu próximo, nem o seu irmão, dizendo: "Conheça o Senhor", porque todos eles me conhecerão, desde o menor até o maior. Porque eu lhes perdoarei a maldade e não me lembrarei mais dos seus pecados.*

Com Cristo como nosso Sumo Sacerdote, a nova aliança agora está em vigor. A Lei que Deus escreveu na pedra está sendo escrita no coração vivo dos cristãos, tendo cada um deles um relacionamento pessoal com o Deus Vivo e tendo todos os seus pecados perdoados.

### O que outros dizem

*Kay Arthur*

O homem pode ser justificado por Deus! Justiça é mais do que bondade; é a posição correta com Deus. É o meio justo para ser reto. É fazer o que Deus diz que é certo, viver de acordo com os padrões de Deus. Mas a justiça no homem requer um novo coração. E o homem pode ter um novo coração! "Porei a minha lei no íntimo deles e a escreverei nos seus corações [...] porque eu lhes perdoarei a maldade e não me lembrarei mais dos seus pecados" (Jeremias 31:33-34).[3]

## Ele é o sacrifício perfeito

### Visão geral

*Sacrifício perfeito*

O Antigo Testamento tinha seu santuário terreno onde os sacerdotes ofereciam sacrifícios. Embora esses sacrifícios fizessem uma purificação superficial, não podiam purificar os seres humanos no íntimo. O fato de terem de ser repetidos continuamente mostrava como realmente eram ineficazes. Mas Jesus ofereceu-se a si mesmo, não em um templo terreno, mas no céu. Por meio de seu único sacrifício, Jesus purificou para sempre os que nele creem.

Enquanto os sacrifícios frequentes da velha aliança eram lembretes anuais do fato de que os seres humanos são pecadores, o sacrifício definitivo de Jesus é prova de que nossos pecados realmente foram perdoados. Por causa de Jesus, não há mais sacrifício algum pelo pecado.

Certamente, então, os cristãos hebreus têm ainda mais razão para perseverar em sua nova fé.

**sacrifícios**
Levítico 1-5; Salmos 51

## O que há de especial em Hebreus 9:1-10:39?

1. **O significado do santuário terreno (Hebreus 9:1-10).** O escritor ressalta que todo aspecto da religião do Antigo Testamento tinha um significado simbólico. Por exemplo, o fato de que o sumo sacerdote só poderia entrar uma vez por ano na sala interior do tabernáculo ou do templo, o Santo dos Santos, apenas com um sacrifício, mostrava que o povo não tinha acesso direto a Deus sob o velho sistema. Os sacrifícios oferecidos lá não podiam limpar a consciência do adorador.

### O que outros dizem

*Leon Morris*

A referência à consciência é importante. As ordenanças da velha aliança eram externas. Elas não podiam enfrentar o problema real, o de uma consciência perturbada.[4]

2. **O poder do sangue de Cristo (Hebreus 9:11-14).** Ao contrário dos sacrifícios de animais do Antigo Testamento, o sangue de Cristo pode purificar nossa consciência das

**prefigurou**
prenunciou

obras mortas, para que possamos servir ao Deus vivo (Hebreus 9:14). Os cristãos não mais estão sob o domínio mortal dos pecados do passado; o perdão liberta o cristão para servir a Deus.

3. **O sistema sacrificial do Antigo Testamento *prefigurou* a morte de Cristo (Hebreus 9:15-28).** A Antiga Aliança exigia que sangue fosse derramado caso se quisesse que os pecados fossem perdoados, e as pessoas, purificadas. Mas o sangue dos animais sacrificiais era apenas para purificar coisas materiais, que em si mesmas eram meras imitações das realidades celestiais. Todos os sacrifícios do Antigo Testamento apontavam para o sacrifício maior que Jesus faria no calvário, derramando seu sangue para levar embora nossos pecados.
4. **A finalidade do sacrifício de Cristo (Hebreus 10:1-18).** O escritor mantém o foco no fato de que Jesus, ao contrário dos sacerdotes do Antigo Testamento, precisou oferecer apenas um sacrifício, pois fomos santificados pelo sacrifício do corpo de Jesus Cristo de uma vez por todas (Hebreus 10:10). O fato de Jesus ter oferecido apenas um sacrifício é prova de que fomos perdoados: onde esses pecados foram perdoados, não há mais sacrifício algum por eles (Hebreus 10:18). Não há mais necessidade alguma de sacrifício — o sacrifício de Cristo é definitivo.

Ponto importante

5. **Uma advertência para que não se afastem de Deus (Hebreus 10:19-39).** O escritor mostrou a salvação maravilhosa que Deus proveu em Cristo. A resposta adequada a isso é aceitá-lo e estimular uns aos outros ao amor e às boas obras (Hebreus 10:24). Dar intencionalmente as costas para Jesus seria o mesmo que tratar o sangue de Cristo como algo profano, e seria um insulto ao Espírito da graça.

## Visão geral

### Fé

Com este ponto na carta, os leitores entendem por que a vida sob a Nova Aliança é superior à vida sob a Antiga Aliança; em todos os sentidos, a salvação que Jesus oferece é superior! O escritor, então, continua a mostrar que temos acesso às bênçãos da Nova Aliança pela fé, e que Deus continuará a disciplinar seus filhos para que possam compartilhar sua santidade. Depois de advertir seus leitores para que não se recusem a responder ao Senhor, o escritor encerra sua carta com uma série de exortações.

## O que há de especial em Hebreus 10-13?

*fé*
a confiança em Deus que leva uma pessoa a responder à sua Palavra

*santos do Antigo Testamento*
verdadeiros crentes em Deus que viveram antes da morte de Cristo

1. **A importância da fé (Hebreus 11:1-40).** O autor de Hebreus apresentou claramente os modos pelos quais a mensagem do evangelho é melhor do que a revelação do Antigo Testamento. Foi a **fé** — a convicção de que Deus existe e de que ele recompensa aqueles que o buscam — que capacitou os **santos do Antigo Testamento** para realizarem as coisas pelas quais nós os honramos.

O que não podemos realizar se enfrentarmos nossos desafios com uma fé como a deles?

2. **Jesus como o "autor e consumador da nossa fé" (Hebreus 12:1-3).** Jesus não é apenas o objeto de nossa fé, mas o exemplo supremo de quem viveu pela fé, e, portanto, é nossa inspiração.
3. **Uma nova perspectiva sobre as dificuldades (Hebreus 12:4-13).** O escritor encoraja seus leitores — incluindo a nós mesmos — a manter uma perspectiva saudável em nossas dificuldades. Essas são experiências proporcionadas pelo próprio Deus como disciplina. Em vez de sinalizarem que Deus nos abandonou, elas sinalizam seu grande amor por nós, pois todo pai que ama seus filhos disciplina-os para fortalecer o caráter deles. E Deus nos disciplina para que possamos compartilhar sua santidade. Nenhuma disciplina que soframos é agradável, mas Deus irá usá-la para produzir uma colheita de justiça e paz para aqueles que foram exercitados por ela (Hebreus 12:11).

### O que outros dizem

*Leon Morris*

É importante que o sofrimento seja aceito com o espírito correto; do contrário, ele não produz um resultado correto.[5]

4. **Advertência: para que não percam a graça de Deus (Hebreus 12:14-28).** O escritor compara o monte Sinai, representando a velha aliança da Lei, com o monte Sião, representando o evangelho da graça. A visão no monte Sinai foi assustadora, pois estava diretamente ligada ao juízo. A visão no monte Sião é de bênção. Se alguém recusar a oferta da graça de Deus para voltar à Lei, não escapará da ira de Deus.
5. **Exortações finais (Hebreus 13:1-21).** A Carta aos Hebreus termina com vários incentivos breves à vida piedosa e com uma das bênçãos mais belas encontradas nas Escrituras:

**Hebreus 13:20-21** *O Deus da paz, que pelo sangue da aliança eterna trouxe de volta dentre os mortos o nosso Senhor Jesus, o grande Pastor das ovelhas, os aperfeiçoe em todo o bem para fazerem a vontade dele, e opere em nós o que lhe é agradável, mediante Jesus Cristo, a quem seja a glória para todo o sempre. Amém.*

## Resumo do capítulo

- Jesus, o Filho de Deus, trouxe à humanidade a revelação final e superior de Deus.
- Como Filho de Deus, Jesus é superior aos anjos e a Moisés, por isso a revelação que ele trouxe merece nossa maior atenção.
- Jesus foi ordenado por Deus como nosso Sumo Sacerdote: uma vez que ele vive para sempre, pode salvar definitivamente todos os que se aproximam de Deus por meio dele.
- Jesus ofereceu seu próprio sangue a Deus como um sacrifício pelos pecados.
- O único sacrifício de Jesus purifica os cristãos e garante o perdão deles.
- A morte de Jesus iniciou a nova aliança prometida, não só prometendo perdão, mas também a transformação interior dos cristãos.
- Como aconteceu com os santos do Antigo Testamento, é a fé que declara as promessas de Deus e capacita os cristãos para realizarem grandes coisas.

## Questões para estudo

1. A quem a Carta aos Hebreus se dirige?
2. Por que o autor escreveu esta carta?
3. O que torna tão importante o fato de a revelação do Novo Testamento ter sido entregue por Jesus?
4. Em quais sentidos Jesus é um Sumo Sacerdote superior ao sumo sacerdócio do Antigo Testamento?
5. O que a Nova Aliança faz pelos cristãos que a Antiga Aliança não poderia fazer?
6. Qual é o significado do fato de que Jesus ofereceu apenas um sacrifício pelos pecados?
7. O significado de que é examinado por Hebreus 11?
8. Como as dificuldades são provas do amor de Deus?

# Capítulo 23

*Em destaque no capítulo:*

- Tiago
- 1 e 2Pedro
- 1, 2 e 3João
- Judas

# As cartas gerais
# Carta de Tiago • Primeira e Segunda Carta de Pedro • Primeira, Segunda e Terceira Carta de João • Carta de Judas

## Vamos começar

Nos últimos capítulos, aprendemos sobre as cartas de Paulo. No entanto, outros escreveram cartas para algumas das igrejas do século I, e essas, normalmente, são chamadas de "cartas gerais". Elas incluem escritos de Pedro e João, que eram apóstolos, e dos meios-irmãos de Jesus, Tiago e Judas, que eram líderes da igreja. Também incluem a Carta aos Hebreus.

Cada escritor tinha uma razão especial para escrever, e cada carta faz uma contribuição decisiva para nossa compreensão da fé e da vida cristã.

### Tiago

#### ...A FÉ MANIFESTA NAS OBRAS

| | |
|---|---|
| **Quem?** | Tiago |
| **O quê?** | escreveu esta carta |
| **Onde?** | em Jerusalém, aos cristãos judeus no Oriente Médio |
| **Quando?** | por volta de 48 d.C. |
| **Por quê?** | para incentivar a vida cristã prática como uma expressão da verdadeira fé em Cristo |

## Visão geral

**Carta de Tiago**

Esta carta exorta os leitores a prestarem atenção em como a fé se expressa na vida diária. Escrita cerca de 15 anos após a ressurreição de Cristo, Tiago está justamente preocupado em evitar que se confundam **credos** com princípios vitais do cristianismo. Esta breve carta faz ainda mais menção à fé do que a carta de Paulo aos Gálatas.

**credos**
sistemas aceitos de crenças religiosas ou outras crenças

TIAGO: Tiago foi meio-irmão de Jesus e tornou-se líder da igreja em Jerusalém. A tradição retrata-o como um homem de oração, cujo apelido era o Justo.

## Você precisa ter fé

É provável que Tiago seja a mais antiga das cartas do Novo Testamento, escrita por um pastor que está profundamente interessado em que a fé cristã encontre expressão prática na vida diária. Nos primeiros dias da Igreja, quando Tiago escreveu, a discussão sobre a justificação somente pela fé, abordada por Paulo, ainda não havia surgido. Contudo, Tiago faz distinção entre a mera aceitação intelectual e uma fé que envolve tanto confiança como compromisso com Jesus como Senhor. A preocupação de Tiago é que a vida daqueles que afirmam ter Jesus como Salvador honre a ele.

### EXPRESSANDO FÉ NA VIDA DIÁRIA

| | |
|---|---|
| Saudações | Tiago 1:1 |
| PRATICANDO O ESTILO DE VIDA DA FÉ | Tiago 1:2-2:13 |
| • Em nossa vida pessoal | Tiago 1:2-18 |
| • Em nossos relacionamentos interpessoais | Tiago 1:19-2:13 |
| PRINCÍPIOS FUNDAMENTAIS DO ESTILO DE VIDA DA FÉ | Tiago 2:14-26 |
| PROBLEMAS PARA O ESTILO DE VIDA DA FÉ | Tiago 3:1-4:17 |
| • Domando a língua | Tiago 3:1-12 |
| • Submetendo o eu | Tiago 3:13-4:10 |
| • Julgando | Tiago 4:11,12 |
| • Falso orgulho | Tiago 4:13-17 |
| AS PERSPECTIVAS E PROMESSAS DA FÉ | Tiago 5:1-19 |
| • Correção futura | Tiago 5:1-6 |
| • Paciência recompensada | Tiago 5:7-20 |

## O que há de especial na Carta de de Tiago?

A Carta de Tiago está repleta de lições especiais para os cristãos que desejam honrar ao Senhor por meio do modo como vivem. Aqui estão alguns destaques:

toda situação
Marcos 10:27

1. **Entendendo a tentação (Tiago 1:13-15).** Não culpemos a Deus por nossas reações a situações nas quais nos sentimos tentados. Tiago diz que Deus nunca tenta ninguém. A atração que sentimos em relação ao pecado vem de nosso íntimo, e não da situação. Na verdade, Deus só dá boas dádivas.

O que Tiago quer dizer é que toda situação na qual Deus nos coloca tem a intenção de nos abençoar, e não de nos derrubar. Só haverá dano quando nos entregarmos à atração interior ao pecado. Quando respondermos de maneira piedosa, haverá bênção como consequência, e é isso que Deus planejou o tempo todo.

2. **É a fé que conta (Tiago 2:14-26).** Tiago não afirma que a fé e as obras são necessárias para a salvação. Pelo contrário, ele insiste que a fé que não produz ações corretas é falsa e morta.

Tiago não ensina que Abraão foi declarado justo com base nas ações dele. Tiago ensina que, ao anunciarem que Abraão era justo, as Escrituras justificam isso com base na obediência subsequente de Abraão. Ele fez o que era certo, porque, na verdade, Deus operou dentro dele para torná-lo justo! Tiago está falando de dois tipos de fé, dos quais apenas um é a fé salvadora. Ele ensina que qualquer pessoa que alegue ter a fé salvadora será justificada pelas ações que fluem dessa fé, e que, nesse sentido, a aperfeiçoam.

### O que outros dizem

*Leon Morris*

O tipo de fé a que [Tiago] se opõe é o tipo de fé que os demônios têm (ver Tiago 2:19). Eles creem em Deus, mas isso não faz outra coisa senão causar um arrepio. Uma fé que não transforma o cristão de modo que sua vida seja dedicada a fazer boas obras não é a fé como Tiago a entende. Isso é fé morta.[1]

3. **Dois problemas com a oração (Tiago 4:1-3).** A postura prática de Tiago em relação à vida é ilustrada em duas declarações sobre a oração. Ele observa que algumas pessoas andam para lá e para cá para terem o que querem da maneira errada. Tiago escreve: "[Vocês] não têm, porque não pedem" (Tiago 4:2). A vida cristã deve ser uma vida de dependência do Senhor. Mas, então, Tiago acrescenta: "Quando pedem, não recebem, pois pedem por motivos errados, para gastar em seus prazeres" (Tiago 4:3). Não devemos abordar a oração como uma lâmpada mágica. A pessoa que ora em nome de Jesus deve procurar obter de Deus o que Jesus procurou: a vontade do Pai e o privilégio de servir aos outros.

**O que outros dizem**

*C.S. Lewis*

Quando o evento pelo qual você orou ocorre, sua oração sempre contribuiu para ele. Quando o contrário ocorre, sua oração não foi ignorada, mas considerada e recusada, para seu bem maior e para o bem de todo o universo.[2]

## 1 Pedro

### ...seguindo o exemplo de Jesus

| | |
|---|---|
| **Quem?** | O apóstolo Pedro |
| **O quê?** | escreveu esta carta |
| **Onde?** | de Roma para todos os cristãos |
| **Quando?** | em 64 d.C. ou 65 d.C. |
| **Por quê?** | para incentivar os cristãos a seguirem o exemplo de Jesus e levarem uma vida santa |

## E você achava que estava difícil...

**Visão geral**

*Primeira Carta de Pedro*

Esta carta oferece aos cristãos a perspectiva necessária sobre a perseguição e faz com que eles se lembrem de que são chamados à santidade e ao sofrimento. Pedro quer que seus leitores vejam que o sofrimento pode ser uma dádiva de Deus, repleta de benefícios.

**cristãos**
Gálatas 2:7

**perigos**
1Pedro 1:6

Pedro: O apóstolo Pedro foi o discípulo influente de Jesus desde o início. Após a ressurreição de Cristo, Pedro pregou os primeiros sermões do evangelho e desenvolveu um ministério especial para os cristãos judeus. Ele e Paulo foram executados em Roma durante o governo do imperador Nero.

Trinta anos depois de Jesus ter ressuscitado, o cristianismo foi levado a todo o Império Romano. Nessa época, ele era considerado distinto do judaísmo e, como tal, era visto pelo governo romano como uma religião estrangeira ilícita. O imperador Cláudio estava decidido a restaurar a religião tradicional, e agora quem governava era um Nero meio louco. Ele torturaria e mataria milhares de fiéis na cidade de Roma, e, nas décadas seguintes, causaria um grande sofrimento para aqueles que se identificassem com Jesus e seu povo.

Pedro estava bem ciente dos perigos que estavam pela frente, e sua carta, endereçada a todos os cristãos espalhados por todo o império, era um chamado à santidade, como também uma tentativa de ajudar seus leitores a compreenderem mais claramente o propósito do sofrimento na vida do cristão.

### Chamados à santidade e ao sofrimento

| | |
|---|---|
| Saudações | 1Pedro 1:1-2 |
| UM CHAMADO À SANTIDADE | 1Pedro 1:3-2:12 |
| • Nossa esperança viva | 1Pedro 1:3-12 |
| • Nossa santa vocação | 1Pedro 1:13-2:12 |
| UM CHAMADO À SUBMISSÃO | 1Pedro 2:13-3:7 |
| UM CHAMADO AO SOFRIMENTO | 1Pedro 3:8-4:10 |
| • Exortações | 1Pedro 5:1-11 |
| • Saudações finais | 1Pedro 5:12-13 |

## O que há de especial na Primeira Carta de Pedro?

1. **Alegria em meio às provações (1Pedro 1:3-9).** Pedro escreve sobre uma alegria que o cristão sente mesmo quando está sofrendo em todos os tipos de provações. Ele compara nossas provações às fornalhas ardentes nas quais o ourives derrete metal precioso para se livrar das impurezas. "Assim acontece para que fique comprovado que a fé que vocês têm [...] é genuína e resultará em louvor, glória e honra, quando Jesus Cristo for revelado" (1Pedro 1:7). O fato de que a salvação que Deus oferece é real nos permite sentir alegria apesar da dor, e essa é a prova de que Deus realmente nos salvou!
2. **Três características da experiência cristã (1Pedro 1:13-25).** A imagem que as pessoas têm dos cristãos é a de desmancha-prazeres amargurados e mesquinhos. Pedro faz-nos

lembrar de que Deus tem uma ideia muito diferente de como devem ser os seguidores de Jesus. Esta passagem dá-nos três características atraentes:

- ✦ Os cristãos são cheios de esperança e santos (1Pedro 1:13-16).
- ✦ Os cristãos têm um profundo respeito por Deus (1Pedro 1:17-21).
- ✦ Os cristãos levam uma vida de amor uns pelos outros (1Pedro 1:22-25).

Tudo isso é fruto do fato de que os cristãos nasceram de novo. Foi-lhes dada uma vida nova e ativa, que é de Deus e que rompe nossa dificuldade de encontrar uma expressão amorosa nas nossas vidas.

3. **A importância do exemplo de Jesus (1Pedro 3:8-18).** E as situações em que os cristãos sofrem injustamente? E aqueles momentos em que fazemos o que é bom, mas coisas ruins acontecem? Pedro reconhece que essas coisas acontecem. Ele nos diz que, quando elas acontecerem, não devemos ter medo, mas lembrar-nos de que Cristo ainda é Senhor e permanecermos confiantes. Quando as pessoas se surpreenderem com nossa confiança a despeito de sermos tratados injustamente, devemos testemunhar o fundamento de nossa esperança (ver 1Pedro 3:15). O que nos permite permanecer confiantes? Pedro aponta para Jesus, o exemplo perfeito de quem sofreu injustamente.

> **1Pedro 3:18** *Pois também Cristo sofreu pelos pecados uma vez por todas, o justo pelos injustos, para conduzir-nos a Deus.*

O que parece ser a maior injustiça da história foi usado por Deus para trazer salvação à humanidade!

O que Pedro queria dizer? Se Deus pôde usar esse tratamento injusto para promover esse bem maravilhoso, ele pode usar as coisas injustas que nos acontecem para o bem também!

4. **Sofrendo como cristão (1Pedro 4:12-19).** Pedro lembra seus leitores de que os cristãos não devem se surpreender com o sofrimento. De certo modo, ele permite que nos aproximemos mais de Cristo, que sofreu antes de nós. A palavra final de Pedro sobre o tema é, de fato, um bom conselho.

> **1Pedro 4:19** *Por isso mesmo, aqueles que sofrem de acordo com a vontade de Deus devem confiar sua vida ao seu fiel Criador e praticar o bem.*

## 2Pedro

### ...seguindo o exemplo de Jesus

| | |
|---|---|
| **Quem?** | O apóstolo Pedro |
| **O quê?** | escreveu esta carta advertindo e encorajando os cristãos |
| **Onde?** | enquanto estava em Roma |
| **Quando?** | pouco antes de sua morte, em 67 ou 68 d.C. |
| **Por quê?** | porque tinha em vista os perigos emergentes dos falsos mestres |

## O mal que vem de dentro

### Visão geral

*Segunda Carta de Pedro*

Nesta breve carta, Pedro discute as duas questões que mais o preocupavam. Ele exorta os cristãos a se concentrarem em levar uma vida produtiva, e descreve os falsos mestres e o seu respectivo fim.

Quase no fim de sua vida, Pedro ficou muito preocupado com o futuro da Igreja de Cristo. Em sua primeira carta, ele escreveu sobre os perigos causados pelos incrédulos que perseguiriam os cristãos. Em sua segunda carta, Pedro escreve sobre os perigos causados por aqueles que estavam dentro da igreja. Esses que são pseudocristãos estavam corrompendo a fé ao introduzirem falsos ensinamentos. Nenhum inimigo de fora poderia derrotar a Igreja de Cristo, mas os perigos que estavam surgindo internamente constituíam uma ameaça real. Para superar essa ameaça, os cristãos teriam de permanecer comprometidos com a verdade e a vida santa.

Esta segunda carta de Pedro é especialmente útil para entendermos a heresia e para mostrar como devemos lidar com falsos ensinos.

### Pedro discute duas questões

| | |
|---|---|
| Saudações | 2Pedro 1:1-3 |
| CONFIRMANDO NOSSO CHAMADO | 2Pedro 1:1-21 |
| • Por meio de uma vida produtiva | 2Pedro 1:1-11 |
| • Por meio da Palavra infalível de Deus | 2Pedro 1:12-21 |
| FALSOS MESTRES | 2Pedro 2:1-22 |
| O FIM DO MUNDO | 2Pedro 3:1-18 |

## O que há de especial na Segunda Carta de Pedro?

1. **A parte de Deus e nossa parte na experiência cristã (2Pedro 1:3-9).** Deus fez tudo o que era necessário para preparar-nos para a vida e a piedade, dando-nos promessas que nos permitem participar da própria natureza divina. Mas não podemos ser passivos em nossa busca pela piedade. Pelo contrário, nosso foco deve estar em desenvolver o caráter piedoso.

As qualidades que Pedro lista são importantes e práticas:

| Qualidade | Expressão na vida diária |
|---|---|
| Fé | Compromisso fiel com a verdade revelada |
| Bondade (virtude) | Observação fiel da excelência moral |
| Conhecimento | Aplicação prática da verdade revelada |
| Domínio próprio | Disciplina pessoal e moderação |
| Perseverança | Firmeza diante da oposição |
| Piedade | Reverência por Deus expressa na conduta |
| Bondade fraternal | Afeição pelos cristãos |
| Amor | Compromisso com a atitude de agir em benefício dos outros |

2. **Descrições dos falsos mestres e dos falsos ensinos (2Pedro 2:1-22).** Pedro enfatiza o fato de que Deus lidará com os falsos mestres. Enquanto isso, esta é uma das três passagens bíblicas que especificam os sinais pelos quais os falsos mestres podem ser reconhecidos.

### Sinal de um falso mestre

| Sinal | Jeremias | 2Pedro | Judas |
|---|---|---|---|
| DOUTRINÁRIO | | | |
| • Introduzem heresias, negando o Senhor que os comprou | 23:13 | 2:11 | |
| PERSONALIDADE | | | |
| • Ousados, arrogantes | 23:10 | 2:10 | 16 |
| • Desprezam a autoridade | | 2:10 | 3 |
| • Seguem os desejos da natureza pecaminosa | 23:14 | 2:10 | 4, 19 |
| • Amam o dinheiro | | 2:15 | 12 |
| MINISTÉRIO | | | |
| • Apelam aos "desejos lascivos" | 23:14 | 2:17 | 16 |
| • Prometem "liberdade" para serem depravados | 23:16,17 | | |

3. **O fim iminente do mundo motiva os piedosos (2Pedro 3:1-14).** Pedro descreve duas atitudes que as pessoas adotam em resposta à promessa da volta de Cristo.

O incrédulo zomba, afirmando que tudo continuará como sempre foi desde o início da criação. Ele ignora o testemunho do Dilúvio de Gênesis nas Escrituras, o que é prova de que Deus pode entrar — e entra — na história para julgar o pecado.

O cristão escolhe levar uma vida santa e piedosa, preparando-se para a vida no novo céu e na nova terra que Deus, um dia, criará.

**O que outros dizem**

*William Law*

Se você tentar falar com um moribundo sobre esportes ou negócios, ele não estará mais interessado. Neste momento, ele considera outras coisas mais importantes. Pessoas que estão morrendo reconhecem o que muitas vezes esquecemos: que estamos na iminência de outro mundo.[3]

## 1, 2 E 3JOÃO

### ...SOBRE LEVAR UMA VIDA DE AMOR E DE OBEDIÊNCIA

| | |
|---|---|
| **Quem?** | O apóstolo João |
| **O quê?** | escreveu estas cartas |
| **Onde?** | enquanto vivia em Éfeso |
| **Quando?** | quase no fim do século I |
| **Por quê?** | para incentivar o amor pelos outros e a obediência a Deus como qualidades cristãs vitais |

## Luz, amor e fé

**Visão geral**

*As cartas de João*

Cada uma das três cartas de João é, entusiasticamente, relacional, incentivando a comunhão íntima com o Senhor e com outros cristãos. Na primeira carta, João apresenta vários temas e continua recorrendo a eles, o que torna sua carta difícil de esboçar, mas não menos valiosa. Talvez a melhor maneira de abordar esta carta seja concentrar-se em três temas: (1) João quer que os cristãos vivam na luz; (2) que vivam com amor; e (3) que vivam pela fé.

JOÃO: O apóstolo João esteve especialmente perto de Jesus durante sua vida na terra. João viveu mais que os outros apóstolos de Jesus e passou a maior parte da vida ministrando na Ásia Menor. Estas cartas e o livro de Apocalipse foram escritos quase no final do século I, quando João estava com seus noventa e poucos anos de idade.

Com a coroação do imperador Domiciano, no ano 81 d.C., a perseguição aos cristãos tornou-se uma política de Estado. Mesmo o próprio João tendo, mais tarde, sido exilado, as cartas do apóstolo ignoram a ameaça externa. João está mais preocupado com a vida interior do povo de Deus e, assim, se concentra na necessidade de viver em comunhão íntima com Deus e com outros cristãos.

## TEMAS EM 1, 2 E 3JOÃO

| | |
|---|---|
| Convite | 1João 1:1-4 |
| VIVENDO NA LUZ | 1João 1:5-2:29 |
| • Sendo honestos com nós mesmos | 1João 1:5-2:2 |
| • Sendo amorosos para com os outros | 1João 2:3-11 |
| • Sendo separados do mundo | 1João 2:12-17 |
| • Estando atentos aos anticristos | 1João 2:18-29 |
| VIVENDO NO AMOR | 1João 3:1-4:19 |
| • Como filhos de Deus | 1João 3:1-10 |
| • Com interesse pelos outros | 1João 3:11-20 |
| • Em comunhão com Deus | 1João 3:21-24 |
| • Em fidelidade a Deus | 1João 4:1-6 |
| • Como pessoas movidas pelo amor de Deus | 1 João 4:7-21 |
| VIVENDO PELA FÉ | 1João 5:1-21 |
| • Certos da vida eterna | 1João 5:1-12 |
| • Certos de que Deus nos ouve | 1João 5:13-15 |
| • Livres do domínio do pecado | 1João 5:16-21 |
| APEGANDO-SE À VERDADE | 2João |
| RECOMENDAÇÃO AO AMOR | 3João |

## O que há de especial na Primeira Carta de João?

**luz**
nos escritos de João, contato com a realidade

1. **Andar na *luz* significa ser honesto com relação ao pecado (1João 1:8-10).** João convida os cristãos a serem honestos consigo mesmos e com Deus. Ao dizer que Deus é luz sem trevas, ele nos faz lembrar de que Deus vê todas as coisas como elas realmente são. A única maneira de cooperarmos com Deus é sermos reais, sem enganarmo-nos a nós mesmos ou aos outros.

Isso é principalmente importante quando pecamos, uma vez que todos os seres humanos pecam. João diz: "Se afirmarmos que estamos sem pecado, enganamos a nós mesmos, e a verdade não está em nós" (1João 1:8). O que devemos fazer? Devemos **confessar** nossos pecados — reconhecê-los para Deus e para nós mesmos. João faz-nos lembrar de que ele é fiel e justo para nos perdoar os pecados e nos purificar de toda a injustiça! (1João 1:8-9)

**O que outros dizem**

*John Wesley*

Ele não diz que o sangue de Cristo purificará (na hora da morte ou no dia do juízo), mas sim purificará no momento presente.[4]

2. **Advertência para que não amemos o mundo (1João 2:15-17).** Que paixões tornam a sociedade humana corrupta? João identifica três:
   - a cobiça da carne (desejos gerados pela natureza do pecado);
   - a cobiça dos olhos (o desejo de coisas materiais);
   - a ostentação dos bens (orgulho dos bens).

**confessar**
reconhecer, admitir

**anticristos**
todos os que se opõem a Deus e a Jesus

A pessoa mundana é controlada pelos desejos que motivam os perdidos — desejos que estão totalmente em desacordo com a natureza de Deus e dos quais ele não é a fonte. Por que é tolice, como também errado, adotar os valores da sociedade humana? João diz: "O mundo e a sua cobiça passam, mas aquele que faz a vontade de Deus permanece para sempre" (1João 2:17).

**O que outros dizem**

*François Fénelon*

Você deve resistir impetuosamente às marés do mundo. Desistir impetuosamente de tudo o que o impede de chegar a Deus. Entregar impetuosamente sua vontade a Deus para fazer somente a vontade dele.[5]

**anticristos**
2Pedro 2; 1João 4:1-3; Apocalipse 3

3. **Advertência contra os _anticristos_ (1João 2:18-23).** João adverte seus leitores contra os falsos mestres e outros que iriam desviá-los do caminho. Ele chama tais pessoas de anticristos. Como

**amemos uns aos outros**
1João 4:7; João 13:34-35

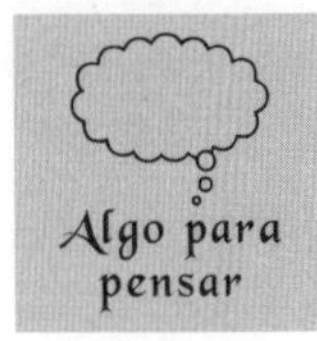


**irmão**
qualquer cristão

podemos nos proteger contra eles? Sendo sensíveis ao Espírito Santo dentro de nós, que nos dá um instinto espiritual embutido, permitindo distinguirmos a verdade da mentira por um simples teste objetivo. Quem nega a divindade de Jesus, recusando-se a reconhecer que Jesus Cristo veio em carne, é um falso mestre.

4. **O chamado para que amemos uns aos outros (1João 4:11-24).** João frequentemente faz seus leitores se lembrarem da importância de amarem uns aos outros. O próprio Deus é amor, portanto, não amar os outros cristãos é um sinal de que o cristão não está em contato com Deus. Aqui está uma amostra do que João diz sobre amarmos nossos **irmãos**.

### João nos chama a amar nossos irmãos cristãos

| Referência | O que João diz |
|---|---|
| 1João 2:10 | "Quem ama seu irmão permanece na luz." |
| 1João 3:10 | "Quem não pratica a justiça não procede de Deus, tampouco quem não ama seu irmão." |
| 1João 3:14 | "Sabemos que já passamos da morte para a vida porque amamos nossos irmãos." |
| 1João 3:17 | "Se alguém tiver recursos materiais e, vendo seu irmão em necessidade, não se compadecer dele, como pode permanecer nele o amor de Deus?" |
| 1João 3:23 | "E este é o seu mandamento: Que creiamos no nome de seu Filho Jesus Cristo e que nos amemos uns aos outros, como ele nos ordenou." |
| 1João 4:7 | "Amemos uns aos outros, pois o amor procede de Deus." |
| 1João 4:8 | "Quem não ama não conhece a Deus, porque Deus é amor." |
| 1João 4:11 | "Amados, visto que Deus assim nos amou, nós também devemos amar uns aos outros." |
| 1João 4:12 | "Se amarmos uns aos outros, Deus permanece em nós, e o seu amor está aperfeiçoado em nós." |
| 1João 4:20 | "Se alguém afirmar: 'Eu amo a Deus', mas odiar seu irmão, é mentiroso." |
| 1João 4:21 | "Ele nos deu este mandamento: Quem ama a Deus, ame também seu irmão." |

# JUDAS

## ...BATALHANDO PELA FÉ

| | |
|---|---|
| **Quem?** | Judas, meio-irmão de Jesus, |
| **O quê?** | escreveu esta breve carta sobre os falsos mestres que estavam se infiltrando na Igreja |
| **Onde?** | aos cristãos de todas as partes |
| **Quando?** | na década do ano 80 d.C. |
| **Por quê?** | para desafiar os cristãos a batalharem pela fé |

## Lembra muito a igreja de hoje

### Visão geral

*Carta de Judas*

O escritor esperava escrever sobre as glórias da salvação, mas se viu levado, em vez disso, a exortar seus leitores a batalharem pela fé que, de uma vez por todas, havia sido confiada aos santos de Deus. A maior parte da carta de Judas consiste em analogias entre os falsos mestres que ameaçavam a Igreja e os inimigos de Deus do Antigo Testamento, destacando o fato de que essas pessoas estão sob o juízo de Deus.

### O INCENTIVO DE JUDAS PARA QUE BATALHEMOS PELA FÉ

| | |
|---|---|
| Saudações | Judas 1:1,2 |
| Descrições dos falsos mestres | Judas 1:3-16 |
| Incentivo e conclusão | Judas 1:17-25 |

JUDAS: Os Pais da Igreja primitiva identificam o autor desta carta como o meio-irmão de Jesus e irmão de Tiago, citado em Mateus 13:55 e Marcos 6:3.

Como Paulo, João e Pedro, Judas reconheceu o perigo que os falsos mestres representavam para a Igreja. Mestres não cristãos, judeus e pagãos eram ativos no século I, ocupados com o trabalho de reinterpretar os ensinamentos cristãos para se adequarem às suas pressuposições filosóficas. A carta de Judas, repleta de alusões ao Antigo Testamento, parece ser endereçada principalmente aos cristãos judeus. Judas resume o perigo dos falsos mestres quando diz que eles são "ímpios, e transformam a graça de nosso Deus em libertinagem e negam Jesus Cristo, nosso único Soberano e Senhor" (Judas 4).

Mas Judas termina com uma palavra de conselho para os verdadeiros cristãos sobre como derrotar aqueles que os dividiam.

## O que há de especial na Carta de Judas?

O conselho final de Judas aos seus leitores é exato para os cristãos de hoje.

> JUDAS **20-21**: *Edifiquem-se, porém, amados, na santíssima fé que vocês têm, orando no Espírito Santo. Mantenham-se no amor de Deus, enquanto esperam que a misericórdia de nosso Senhor Jesus Cristo os leve para a vida eterna.*

## Resumo do capítulo

- ✦ As cartas gerais do Novo Testamento incluem Tiago, 1 e 2Pedro, 1, 2 e 3João, Judas e também Hebreus.
- ✦ A Carta de Tiago foi o primeiro dos livros do Novo Testamento a ser escrito.
- ✦ Tiago dá conselhos práticos sobre como a fé em Jesus deve ser exercida na vida diária.
- ✦ Em sua primeira carta, Pedro encoraja os cristãos sobre como sofrer a perseguição e ajuda-os a colocar o sofrimento em uma perspectiva cristã.
- ✦ Na Segunda Carta de Pedro, ele adverte contra os falsos mestres e faz os cristãos se lembrarem de levar uma vida piedosa, tendo em vista o fim iminente deste mundo.
- ✦ O apóstolo João escreveu três cartas que encontraram um lugar certo em nosso Novo Testamento.
- ✦ Em sua primeira carta, João enfatiza a importância de amarmos uns aos outros e obedecermos a Deus.
- ✦ Judas, meio-irmão de Jesus, acrescenta uma advertência urgente contra os falsos mestres que reinterpretam as verdades entregues pelos apóstolos.

## Questões para estudo

1. Quais são as sete cartas gerais discutidas neste capítulo?
2. Qual é o tema da Carta de Tiago?
3. Qual é a diferença entre uma fé verdadeira em Cristo e uma fé morta ou meramente intelectual?

4. Por que Pedro escreveu sobre todos os tipos de provações que os cristãos estavam prestes a sofrer?
5. Como o exemplo do sofrimento de Cristo na cruz encoraja os cristãos que sofrem injustamente?
6. Quais são pelo menos três características dos falsos mestres contra os quais Pedro nos adverte em sua segunda carta?
7. Por que João adverte os cristãos para que não se enganem depois de pecarem?
8. Que teste objetivo ajuda a identificar os falsos mestres que se infiltram na Igreja?
9. Por que João acredita que amar nossos irmãos cristãos seja tão importante?

# Capítulo 24

# Apocalipse

*Em destaque no capítulo:*

- Cristo e as igrejas
- Do Arrebatamento à Segunda Vinda
- O Milênio e depois dele

## Vamos começar

O último livro do Novo Testamento, **Apocalipse**, é um livro de profecias. Embora os eventos nos primeiros capítulos deste livro misterioso aconteçam no passado, grande parte fala sobre o fim da história e sobre a eternidade. O livro faz-nos lembrar de que Deus, um dia, agirá para julgar o pecado, expurgar o mal de seu universo e acolher aqueles que confiaram em Jesus como Salvador no novo céu e na nova terra que ele criará.

*Apocalipse*
revelação do que não se sabia antes

### Apocalipse

**...DAS COISAS QUE HÃO DE VIR**

| | |
|---|---|
| **Quem?** | O apóstolo João |
| **O quê?** | escreveu este registro de visões dadas por Deus |
| **Onde?** | enquanto estava exilado na ilha de Patmos |
| **Quando?** | cerca de 90 d.C. |
| **Por quê?** | para descrever o que Deus pretende realizar no final da história |

## Nossa!

### Visão geral

*Apocalipse*

Este livro pode ser dividido em três partes principais. É dada a João uma visão do Cristo ressurreto e lhe é ordenado que escreva cartas às sete igrejas da Ásia Menor. João é, então, levado ao céu e, deste ponto de vista, ele observa os castigos terríveis que Deus lança contra os ímpios na Terra. A última seção de Apocalipse retrata o que acontecerá depois que Jesus voltar fisicamente à Terra e descreve o que a eternidade reserva tanto para os **perdidos** como para os **salvos**.

**perdidos**
aqueles que não confiaram em Cristo

**salvos**
aqueles que confiaram em Cristo como Salvador e tiveram seus pecados perdoados

**profecias preditivas**
descrições de eventos futuros

Grande parte do Antigo Testamento é composta por **profecias preditivas**, que descrevem eventos que hão de acontecer quase ou no fim da história. Jesus também falou sobre o futuro, assim como os escritores das cartas do Novo Testamento. Mas essas referências esporádicas são pouco eficazes para juntar os eventos futuros.

Então, quase no fim do século I, foi dada ao apóstolo João uma visão enquanto ele estava na ilha mediterrânea de Patmos. Ele viu Jesus ressurreto em sua glória, e, em uma visão, observou os eventos culminantes da história. A descrição de João do que ele viu ajuda-nos a juntar as profecias anteriores e também a nos tranquilizar. Deus realmente está no controle, e a história está se movendo em direção ao fim que ele intentou. Quando esse fim chegar, Deus triunfará, e aqueles que confiaram nele serão bem-vindos a uma eternidade de bênçãos e alegria.

### As visões de João no livro do Apocalipse

| | |
|---|---|
| O cenário | Apocalipse 1:1-3 |
| CRISTO E AS IGREJAS | Apocalipse 1:4-3:21 |
| O ARREBATAMENTO PARA A SEGUNDA VINDA | Apocalipse 4:1-19:21 |
| • Eventos no céu | Apocalipse 4:1-5:14 |
| • Julgamentos com sete selos | Apocalipse 6:1-7:17 |
| • Julgamentos com sete trombetas | Apocalipse 8:1-11:19 |
| A intervenção satânica | Apocalipse 12:1-15:8 |
| • Julgamentos com sete taças | Apocalipse 16:1-21 |

## AS VISÕES DE JOÃO NO LIVRO DO APOCALIPSE (CONTINUAÇÃO)

| | |
|---|---|
| A destruição do sistema religioso e econômico do homem | Apocalipse 17:1-18:24 |
| A Segunda Vinda de Jesus | Apocalipse 19:1,2 |
| O MILÊNIO E ALÉM | Apocalipse 20:1-22:21 |
| O Milênio e a rebelião | Apocalipse 20:1-10 |
| O Juízo Final | Apocalipse 20:11-15 |
| O céu pela frente | Apocalipse 21:1-2:6 |
| • Vindo logo | Apocalipse 22:7-21 |

## Sete exemplos

### Visão geral

Sete igrejas

Enquanto estava em Patmos, João ficou atordoado com a súbita aparição do Jesus ressurreto. Cristo ditou cartas às sete igrejas da Ásia Menor. Muitos acreditam que elas representem a condição espiritual das igrejas de todas as épocas ou a condição espiritual dos cristãos em diferentes períodos da história.

## O que há de especial em Apocalipse 1-3?

1. **A aparição do Jesus ressurreto (Apocalipse 1:12-16).** A visão usa imagens simbólicas extraídas do Antigo Testamento para enfatizar a divindade de Jesus. João foi próximo de Jesus enquanto ele esteve na Terra. No entanto, quando João o viu em sua glória, "[caiu] aos seus pés como morto" (Apocalipse 1:17). O Jesus da história é o Deus eterno.

Vá para

**imagens simbólicas**
Daniel 7:9

**Era da Igreja**
do século I até Jesus levar os cristãos para o céu (o Arrebatamento)

2. **Passado, presente e futuro (Apocalipse 1:19).**

> APOCALIPSE 1:19 *Escreva, pois, as coisas que você viu, tanto as presentes como as que acontecerão.*

Este versículo nos dá a chave para entendermos o livro de Apocalipse. O que você viu (tempo passado) é a visão de Jesus no capítulo 1. O que é agora (tempo presente) refere-se às sete igrejas às quais Jesus ditará as cartas (Apocalipse 2-3). E o que acontecerá mais tarde (tempo futuro) revela o que acontecerá depois que a **Era da Igreja** acabar (Apocalipse 4-22).

3. **As cartas às sete igrejas (Apocalipse 2:1-3:22).** As sete igrejas às quais as cartas são endereçadas existiam na Ásia Menor na época em que João escreveu o que Cristo ditou. Mas as descrições das igrejas, com advertências e promessas de Cristo, certamente se aplicam às igrejas hoje.

**O que outros dizem**

*Alan F. Johnson*

Mesmo que as palavras de Cristo refiram-se inicialmente às igrejas do século I localizadas em lugares específicos, elas, por relevância contínua do Espírito, transcendem essa limitação do tempo e falam com todas as igrejas em cada geração.[1]

## Problemas a caminho

**Visão geral**

*Tribulação*

João é levado ao céu, simbolizando o Arrebatamento da Igreja, onde testemunha os preparativos para os juízos terríveis que estão para afligir as pessoas deixadas na Terra. João esforça-se para descrever o que ele vê enquanto anjos poderosos derramam juízo após juízo sobre uma Terra rebelde.

**Falso Profeta**
a segunda besta de Apocalipse; ele procura devotos para o Anticristo

**apocalíptica**
refere-se aos escritos de Deus que usam uma linguagem simbólica para falar de uma intervenção divina que virá em breve

Durante esse tempo de juízo, conhecido como a Grande Tribulação, ou o Dia do Senhor, no Antigo Testamento, Satanás reúne suas forças para que os devotos do Anticristo batalhem contra Deus. Satanás fortifica dois indivíduos, a Besta (o Anticristo apocalíptico) e o **Falso Profeta**, que unem a humanidade contra Israel, o povo de Deus no Antigo Testamento. Atos constantes de juízo divino destroem o sistema político e religioso unido que o Anticristo estabelece, e a luta é encerrada pelo próprio Cristo, que retorna do céu com um exército de anjos.

### O que há de especial em Apocalipse 4-19?

1. **Muitas vezes é difícil saber exatamente o que João está descrevendo.** Alguns rejeitam a linguagem de Apocalipse como **apocalíptica**, sugerindo que as visões de João não têm relação com a realidade. Contudo,

João descreve acontecimentos reais que, certamente, acontecerão aqui na Terra, assim como são retratados. A dificuldade com a linguagem de Apocalipse é que João foi forçado a usar o vocabulário que tinha à sua disposição no século I.

Imagine que, chegando aos Estados Unidos no *Mayflower*, na década de 1600, um peregrino tivesse subitamente tido uma visão dos Estados Unidos do século XXI. O peregrino assiste a uma aterrissagem na Lua exibida pela televisão, vê aviões decolarem e pousarem em um grande aeroporto e observa o trânsito intenso pelas rodovias de Los Angeles. Imagine como esse indivíduo, com apenas o vocabulário do século XVII, poderia tentar descrever o que viu aos amigos no *Mayflower*, e você terá uma ideia da razão pela qual é tão difícil entender a descrição de João dos eventos reais em Apocalipse.

2. **Os terríveis juízos do final da história não trazem arrependimento (Apocalipse 6:15-17).** A natureza dos juízos deixa perfeitamente claro que o próprio Deus é a fonte deles. Mesmo sabendo que chegou o grande dia da ira de Deus, as pessoas da Terra se recusam a arrepender-se. Elas continuam em seus pecados, enquanto tentam invocar às montanhas que as escondam "da face daquele que está assentado no trono e da ira do Cordeiro" (Apocalipse 6:16).

Não espere ser tarde demais para confiar em Cristo. O juízo está chegando.

### O que outros dizem

**J.H. Melton**

O Senhor Jesus Cristo será seu Salvador ou seu Juiz. Seus pecados serão julgados em Jesus Cristo ou serão julgados por Jesus Cristo. Neste momento, ele oferece misericórdia para salvá-lo. Se você rejeitar a sua misericórdia ele irá julgá-lo com total justiça e ira.[2]

3. **As 144 mil pessoas *seladas* das tribos de Israel (Apocalipse 7:1-8).** O **culto** das testemunhas de Jeová iniciou-se com a convicção de que os 144 mil representavam o total de pessoas que seriam salvas e que esse grupo seria composto somente por seus membros. Mas o texto claramente afirma que esses 144 mil são judeus, que vêm das 12 tribos de Israel. Quem eles realmente são e qual é seu papel durante esse período de terrível tribulação na Terra? A simples resposta é que eles são judeus que se converterão a Cristo durante este tempo e irão testemunhá-lo em todo o mundo.

**seladas**
marcadas com um sinal ou símbolo que serve como evidência visível de algo

**culto**
uma religião ou seita considerada falsa, pouco ortodoxa ou extremista

### O que outros dizem

**Daymond R. Duck**

Uma vez que Deus selou seus 144 mil, todo o mundo ouvirá sua mensagem. Multidões crerão e serão salvas. O Anticristo e seu Falso Profeta ficarão furiosos e tentarão impedir o avivamento, forçando os novos cristãos a se afastarem da fé. Eles negarão comida e remédios às pessoas. Execuções serão frequentes e numerosas.[3]

4. **Louvor a Deus e a Cristo no céu.** Enquanto terríveis juízos causam terror às pessoas da Terra, João retrata uma reação muito diferente no céu. Lá, os anjos e os salvos juntam-se em louvor a Deus. Os juízos e o louvor são apropriados, pois, enfim, Deus está agindo para estabelecer o que é certo. Nas palavras dos anciãos e dos anjos no céu...

**Milênio**
o reinado de mil anos de Cristo na terra

**lago de fogo**
a morada final de Satanás e seu séquito

**APOCALIPSE 11:18**

*As nações se iraram; e chegou a tua ira.*
*Chegou o tempo de julgares os mortos*
*e de recompensares os teus servos, os profetas, os teus santos*
*e os que temem o teu nome, tanto pequenos como grandes,*
*e de destruir os que destroem a terra.*

### O que outros dizem

**Ed Hindson**

A verdadeira tragédia de toda essa questão sobre unidade global é a ausência de qualquer ênfase nas raízes espirituais da democracia e da liberdade. O evangelho ficou enfraquecido na Europa ocidental por tanto tempo que os europeus passaram a ter pouca consciência de Deus. Sem Cristo, o Príncipe da Paz, não pode haver esperança para os pedidos de paz e de prosperidade feitos pelo homem. Não haverá **Milênio** sem o Messias![4]

5. **A era chega ao fim com o retorno de Cristo em triunfo (Apocalipse 19:1-21).** A cena final na terra é a do Anticristo reunido a suas forças para batalhar contra Cristo, que retorna à Terra à frente dos exércitos do céu. O Anticristo e o Falso Profeta são imediatamente lançados vivos no **lago de fogo**, e seus exércitos são destruídos.

### O que outros dizem

*Alan F. Johnson*

João está nos mostrando a queda definitiva e imediata desses poderes do mal pelo Rei dos reis e Senhor dos senhores. Eles encontram seu mestre nessa confrontação final e completamente real.[5]

## Enfim, paz

### Visão geral

*O Milênio*

Finalmente, Jesus governa a terra, cumprindo os prenúncios dos profetas do Antigo Testamento. O reinado durará mil anos (um milênio), durante o qual Satanás será preso. Ao final desses mil anos, Satanás será solto e novamente enganará os seres humanos para que se rebelem contra Deus. Dessa vez, Deus responderá dando um fim ao universo. Os seres humanos perdidos serão chamados perante o trono de Deus para o Juízo Final, e todos os que não confiaram em Cristo como Salvador serão enviados para o lago de fogo. Deus, então, criará um universo novo e perfeito que será povoado pelos salvos para todo o sempre.

## O que há de especial em Apocalipse 20-22?

1. **O Milênio (Apocalipse 20:1-6).** Esta é a única passagem na Bíblia que fala especificamente de um período de mil anos. Alguns rejeitam a ideia de um Reino milenar de Cristo por essa razão. No entanto, os profetas do Antigo Testamento retrataram apenas um papel como tal do Messias, e o Reino de Cristo nesta terra é mencionado dezenas de vezes.

Vá para

**Reino de Cristo nesta terra**
Apocalipse 20:6

### O que outros dizem

*Hal Lindsey*

A essência da mensagem profética do Antigo Testamento é a vinda do Messias para estabelecer um reino terreno sobre o qual ele governaria do trono de Davi. O único detalhe importante que Apocalipse acrescenta sobre esse prometido reino messiânico é sua duração — mil anos.[6]

2. **A destruição de Satanás (Apocalipse 20:7-10).** Satanás começou sua existência como um anjo resplandecente e poderoso, que, então, se rebelou contra Deus e enganou Adão e Eva para que se colocassem de seu lado. Mas, desde o início, a destruição de Satanás foi determinada.

APOCALIPSE **20:10** *O Diabo, que as enganava, foi lançado no lago de fogo que arde com enxofre, onde já haviam sido lançados a besta e o falso profeta. Eles serão atormentados dia e noite, para todo o sempre.*

3. **O Juízo Final de Deus contra os perdidos (Apocalipse 20:11-14).** João fala de dois livros mencionados no Juízo Final. Um livro, o Livro da Vida, é um registro dos atos de todo ser humano. O outro livro é chamado de Livro da Vida do Cordeiro (ou de Cristo), no qual está escrito o nome das pessoas que confiaram em Cristo e cujos pecados foram pagos. Quem for julgado com base no que fez é condenado ao lago de fogo. Naquele momento, todos saberão que o inferno não é uma ficção, mas completa e eternamente real.

**O que outros dizem**

David Hocking

Os que são lançados no inferno não são destruídos como ensinam alguns grupos religiosos. Eles sofrem tormento para todo o sempre; é em um fogo eterno que eles são lançados. Satanás merece-o, e a justiça de Deus exige isso.[7]

4. **O novo céu e a nova terra criados por Deus (Apocalipse 21:1-22:6).** Só poderemos saber como será maravilhosa a eternidade para os que confiaram em Deus quando formos recebidos no novo céu e na nova terra que ele criará. Mas estes dois últimos capítulos da Bíblia nos dizem que será, de fato, maravilhoso.

## Como será o céu?

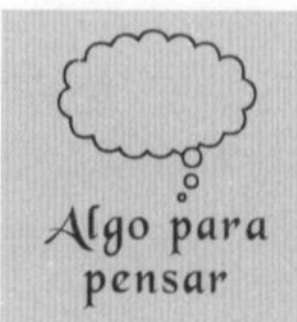


- O próprio Deus estará conosco.
- Deus enxugará toda lágrima.
- Não mais haverá morte, pranto, choro ou dor.
- A glória do Senhor proverá a luz.
- Nada impuro jamais entrará nele.
- Não mais haverá qualquer maldição.
- O trono de Deus estará na cidade, e nós o serviremos.
- Reinaremos para todo o sempre.

5. **Jesus está voltando (Apocalipse 22:12-21).** Apocalipse termina com uma promessa maravilhosa. Jesus diz que ele está chegando. Ele está chegando. E como todos os que são cristãos aguardam ansiosamente este dia maravilhoso!

## Resumo do capítulo

- A maior parte de Apocalipse é composta de "profecias preditivas".
- As profecias de Apocalipse revelam o que acontecerá no final da história.
- Deus trará juízos sobrenaturais devastadores sobre aqueles que ainda se rebelam contra ele.
- Satanás dará poderes sobrenaturais a um Anticristo que construirá um império mundial político e econômico.
- Deus destruirá o Anticristo e suas forças quando Jesus voltar pessoalmente para estabelecer um reinado de mil anos na Terra.
- Satanás liderará uma última rebelião no final do reinado de Cristo e, então, será enviado ao lago de fogo.
- Este atual universo será dissolvido, e todos os mortos ressuscitarão para encarar o juízo de Deus.
- Aqueles que não confiaram em Deus durante a vida serão julgados por suas ações e lançados no lago de fogo para sempre.
- Aqueles que confiaram em Deus serão acolhidos em um novo céu e uma nova terra que Deus criará e estarão eternamente com ele na glória.

## Questões para estudo

1. Qual é o tema de Apocalipse?
2. O que há de especial em Jesus quando João o vê?
3. Como Apocalipse 1:19 ajuda-nos a entender o livro?
4. Qual é o significado das sete igrejas às quais Jesus envia cartas?
5. Os terríveis juízos prenunciados para o fim da história levam os pecadores a se arrepender?
6. Quem é o Anticristo e o que ele faz?
7. O que é o Milênio?
8. Qual é o destino dos que não confiam em Cristo no Juízo Final?
9. Qual é o destino dos que confiaram em Cristo e cujo nome está escrito no Livro da Vida do Cordeiro?

# Apêndice A

## As viagens missionárias de Paulo

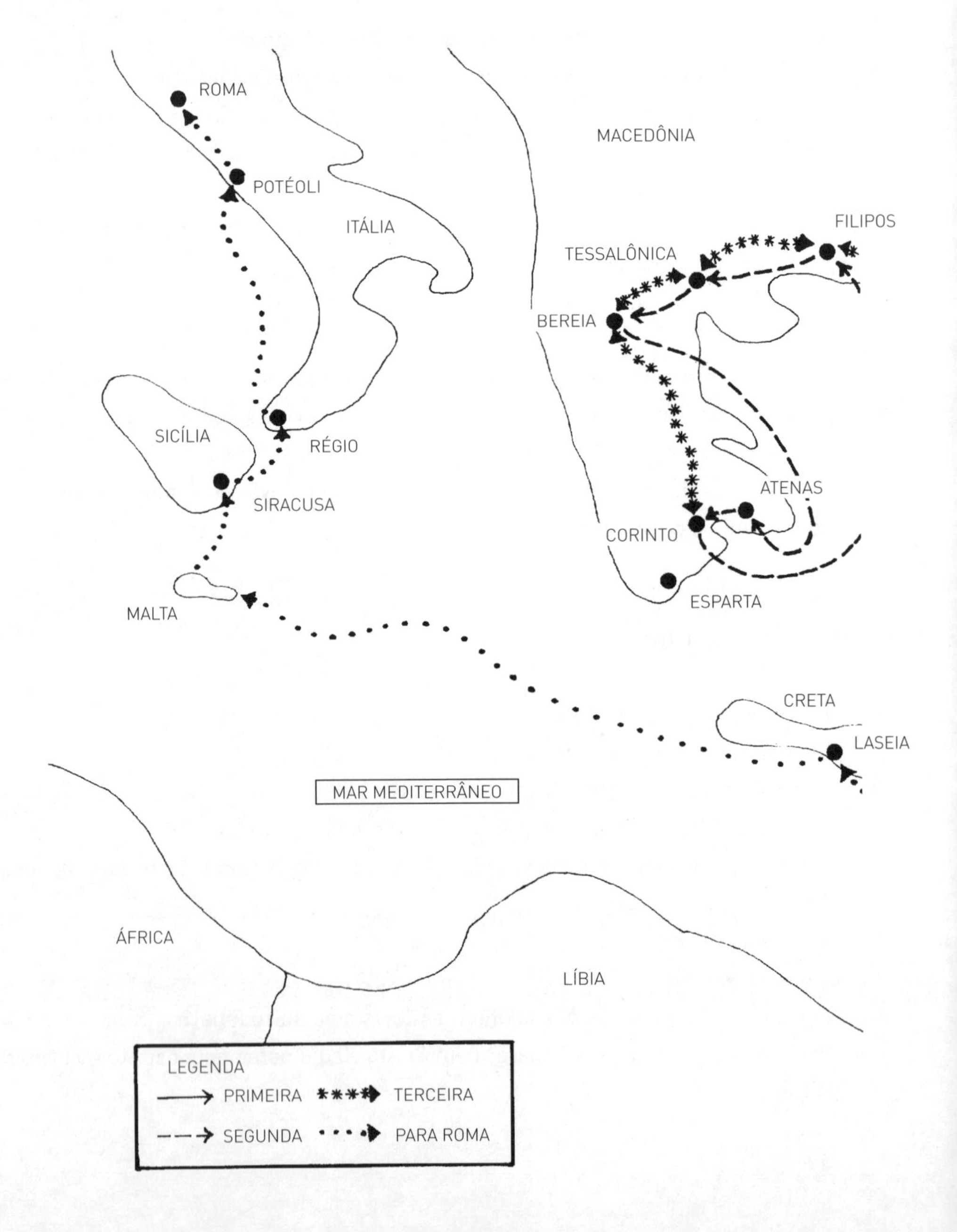

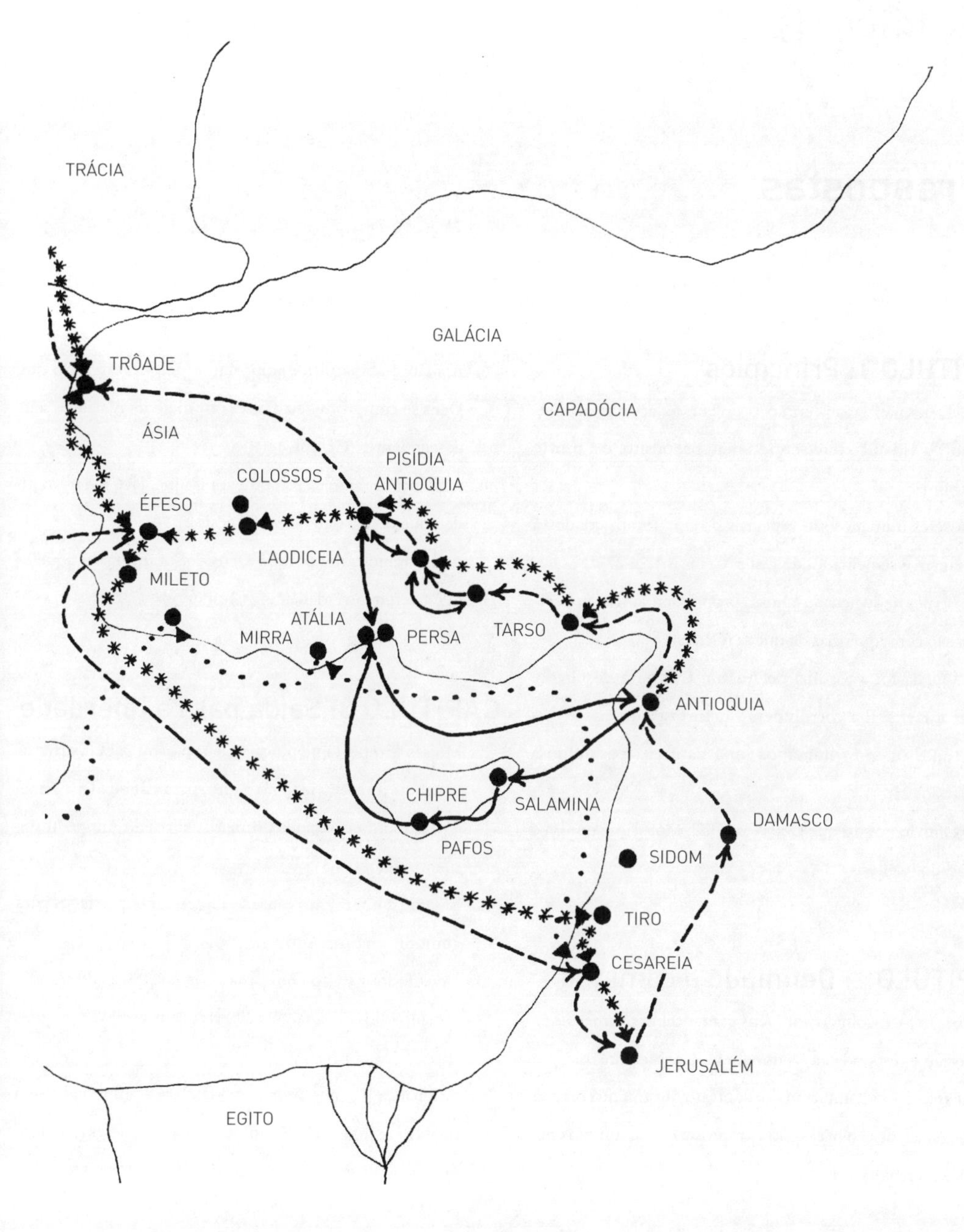
TRÁCIA
GALÁCIA
TRÔADE
CAPADÓCIA
ÁSIA
PISÍDIA
ANTIOQUIA
COLOSSOS
ÉFESO
LAODICEIA
MILETO
ATÁLIA
MIRRA
PERSA
TARSO
ANTIOQUIA
CHIPRE
SALAMINA
PAFOS
DAMASCO
SIDOM
TIRO
CESAREIA
JERUSALÉM
EGITO

# Apêndice B

# As respostas

## CAPÍTULO 1: Princípios

1. Se Deus não criou, então o universo "apenas aconteceu"; a vida não tem sentido nem propósito, e a morte é o fim.
2. Os seres humanos são especiais porque foram criados à imagem e semelhança de Deus (Gênesis 1:26-27).
3. Os males na sociedade e nossa própria tendência ao pecado são consequências da queda (Gênesis 4).
4. A Queda foi a escolha de Adão e Eva para desobedecer a Deus. Ela corrompeu a natureza humana e deu a todos os seres humanos uma natureza pecaminosa (Efésios 2:1-4).
5. O Dilúvio nos diz que Deus é um Juiz Moral que punirá o pecado (Gênesis 6:5-7).

## CAPÍTULO 2: Definindo o caminho

1. Abraão foi escolhido por Deus para receber promessas especiais e respondeu a Deus com fé (Gênesis 15:6).
2. Aliança é um compromisso, contrato, juramento ou pacto. As alianças bíblicas são compromissos assumidos por Deus (Hebreus 6:13-20).
3. A aliança abraâmica é importante porque explica o que Deus se comprometeu a fazer por meio de Abraão e seus descendentes (Gênesis 1-3).
4. A aliança abraâmica passou para Isaque, Jacó e o povo judeu que descendeu deles (Gênesis 21-50).
5. A fé é importante porque Deus declarará justos aqueles que tiverem a verdadeira fé (Romanos 4:18-25).

## CAPÍTULO 3: Saída para a liberdade

1. Moisés é importante porque Deus o usou para libertar os israelitas da escravidão no Egito, para dar sua lei a Israel e para escrever os cinco primeiros livros do Antigo Testamento (Êxodo 3-5).
2. Milagre é um evento causado diretamente por Deus para cumprir um propósito seu.
3. Deus feriu o Egito com uma série de pragas devastadoras que obrigou o faraó a libertar seus escravos hebreus (Êxodo 7:3).
4. A "aliança de uma promessa" declara o que Deus, sem dúvida alguma, fará, não importa o que os seres humanos façam. A "aliança de um acordo" afirma o que Deus fará

dependendo do que os seres humanos escolham fazer (compare Gênesis 12:1-3 com Êxodo 19:5).

5. Os Dez Mandamentos revelam o caráter moral de Deus e definem o comportamento que ele espera dos seres humanos (Êxodo 20:1-17).

## CAPÍTULO 4: A aventura continua

### Respostas para as cinco questões dentro das quais estão as que você acha que são exemplos de lei ritual:

1. Não coma camarão — lei ritual
2. Ofereça um sacrifício depois de dar à luz — lei ritual
3. Não cometa adultério — lei moral
4. Ajude seu inimigo, se o gado dele escapar — lei moral
5. Lave suas roupas depois de tocar em um cadáver — lei ritual

### Respostas para o quadro "Temor, Amor ou Destruição":

1. Deuteronômio 6:1-3 — Temor
2. Deuteronômio 6:20-24 — Amor
3. Deuteronômio 7:1-6 — Destruição
4. Deuteronômio 7:7-10 — Amor
5. Deuteronômio 10:12-22 — Amor
6. Deuteronômio 11:16-17 — Temor

### Respostas das Questões para estudo:

1. O tema do livro de Levítico é a santidade.
2. Entre os termos importantes relacionados aos ensinos de Levítico sobre o sacrifício estão: culpa, perdão, sangue, sacrifício e expiação. Estes termos são importantes porque lançam o alicerce para entendermos o significado da morte de Jesus na cruz (Levítico 1-5, 16).
3. As leis rituais definiam ações que tornavam um israelita ritualmente impuro. As leis morais definiam atos que eram pecado (compare Levítico 11 com Levítico 18).
4. A violação de uma lei ritual tornava um israelita impuro. Normalmente, a impureza ritual era removida pela lavagem com água depois de um período específico de tempo, ou pela oferta de um sacrifício (Levítico 11:26-28; 12:1-8).
5. Os israelitas recusaram-se a obedecer a Deus quando ele ordenou que entrassem em Canaã (Números 14).
6. O amor motivou a entrega da Lei, quando Deus revelou a Israel o modo como experimentar suas bênçãos. O amor a Deus é o único motivo que produzirá a verdadeira obediência à Lei divina (Deuteronômio 11).
7. Profeta é uma pessoa que entrega uma mensagem diretamente de Deus. Os verdadeiros profetas podiam ser reconhecidos, pois tinham de ser israelitas, que falavam em nome do Senhor, cujas mensagens estavam em harmonia com a Palavra de Deus e cujos prenúncios se cumpriam (Deuteronômio 18:14-22).

## CAPÍTULO 5: Conquista e queda

### Resposta para o enigma da filha de Jefté:

O Antigo Testamento revela uma total repulsa ao sacrifício humano (Levítico 18:21; 20:2-5; Deuteronômio 12:31; 18:10). Embora alguns afirmem que Jefté provavelmente tenha cumprido sua promessa de matar e queimar sua filha, isso não é exigido pelo texto ou pelas práticas hebraicas. A Lei do Antigo Testamento apresenta um princípio em Êxodo 38:8 e ilustra-o em 1Samuel 1:28. Segundo esse princípio, a pessoa dedicada a Deus pode cumprir o voto com uma vida de serviço e a entrega da vida de outra pessoa.

Os indicadores de que foi isso que aconteceu no caso da filha de Jefté são que (1) ele já havia demonstrado conhecimento da história e da Lei do Antigo Testamento, como em sua carta aos amonitas (Juízes 11:15-17); (2) todos os sacrifícios ao Senhor exigiam que um sacerdote os celebrasse, e nenhum sacerdote hebreu ofereceria um sacrifício humano; (3) a reação da filha de Jefté, que saiu com as amigas não para lamentar por sua morte imediata, mas porque nunca se casaria (Juízes 11:37). Tudo isso nos leva à conclusão de que Jefté cumpriu seu voto dedicando a vida de sua filha ao serviço do Senhor.

### Respostas das Questões para estudo:

1. Estes livros abrangem o período de 1390 a.C. a 1150 a.C.
2. A principal mensagem de Josué é que a obediência traz vitória e a desobediência traz derrota (Josué 6-8).
3. A principal mensagem de Juízes é que o compromisso de adorar e de obedecer a Deus é essencial para se manter uma sociedade justa (Juízes 3:6-15).
4. Os juízes de Israel eram líderes militares, políticos e religiosos. Eles ofereciam aos israelitas alguém a quem podiam recorrer para obterem liderança moral e espiritual (Juízes 6:1-8).
5. As pessoas enfatizadas no livro de Juízes são: Débora, Gideão, Jefté e Sansão.
6. A principal mensagem do livro de Rute é que os piedosos podem levar uma vida significativa mesmo em meio a uma sociedade corrupta (Rute 3).

## CAPÍTULO 6: Um novo começo

1. As três figuras importantes na transição para a monarquia são Samuel, Saul e Davi.
2. Quando Samuel nasceu, Israel era uma confederação indefinida de tribos atingidas pela pobreza e oprimidas por inimigos estrangeiros (1Samuel 2:12-4:27).
3. Quando Davi morreu, Israel era uma nação rica e poderosa, cujo território estava dez vezes maior (1Crônicas 18).
4. Saul e Davi tinham fraquezas, mas Davi amava a Deus e estava disposto a assumir a responsabilidade por seus pecados e confessá-los abertamente. No entanto, Saul não estava disposto a arrepender-se, e Deus rejeitou-o como rei (compare 1Samuel 15 com 2Samuel 12.).
5. Davi unificou o reino hebraico, organizou seus exércitos, derrotou inimigos estrangeiros, estabeleceu Jerusalém como o centro político e religioso da nação e organizou a adoração no templo (1Crônicas).
6. A aliança davídica assegurou o fato de que seria um descendente de Davi que cumpriria as promessas que Deus fez a Abraão.
7. Um estudo da vida de Davi ensina-nos a importância de amarmos a Deus, a vulnerabilidade dos maiores santos ao pecado e a disposição de Deus para perdoar aqueles que lhe confessam seus pecados (Salmo 51).

## CAPÍTULO 7: A era de ouro de Israel

1. Os dois reis que governaram Israel durante a era de ouro foram Davi e Salomão (1Crônicas; 2Crônicas 10).
2. A era de ouro foi marcada por prosperidade, força militar e realizações literárias (1Reis 4:20-34).
3. Os livros de poesia da Bíblia associados à era de ouro são Provérbios, Salmos, Eclesiastes e Cântico dos Cânticos.
4. A poesia hebraica baseava-se na simetria do pensamento, e não na rima e no ritmo (Salmo 1).
5. O tema destes livros é:

   Jó: A resposta de fé ao sofrimento (Jó 1-2).

   Salmos: O relacionamento pessoal com Deus, adoração (Salmo 9).

   Provérbios: Orientação na tomada de decisões sábias e corretas (Provérbios 1:1-6).

   Eclesiastes: A futilidade da busca de algum sentido na vida sem um relacionamento com Deus (Eclesiastes 1:1-11).

   Cântico dos Cânticos: Os prazeres do amor conjugal (Cântico dos Cânticos 4).

## CAPÍTULO 8: O reino do norte

1. Jeroboão estabeleceu um falso sistema religioso (1Reis 12:25-33).
2. Todos os reis de Israel foram maus e mantiveram o falso sistema religioso instituído por Jeroboão I (2Reis).

3. Elias e Eliseu são os dois profetas que falaram na segunda era de milagres da Bíblia (1Reis 18-2Reis 8).
4. Jonas, cuja missão em Nínive revelava a disposição de Deus de evitar o castigo daqueles que se arrependeriam. Amós, cuja pregação condenava a falsa religião de Israel e a injustiça social (Jonas 4; Amós 4).
5. O Dia do Senhor é um período em que Deus age diretamente para cumprir seus propósitos (Amós 5:18-27).
6. Os pecados de Israel que exigiam o juízo incluíam a injustiça institucionalizada e a imoralidade. As manchetes dos jornais destacam pecados semelhantes em nossa própria sociedade (Amós 2).

## CAPÍTULO 9: O reino do sul

1. O Segundo Livro dos Reis e o Segundo Livro de Crônicas registram a história de Judá após a divisão do reino de Salomão.
2. Os reis piedosos estimularam os avivamentos religiosos, o que permitiu que Deus agisse em favor de seu povo (2Crônicas 19:20).
3. Os pagãos recorrem a práticas ocultas para buscar direção sobrenatural. Deus deu ao seu povo profetas por meio dos quais o próprio Senhor dava orientação (Deuteronômio 18:9-22).
4. O verdadeiro profeta deve ser um israelita que fale em nome do Senhor, cuja mensagem esteja em harmonia com as Escrituras e cujos prenúncios se cumpram (Deuteronômio 18:19-22).
5. Joel, uma praga dos gafanhotos (Joel 1); Obadias, o juízo sobre Edom (Obadias 1); Miqueias, o Salvador nasceria em Belém (Miqueias 5:2); Isaías, o governo soberano de Deus (Isaías 44).

## CAPÍTULO 10: O reino que subsiste

1. O avivamento durante o governo de Ezequias salvou Judá da destruição pelas mãos da Assíria (2Crônicas 29-32).
2. Os profetas de Judá apontaram a idolatria e a adoração de divindades pagãs (Isaías 1).
3. Naum, Sofonias, Habacuque e Jeremias pregaram no reino sobrevivente de Judá.
4. Ezequiel pregou para os exilados na Babilônia antes da queda de Jerusalém (Ezequiel 1:1).

## CAPÍTULO 11: Exílio e retorno

1. O livro de Lamentações expressa o desespero daqueles judeus que foram levados cativos para a Babilônia.
2. O livro de Daniel contém um prenúncio específico sobre a data da entrada do Messias em Jerusalém (Daniel 9:20-27).
3. Os livros de Esdras e de Neemias falam sobre o retorno para Judá.
4. O livro de Ester ensina que Deus está no controle de todos os aspectos de nossa vida.
5. Isaías prenunciou que Ciro seria o governante que permitiria aos judeus voltarem para Jerusalém (Isaías 45:11-13).
6. Zacarias e Ageu incentivaram o povo a concluir a construção do templo de Deus.
7. O último livro do Antigo Testamento, Malaquias, foi escrito por volta de 400 a.C.

## CAPÍTULO 12: Jesus, o Salvador prometido

1. Jesus Cristo é a figura central do Novo Testamento.
2. Salmos 2:7; 45:5-6; Isaías 7:14; 9:6-7; Miqueias 5:2 e Malaquias 3:1 indicam que o Messias é o próprio Deus.
3. João 5:17-18; 8:58-59; Mateus 16:16-17 e Mateus 26:63-64 relatam a própria alegação de Jesus ser Deus.
4. Filipenses 2 diz que, sendo Deus na natureza, Jesus se tornou semelhante aos homens.
5. A ressurreição provou que Jesus era verdadeiramente Deus. (Romanos 1:1-4)

## CAPÍTULO 13: O nascimento e a preparação de Jesus

1. Mateus escreveu o Evangelho endereçado aos judeus (Mateus 1:22).
2. Marcos escreveu o Evangelho endereçado aos romanos.
3. O Evangelho de João não está em ordem cronológica.
4. As duas genealogias de Jesus são diferentes porque uma é de Maria e a outra é do padrasto de Jesus, José (Mateus 1:1-17; Lucas 4:21-38).
5. As aparições de anjos marcaram o nascimento de Jesus como algo extraordinário (Mateus 1:15, 24; Lucas 1:11, 26-38).
6. A mensagem de João Batista era: "Arrependam-se, pois o Reino dos céus está próximo" (Mateus 3:2).
7. Deus falou do céu e o Espírito Santo desceu como uma pomba (Mateus 3:16-17).
8. Para nos libertar de nossos pecados, era necessário que Jesus não tivesse pecado (Hebreus 4:14-16).

## CAPÍTULO 14: O início do ministério de Jesus

1. Os discípulos eram 12 homens, especialmente escolhidos por Jesus, que seguiram-no desde o início de seu ministério (Marcos 3:13-19).
2. Os fariseus e os saduceus eram partidos religiosos na época de Jesus.
3. Jesus realizou milagres de cura, controlou a natureza, dominou demônios e exerceu poder sobre a própria morte (Marcos 4-5).
4. As bem-aventuranças definem o que Deus valoriza nos seres humanos (Mateus 5:1-10).
5. Jesus explicou a Lei e expôs seu verdadeiro significado (Mateus 5:17-47).
6. O caráter de Deus como Pai ajuda a definir o relacionamento que ele busca com os seres humanos (Mateus 6).
7. Os fariseus começaram a espalhar a notícia de que os milagres de Jesus eram realizados por Satanás, e não pelo poder de Deus (Mateus 12:22-32).

## CAPÍTULO 15: Jesus diante da oposição

1. Os fariseus levantaram as falsas acusações contra Jesus (João 8).
2. O fato de que Jesus não havia "estudado" permitia aos fariseus fazer a falsa acusação de que ele não estava qualificado para ensinar (Mateus 13:53-58).
3. Deus ouve as orações dos piedosos, não dos ímpios (João 9:13-21).
4. Jesus começou a usar parábolas depois que as multidões se recusaram a reconhecê-lo como o Messias (Mateus 13).
5. O tema das parábolas de Jesus era o Reino de Deus.
6. A marca de um verdadeiro discípulo é a crença de que Jesus é Deus, o Filho (Mateus 16:13-20).
7. O segredo da grandeza de um discípulo de Jesus é a vontade de servir aos outros (Mateus 20:20-28).
8. O "novo mandamento" de Jesus era que amassem uns aos outros como ele os amou (João 13:33-34).

## CAPÍTULO 16: A morte e a ressurreição de Jesus

1. A entrada triunfal de Jesus em Jerusalém iniciou sua última semana na terra (Mateus 21).
2. Ele expulsou os comerciantes (Marcos 11:12-19).
3. Os judeus sentiam-se mal por terem de pagar impostos a Roma e viam isso como uma traição de sua fé. Qualquer que fosse a resposta de Cristo para os fariseus, ele seria "culpado" de liderar uma revolta contra César ou de trair os judeus (Lucas 20:29-36).
4. Jesus chamou os fariseus de hipócritas.
5. Ao ressuscitar Jesus dos mortos após sua crucificação, Deus respondeu à oração de Jesus (Mateus 26:36-46).
6. Nos tribunais judaicos, ele foi acusado de blasfêmia. No de Pilatos, foi acusado de ser um rei e rival de César (João 19).
7. O corpo foi retirado da cruz e colocado em um túmulo que foi fechado (João 19:38-42).

8. Ela o vê como um sacrifício pelos pecados, feitos em nosso favor (Hebreus 10).
9. Jesus está vivo para salvar e para nos guardar (Hebreus 7:11-28).

## CAPÍTULO 17: A chama se espalha

1. Atos é uma narrativa histórica (Atos 1:1-2).
2. Atos começa com a ascensão de Cristo (Atos 1).
3. A vinda do Espírito Santo deu aos discípulos poder para testemunhar de Cristo (Atos 1:8; 2:1-12).
4. Jesus é uma pessoa histórica que foi crucificada, ressuscitou e salva os que confiam nele (Atos 2:14-41).
5. Pedro e Paulo são as duas figuras dominantes em Atos.
6. Cornélio foi o primeiro gentio a se converter (Atos 10).
7. Três das viagens missionárias de Paulo são relatadas em Atos (Atos 13-19).
8. Ele determinou que não era preciso adotar as práticas judaicas para ser um cristão (Atos 15).
9. No final do livro de Atos, Paulo é preso em Roma (Atos 28).

## CAPÍTULO 18: Explicando o evangelho

1. As cartas são correspondências.
2. Acompanhar o raciocínio de uma carta significa seguir a linha de pensamento do escritor.
3. O tema da Carta de Paulo aos Romanos é a justiça.
4. Romanos ensina-nos que nenhum ser humano é justo, que Deus requer que sejamos justos e que declarará justos aqueles que confiarem em Jesus (Romanos 3).
5. Nossa natureza pecaminosa. Desde a Queda, os seres humanos tornaram-se herdeiros do pecado original. Isto significa que eles são inerentemente falhos e precisam de redenção (Romanos 5:12-20).
6. As pessoas têm sua própria noção do que é certo e errado, e todos agem de forma contrária aos seus próprios padrões (Romanos 2:12-16).
7. A Lei de Deus tem por objetivo convencer-nos de que somos pecadores e não podemos ajudar a nós mesmos (Romanos 3:19-20).
8. O tema da carta de Paulo aos Gálatas é a insuficiência da Lei *versus* o poder do Espírito Santo e a graça.
9. Os dois princípios contrários da vida de um cristão são a Lei e a graça (Romanos 7).
10. Relacionar-se com Deus por meio da Lei envolve depender de nossos próprios esforços. Relacionar-se com Deus por meio do Espírito envolve confiar que Deus fará em nós o que não podemos fazer sozinhos (Romanos 8).

## CAPÍTULO 19: As cartas que solucionam problemas

1. 1 e 2Coríntios; 1 e 2Tessalonicenses
2. A solução de Paulo foi expulsar o cristão que se recusa a deixar de pecar (1Coríntios 5).
3. Eles acreditavam que ela indicasse uma proximidade especial com Deus (1Coríntios 12:1-11).
4. Deus ama quem dá com alegria, podemos suprir as necessidades dos outros e Deus é capaz de suprir todas as nossas necessidades (2Coríntios 8-9).
5. Deus não respondeu à oração de Paulo pedindo a cura para impedi-lo de se tornar orgulhoso e para ensiná-lo a confiar nele (2Coríntios 12).
6. Não devemos nos angustiar com a morte de entes queridos, porque iremos vê-los novamente quando Jesus vier (1Tessalonicenses 4:13-18).
7. Deus punirá aqueles que perseguem os cristãos (2Tessalonicenses 1:5-10).

## CAPÍTULO 20: As cartas da prisão

1. O tema de Efésios é a Igreja de Jesus Cristo como uma entidade viva (Efésios 4).
2. A fé produz obras (Efésios 2:8-10).

3. A responsabilidade do marido é amar sua esposa como Cristo amou a Igreja (Efésios 5:25).
4. Alegria e regozijo são as palavras-chave a Carta aos Filipenses.
5. Para ficar livre da ansiedade, o cristão pode apresentar pedidos a Deus com ações de graças (Filipenses 4:8,9).
6. Na Carta aos Colossenses, Paulo combate uma heresia que afirma que todas as coisas materiais são ruins e somente o imaterial pode ser espiritual ou bom.
7. Colossenses 1:15-17 mostra que Jesus é Deus.
8. Os falsos cristãos vivem de acordo com listas do que devem ou não devem fazer; os cristãos verdadeiros demonstram amor, compaixão e perdão aos outros (Colossenses 2:6-23).

## CAPÍTULO 21: As cartas pessoais

1. As três "cartas pastorais" são 1 e 2Timóteo e Tito.
2. Veja a lista na página 306.
3. O ministério das viúvas era ensinar as mulheres mais jovens (2Tito 2:3-5).
4. O amor ao dinheiro é a raiz de todo o mal (1Timóteo 6:3-10).
5. O fato de Deus ter inspirado as Escrituras garante que elas são proveitosas (2Timóteo 3:16-17).
6. Ensinar a pessoa a viver em harmonia com as verdades também está incluído no ensino cristão (2Timóteo 2).
7. O justificado pela fé expressa esta realidade por meio de boas obras (Tiago 2).
8. Filemom e Onésimo tornaram-se irmãos em Cristo (Filemom 12-16).

## CAPÍTULO 22: A superioridade de Cristo

1. Hebreus é dirigido aos cristãos judeus.
2. Hebreus tinha por objetivo mostrar que o cristianismo e Cristo são superiores ao judaísmo.
3. A mensagem do Novo Testamento foi entregue por Deus, o próprio Filho, e não por um mensageiro (Hebreus 1:1-4).
4. Jesus trouxe uma revelação melhor e ofereceu um sacrifício (decisivo) mais eficaz (Hebreus 1).
5. Ela opera uma transformação interior, escrevendo a Lei de Deus em nosso coração (Hebreus 8).
6. Mostra que o sacrifício foi eficaz e que nós realmente estamos perdoados (Hebreus 10:1-18).
7. Hebreus 11 examina o significado da fé.
8. Todo pai amoroso disciplina (educa) seus filhos, e as dificuldades são provas da disciplina de Deus em nossa vida (Hebreus 12).

## CAPÍTULO 23: As cartas gerais

1. As sete cartas discutidas neste capítulo são Tiago, 1 e 2Pedro, 1, 2 e 3João e Judas.
2. O tema da Carta de Tiago é a fé manifesta nas obras.
3. A verdadeira fé é transformadora e será expressa no modo como vivemos (Tiago 2).
4. Os cristãos precisam entender como se relacionar com o sofrimento (1Pedro).
5. Deus transformou a injustiça em bem e pode fazer o mesmo por nós (1Pedro 3:13-18).
6. Veja a tabela na página 336.
7. Precisamos confessar nossos pecados para permanecermos em comunhão com Deus (1João 1:9).
8. Eles estão dispostos a confessar que Jesus é o Deus que veio na carne (1João 4:1-6).
9. O amor é a natureza de Deus, e ele ordena que amemos nossos irmãos (1João 4:16-21).

## CAPÍTULO 24: Apocalipse

1. O tema do Apocalipse são os eventos que acontecerão no fim da história (Apocalipse 2:19).
2. Jesus é visto em sua natureza essencial, e ele é tão glorioso que João fica atordoado (Apocalipse 1:9-20).
3. Apocalipse 1:19 divide o conteúdo em "o que era, o que é agora e o que há de vir".

4. As igrejas são representativas, e/ou podem simbolizar períodos da era cristã.
5. Mesmo diante dos terríveis juízos, os pecadores não irão se arrepender (Apocalipse 9).
6. O Anticristo será um ser humano em comum acordo com Satanás, que reivindicará as prerrogativas de Cristo e exigirá ser adorado (Apocalipse 13).
7. O Milênio será um período de mil anos durante o qual Jesus reinará sobre a terra, cumprindo as profecias do Antigo Testamento (Apocalipse 20:1-6).
8. Aqueles que não confiam em Cristo são lançados no lago de fogo (Apocalipse 20:11-15).
9. Aqueles que confiam em Cristo passarão a eternidade com Deus no novo céu e na nova terra que Deus criará (Apocalipse 21-22)

# Notas

## Capítulo 1

1. Youngblood, Ronald F. *The Book of Genesis*, p. 23.

## Capítulo 2

1. Lucado, Max. *The Applause of Heaven* [O aplauso do céu], p. 32.
2. Girard, Robert C. *My Weakness: His Strength*, p. 77.
3. Madre Teresa. *A Gift from God*, p. 37.

## Capítulo 3

1. LaSor, William S. *Old Testament Survey*, p. 136.
2. Lewis, C.S. *Miracles* [Milagres], p. 60.
3. Geisler, Norman L. *Miracles and Modern Thought*, p. 123.
4. Schuller, Robert. *Atitudes para Ser Feliz*, p. 176.

## Capítulo 4

1. Tada, Joni Eareckson. "Spiritually Active", em *Women's Devotional Bible*, p. 123.
2. Lewis Goldberg, citado em *The 365-Day Devotional Commentary*, p. 163.

## Capítulo 5

1. Hendricks, Howard. *Say It with Love*, p. 79.
2. Martinho Lutero, citado em *The 365-Day Devotional Commentary*, p. 343.

## Capítulo 6

1. Blaise Pascal, citado em *Christianity Today*, 2 de março de 1998, p. 62.
2. Santo Agostinho, citado em *The 365-Day Devotional Commentary*, p. 207.

## Capítulo 7

1. Baylis, Albert H. *From Creation to the Cross*, p. 243.
2. Wilkinson, Bruce. *God's Masterwork*, p. 69.
3. Swindoll, Charles. *God's Masterwork*, pp. 75-76.

## Capítulo 8

1. Graham, Billy. *Paz com Deus*, p. 38.

## Capítulo 9

1. Provérbios 14:34.
2. John Alexander, citado em *Christianity Today*, 9 de fevereiro de 1998, p. 78.

## Capítulo 10

1. Geisler, Norman L. *Miracles and Modern Thought*, p. 260.
2. Arthur, Kay. *Lord, Heal My Hurts* [Senhor, cura minhas feridas], p. 23.

## Capítulo 11

1. Schultz, Samuel. *The Old Testament Speaks*, p. 343.
2. LaSor, William S. *Old Testament Survey*, p. 632.
3. Martinho Lutero, citado em *The 365-Day Devotional Commentary*, p. 1075.

## Capítulo 12

1. Smith, James. *The Promised Messiah*, p. 180.
2. MacArthur Jr., John F. *God with Us*, p. 46.
3. Young, Edward J. *The Book of Isaiah*, p. 338.
4. Kiel, C.F. *Commentary on the Old Testament*, vol. 10, p. 329.
5. Keener, Craig S. *The IVP Bible Background Commentary*, p. 287.
6. Lewis, C.S. *Christian Reflections*, p. 137.
7. Bruce, F.F. *The Epistle to the Hebrews*, p. 48.

## Capítulo 13

1. Scroggie, Graham. *A Guide to the Gospels*, p. 505.
2. Shepherd, J.W. *The Christ of the Gospels*, p. 1.
3. Edersheim, Alfred. *The Life and Times of Jesus the Messiah*, p. 221.
4. Morgan, G. Campbell. *The Crises of Christ*, p. 183.

## Capítulo 14

1. Ryrie, Charles C. *The Miracles of Our Lord*, p. 11.
2. Ibid., p. 37.
3. Pentecost, J. Dwight. *The Words and Works of Jesus Christ*, p. 159.
4. Wesley, John. *The Works of John Wesley*, 5:278.

## Capítulo 15

1. Bruce, F.F. *The Gospel of John*, p. 169.
2. Ibid., p. 219.
3. John Wesley, citado em *The 365-Day Devotional Commentary*, p. 671.
4. Kempis, Tomás de. *The Imitation of Christ* [Imitação de Cristo], 6.1.
5. Bruce, F.F. *The Gospel of John*, p. 301.
6. Pentecost, J. Dwight. *The Words and Works of Jesus Christ*, p. 346.

## Capítulo 16

1. Edersheim, Alfred. *The Life and Times of Jesus the Messiah*, volume 2, p. 385.
2. Pentecost, J. Dwight. *The Words and Works of Jesus Christ*, pp. 391-392.
3. Ibid., p. 455.
4. Stott, John. *Commentary on Romans*, p. 144.
5. Lucado, Max. *No Wonder They Call Him the Savior* [Seu Nome é Salvador: Não é de admirar que o chamem assim], p. 140.

## Capítulo 17

1. Keener, Craig S. *The IVP Bible Background Commentary*, p. 354.

## Capítulo 18

1. Lucado, Max. *In the Grip of Grace* [Nas garras da graça], p. 92.
2. Pennenberg, Wolfheart. "Homosexuality and Revelation", em *Christianity Today*, 11 de novembro de 1996, p. 37.
3. Harrison, Everett F. *The Expositor's Bible Commentary*, p. 31.
4. Lucado, Max. *In the Grip of Grace* [Nas garras da graça], p. 92.
5. Wesley, John. *The Works of John Wesley*, 6:452.
6. Boice, James Montgomery. "Galatians", em *The Expositor's Bible Commentary*, p. 409.
7. Ibid., p. 495.

## Capítulo 19

1. Dwight L. Moody, citado em *The 365-Day Devotional Commentary*, p. 954.

2. Lutero, Martinho. *The Best of All His Works*, p. 276.
3. Thomas, Robert L. "Thessalonians", *The Expositor's Bible Commentary*, p. 233.
4. C.S. Lewis, citado em *The 365-Day Devotional Commentary*, p. 1025.


## Capítulo 20


1. Lewis Smedes, citado em *Christianity Today*, 13 de novembro de 1995, p. 69.
2. Christianson, Larry. *The Christian Family*, p. 270.
3. Papa João Paulo II, citado em *Christianity Today*, 13 de novembro de 1995, p. 69.
4. Edmund P. Clowney, citado em *Christianity Today*, 27 de abril de 1998, p. 78.


## Capítulo 21


1. McGee, J. Vernon. *The Epistles of 1, 2 Timothy, Titus, & Philemon*, p. 14.
2. Barclay, William. *Letters to Timothy, Titus, and Philemon*, p. 36.
3. Zuck, Roy B. *Precious in His Sight*, p. 114.
4. Barclay, William. *Letters to Timothy, Titus, and Philemon*, p. 181.
5. Ibid., p. 256.


## Capítulo 22


1. Morris, Leon. "Hebrews", em *The Expositor's Bible Commentary*, p. 32.
2. Bruce, F.F. *Epistle to the Hebrews*, p. 155.
3. Arthur, Kay. Lord, I Want to Know You [Senhor, eu quero te conhecer melhor], p. 157.
4. Morris, Leon. *New Testament Theology*, p. 306.
5. Ibid., p. 138.


## Capítulo 23


1. Morris, Leon. *New Testament Theology*, p. 313.
2. Lewis, C.S. *Miracles* [Milagres], p. 181.
3. William Law, citado em *Christianity Today*, 19 de junho de 1995, p. 33.
4. Wesley, John. *The Works of John Wesley*, 6:15.
5. François Fénelon, citado em *Christianity Today*, 13 de novembro de 1995, p. 69.


## Capítulo 24


1. Johnson, Alan F. "Revelation", em *The Expositor's Bible Commentary*, volume 10, p. 432.
2. Melton, J. H. *52 Lessons in Revelation*, p. 93.
3. Duck, Daymond R. *The Book of Revelation — The Bible Smart Guides™*, p. 109.
4. Hindson, Ed, ed., *Final Signs*, p. 107.
5. Johnson, Alan F. "Revelation", em *The Expositor's Bible Commentary*, p. 576.
6. Lindsey, Hal. *There's a New World Coming*, p. 252.
7. Hocking, David. *The Coming World Leader*, p. 288.

Este livro foi composto em Dante e impresso em
papel Avena 70 g/m² pela gráfica Vozes para a
Thomas Nelson Brasil em 2024.